T5-BBL-794

Александр ЩЕЛОКОВ

УНИЧТОЖИТЬ ИЗРАИЛЬ...

Москва •ВАГРИУС• 2001

УДК 882—312.4
ББК 84Р7
Щ 46

Возможное совпадение ситуаций и фамилий персонажей романа с реальными следует считать случайным.

Война богатого «Севера» и бедного «Юга» началась.

Террорист № 1 Усама бен Ладен, арабские шейхи, узбекские экстремисты, афганские талибы — действующие лица операции по овладению ядерным устройством и нанесению удара по Израилю. Цель акции — изменить геополитическую ситуацию в мире.

Сюжет книги Александра Щелокова выглядел бы фантастическим до дня «Д» — 11 сентября 2001 года. Теперь он может восприниматься как реальный сценарий действий исламских террористов.

Охраняется законом РФ об авторском праве.
Воспроизведение всей книги или любой ее части
запрещается без письменного разрешения издателя.
Любые попытки нарушения закона будут
преследоваться в судебном порядке.

ISBN 5-264-00623-7

© А. Щелоков, автор, 2001
© Издательство «ВАГРИУС», 2001
© Издательство «ВАГРИУС», оформление, 2001

Злое солнце
Черных песков

Тяжелая железная дверь, отделявшая от мира вонючий подвал, пропахший мочой и острым людским потом, со скрипом открылась. В проеме, загородив свет, падавший снаружи, возникла фигура охранника. Это был мордоворот с красной опухшей рожей и безумными глазами — то ли обкуренный, то ли просто какой-то дикий. Огромный туркмен — полтора метра в плечах, два ростом — крутил в руках резиновый дрын. Но резина на нем была для понта, она скрывала кусок стальной арматуры.

Когда его глаза привыкли к полумраку, он оглядел заключенных и сипатым голосом кадрового сифилитика задал вопрос:

— Эй ты, русский, тебе хорошо у нас?

Не дожидаясь ответа, добавил:

— Ты потерпи. Вечером я дежурить приду и тебе Афганистан устрою...

И загоготал утробным смехом, довольный собой и своим остроумием.

Дверь закрылась. Глухой раскатистый смех еще некоторое время раздавался снаружи.

Андрей с детства осознавал себя азиатом. Русским азиатом, если говорить точно. Родился в Чимкенте, вырос в Фергане. С детства знал казахский, узбекский и туркменский языки, во время еды мог обходиться без ложки, брал из казана мясо или плов не двумя пальцами, а, по меньшей мере, тремя или даже всей пятерней. Чтобы не нарушать местного этикета, даже водку пил из пиалушки, а после еды умел ласкающим движением ладоней огладить щеки от скул к подбородку и благоговейно произнести мусульманское благодарственное слово окончанию трапезы — «омин», по смыслу сходное с христианским «аминь».

После окончания Института нефти и газа в Москве Андрей охотно вернулся в Среднюю Азию и начал работать инженером на нефтяных промыслах в Туркмении. Здесь, на каракумской жаре, прокалился до самых печенок, научился в зной дуть чал — кислое верблюжье молоко, разбавленное водой, хорошо утолявшее жажду. Стоически терпел заунывные мелодии местной музыки и песен, которые нескончаемым потоком катились по всем волнам эфира.

Знание тюркских языков и дурацкая уверенность в том, что демократия не делится на европейскую и азиатскую, стали причинами, которые с верхней площадки буровой вышки опустили Андрея в вонючий подвал зиндана — туркменской кутузки.

Дело, которым Андрей занимался, меньше всего было связано с бумагами и политикой. Казалось, знай работай, зарабатывай и живи. Однако система требовала, чтобы верноподданные начинали каждый день с подтверждения своей любви к великому туркменбаши. Верные подкаблучники Супернияза Текеханова хорошо знали, что темными южными ночами, когда в невыносимой каракумской духоте плавятся мозги, в чью-то мятежную голову могут прийти черные идеи тлетворных европейских свобод. Поэтому проверять, не появились ли они там в темное время суток, полагалось по утрам. Клятву верности туркменбаши ежедневно произносили школьники, военные, даже заключенные. «Пусть у меня отпадет рука, — говорили они, — если я подниму ее на туркменбаши. Пусть у меня отсохнет язык, если я скажу о нем плохое слово».

— Это очень разумно, — просвещал Андрея начальник промысла Атабай Бекмурадов.

Атабай был сокурсником Андрея. Все годы учебы они считались не разлей вода. Андрей помогал Атабаю писать курсовые, вместе они работали в студенческом стройотряде на целине в Казахстане, а после выпуска из института по распределению приняли решение ехать в Туркмению.

Атабай в силу родства быстро нашел поддержку в Ашхабаде и выбился в начальство.

За годы институтской учебы Атабай приобрел пристрастие к дорогим костюмам европейского покроя, к шляпам и галстукам. На промысле он обязательно появлялся в темных очках и с серебристым кейсом в руке. Но высшая школа ни в коей мере не затронула его глубинные азиатские инстинкты. Если Андрей с первого дня работы держался одинаково со всеми, с кем работал, — с мастерами, помощниками мастеров и рабочими, то Атабай такого рода вольностей в общении с подчиненными не допускал. Даже инженеры, подходя к нему, прикладывали правую ладонь к груди и склоняли голову в знак почтения, а два небрежно поданных пальца принимали двумя руками, как подарок.

На этой почве между друзьями обозначились первые расхождения. Подходя к Атабаю и разговаривая с ним, Андрей никогда не перегибался в угодливом поклоне. В результате, несмотря на туркменскую изнурительную жару, их отношения медленно охлаждались.

Разрыв произошел, как это часто случается, внезапно, и по последствиям оказался для Андрея катастрофическим.

В обществе двух инженеров промысла и в присутствии Атабая, с беспечностью наивного чудака, который верил, что свобода слова — это достояние демократического общества, Андрей назвал благословенного эмира Туркмении великим Текеханом-кутакбаши.

Кутак — местное, отнюдь не ругательное название природного инструмента, которым мужчины испокон веков пользуются, чтобы продолжать род.

Услыхав слова Андрея, Атабай резко встал.

— Назаров, я всегда знал, что ты скрытый великодержавный шовинист. Но когда дело касается великого человека, любимого нашим народом вождя и отца нации, я такое терпеть не могу. Ты понесешь суровое наказание.

В тот же день Андрея арестовали, и он оказался в зиндане.

Тюрьма — изобретение европейское. Зиндан — азиатское. Каждый хан, каждый эмир вносил в его создание изощренность своего ума и жестокость.

Кокандский хан Худояр, возводя для себя дворец-крепость, построил зиндан с величайшей изобретательностью. Тюремные камеры в нем были расположены под пандусом, который служил единственным путем для проезда в ворота крепости. Поскольку помост строился наклонным, камеры были разными. Самые строгие располагались в начале пандуса, туда заключенных заставляли вползать на пузе, и они отбывали срок лежа. На такую участь хан обрекал своих самых заклятых врагов. В других камерах можно было обретаться только сидя. Наконец, у самой крепостной стены, где пандус примыкал к воротам, камеры позволяли заключенным вставать во весь рост. Здесь содержались те, кого в зиндан бросали лишь для острастки и кого в скором времени предполагалось освободить.

В старинной песне русских каторжан есть такие слова:

— Динь-дон, динь-дон,
Слышен звон кандальный...

Куда точнее для азиата песня звучит, если ее петь так:

— Зан-дан, зин-дан,
Слышен звон кандальный...

К Андрею прямо на рабочем месте у газонасосной станции подошли двое. Что произошло после неожиданного удара по голове, Андрей сразу не понял. Белое солнце пустыни вдруг раздвоилось, и двойники поплыли в разные стороны. Когда слепящие диски снова собрались в один, на запястьях арестованного защелкнулись наручники, а его самого затолкали в машину.

До вечера Андрея продержали в тесной камере отделения милиции в полном одиночестве. Ему не давали ни воды, ни еды. Когда он сам попросил попить, на него посмотрели как на психа.

— Ты больше ничего не хочешь?

— Нет, только пить.

— Заключенным воды не привозили, — сообщил охранник.

— А если человек хочет пить?

— Ты не человек.

— А кто?

— Не знаю, может маймун. Обезьян, который еще не стал человеком.

— Как определяется, кто человек, а кто нет?

— Очень просто. Кто здесь у нас любит Текехана-туркменбаши, тот человек. Кто не любит — маймун или еще хуже.

— Значит, мне и прокурор не положен?

— Тебе зоопарк положен. Отвезут в Ашгабад, посадят в клетку. Будут людям за деньги показывать. Напишут табличку — «Маймун, который не любит великого туркменбаши». Прокурор туда сам придет со своими детьми. Показать им тебя.

Вечером Андрея перевезли из отделения в зиндан и втолкнули в полутемный подвал. Дверь узилища была огромной и толстой. Помещение, которое превратили в темницу, строили при советской власти под бомбоубежище на случай войны. Конечно, войны атомной. Долбить в такую дверь кулаком и выбить из нее звук было просто невозможно.

Тусклая лампочка — двадцать пять свечей, не более — была спрятана в углубление кирпичной стены и закрыта металлической решеткой. В камере царил полумрак. Ни нар, ни другого вида лежаков в узком помещении не было. Видимо, начальство зиндана считало подобные вещи излишеством, без которого заключенные в состоянии обойтись. И они обходились.

Некоторое время Андрей стоял у двери, чтобы дать глазам привыкнуть к полумраку, который вонял застарелыми запахами вокзального сортира. Наконец он разглядел в дальнем в углу двух человек. Один из них сидел на полу, держался правой рукой за левое плечо и негромко постанывал. Второй стоял рядом, прислонившись к стене в позе, которая не оставляла сомнений в серьезном настрое ее принявшего. Но скорее всего она извещала не о стремлении к нападению, а о готовности к защите.

— Сен кым? — по-туркменски спросил Андрея стоявший у стены. — Ты кто?

— Теперь и сам не знаю, — также по-туркменски ответил Андрей. — Все время считал себя человеком, а сегодня сказали, что обезьяна — маймун...

— Ты русский? Как зовут?

— Андрей.

— Я Мурад.

— Что с ним? — спросил Андрей и показал на сидевшего в углу.

— Это Дурды. Мой брат. Эти шакалы сломали ему руку.

— Давай посмотрим, что с рукой, — Андрей приблизился к сидевшему.

— Сильно болит? — спросил у него.

— Сильно, — сквозь зубы процедил тот и застонал. — У-у-у...

Андрею пришлось опуститься рядом на корточки. Он осторожно ощупал руку Дурды от локтя к плечу. Судя по распухшему и неестественно перекошенному плечевому суставу, у Дурды был вывих. С травмами такого рода Андрей уже сталкивался. Один раз плечо вывихнул рабочий, упавший с площадки буровой вышки. В другой это произошло с его другом, когда тот опрокинулся вместе с автомобилем. В обоих случаях суставы вправляли врачи, но Андрей ассистировал и хорошо запомнил, каких действий от костоправа требуют подобные ситуации.

— Слушай, — сказал Андрей, — тебе надо помочь.

— Ты доктор? — спросил Дурды, на миг перестав постанывать.

— Почти. Слесарь-гинеколог.

— А-а, — протянул Мурад понимающе. — Это хорошо. Тогда помоги брату.

— Немного боюсь.

— Почему? — спросил Мурад.

— Ему будет очень больно. Он заорет, а ты подумаешь, что я собрался его убить...

— Мне и так больно, хуже не бывает, — сказал Дурды. — Очень больно. Лечи. Буду терпеть.

Андрей осторожно ощупал его плечо.

— Плохо, Дурды. Как это тебя угораздило?

— Собака Огыз, — ответил за него Мурад. — Этот здоровый охранник.

Андрей улыбнулся: объяснение звучало забавно. Огыз значит бык. «Собака Бык» — просто здорово. Вроде немецкого «швайнехунд» — свиная собака. И оба определения, подумал Андрей, хорошо походили к бугаю-мордовороту, который втолкнул его в этот подвал.

Сустав Андрей вправил достаточно просто. Дурды не закричал: он просто отключился, выпав на миг вообще из всех ощущений. Его положили на пол, похлопали по щекам.

— Где я? — спросил Дурды, когда открыл глаза.

— Лежи, все в порядке, — успокоил его брат и тут же обратился к Андрею. — Я не спрашиваю, за что тебя сюда бросили. Все равно не скажешь правду. Но за что бы ты ни оказался в этой яме, спасибо тебе за помощь.

— Почему не скажу? Мне скрывать нечего. Я назвал президента кутакбаши. А значит, я изменник, враг народа и террорист.

— Какой же ты враг? — Мурад засмеялся. — Просто наш президент так велик, что ты дотянулся взглядом лишь до его колен или чуть выше.

— Ладно, Мурад, философия нам не поможет. Нужны другие решения.

— Какие? Подумал? — спросил Мурад. — Что думаешь делать?

— А что делают заключенные во всех тюрьмах? Пытаются сбежать.

— Хорошо сказал, — Дурды, все еще лежавший на полу, приподнял голову. — Только разве это можно сделать?

— Очень можно, — Мурад говорил о побеге как о деле решенном. — Войдет охранник, его надо убить. Взять оружие, выйти и убить остальных. Они свиньи, не жалко.

— Может, не стоит? — высказал сомнение Андрей.

— Может, не стоит, — без малейшего сопротивления согласился Мурад и тут же жестко, стараясь подавить любую возможность возражений со стороны Андрея, добавил: — Но очень нужно. — А чтобы русский не объяснил для себя его настойчивость неоправданной кровожадностью, пояснил: — Если эти шакалы останутся живы, моему брату — конец. Тебе тоже. Мне — обязательно.

— Все, — сказал Андрей. — Это мы решили. Теперь надо договориться, как будем действовать.

— Убивать буду я, — объявил Мурад.

— Почему? — спросил Андрей. Брать на себя убийство не хотелось, но испуг показывать тоже не стоило.

— Убивать змею нельзя доверять даже другу, его рука может дрогнуть.

— Хоп, — сказал Андрей. — Забито.

Вместе с Мурадом они обошли камеру, выбрали места, откуда удобнее всего напасть на охранника, и главное — сумели отделить из основания стены ослабленный сыростью кусок камня.

Дурды, следивший за их приготовлениями, заметил:

— Вы только не зарывайтесь. Он будет сопротивляться и может сильно поддать.

— В драке халву не раздают, — успокоил брата Мурад. — Мы к колючкам готовы. Прорвемся.

— Я знаю, — согласился Дурды. — Даже коза до Мекки дойдет, если волк не съест.

Волк их не съел. Облегчило задачу то, что Огыз по натуре был пиён — завзятый пьяница и, когда ввалился в камеру, еле держался на ногах.

— Смотри, — сказал Мурад, — он пьянее водки. Вот хорошо!

— Берем? — спросил Андрей.

Мурад кивнул.

Стражник остановился у входа и поманил пальцем Андрея:

— Иди сюда, кафир. Пойдем учиться.

— Зачем? — спросил Андрей. — Я и так все знаю.

Он заводил Огыза, заставляя того отойти от двери. И тот действительно размахнулся дубинкой и сделал шаг вперед:

— Ты еще говорить смеешь!

Мурад скользнул вдоль стены и оказался за спиной бугая. Удар каменной глыбой по бритой голове оказался настолько сильным, что глыба в руке Мурада развалилась на две части.

Огыз качнулся, на мгновение застыл на месте и рухнул на пол лицом вниз.

Андрей подскочил к нему, вытащил из сжатых пальцев дубинку, вынул из кобуры пистолет, взял с пола наручники.

— Как он?

— Готов, — ответил Андрей. — Мертвее камня.

Дурды сделал жест омовения, проведя ладонями по щекам, и гнусаво пропел:

— Аллахума гфир ля-ху, Аллахума саббит ху! — Аллах прости его, Аллах укрепи его.

Андрей узнал слова молитвы, произносимой после погребения покойника, и заметил:

— Надо было сказать шайтану: забери его, он твой.

— Я бы сказал, но просить у шайтана услуги грешно. Аллах сам решит, куда деть эту морду.

— Все, пошли, — сказал Мурад и протянул руку к Андрею. — Дай мне дубинку. Я иду первым.

Мурад медленно поднимался по щербатым и грязным ступеням. За ним, стараясь держаться к нему как можно ближе, шел Андрей.

У открытой двери в караульное помещение Мурад остановился. Прижался к стене, прислушался.

Охранники резались в нарды. Двое играли, один болел то за одного, то за другого. Он громко хлопал в ладоши, объявлял очки, выпадавшие на костях, и весело комментировал ходы, то и дело охая и ахая.

Мурад осторожно заглянул в караулку. Сизый сигаретный дым плавал там под тусклой лампочкой.

Игроки сидели за столом, а пирамида с автоматами стояла у правой стены на расстоянии двух шагов от входа.

Обернувшись к Андрею, Мурад показал ему на пальцах: трое. Потом ткнул себя в грудь и поднял указательный палец — я первый. Сделал жест, будто брал оружие.

Андрей кивнул, обозначив готовность.

Мурад поднял три пальца левой руки и стал их по одному загибать. Раз! Два! Три! Влетев в караулку, он со всего маху ударил дубинкой по затылку охранника, сидевшего к нему спиной. Широкоплечий детина ткнулся носом в игровую доску.

Мурад запрыгнул на стол и ударил второго игрока по макушке. Тот вместе со стулом с грохотом рухнул на пол.

Андрей метнулся вправо к оружейной стойке. Четыре автомата с потертыми ложами и без штыков, но снаряженные магазинами, стояли ровным рядом.

Андрей схватил один, отщелкнул предохранитель и передернул затвор. И вовремя. Тот, что болел за обоих игроков, сразу успел отскочить в дальний угол и упасть на пол. Лежа, он выхватил пистолет из кобуры и два раза нажал на спуск.

Караулка наполнилась оглушающим грохотом и вонючим пороховым дымом. Пули ударились о бетонную стену и, срикошетив, с визгом пролетели по комнате.

Андрей держал автомат, но противника не видел. Начинать стрельбу в таком положении не имело смысла.

Однако третий выстрел не прозвучал. Затвор пистолета закусил стреляную гильзу и не дослал новый патрон в патронник.

Андрей прыгнул за стол и прижал автомат к голове охранника.

— Брось оружие!

Тут же к ним подскочил Мурад и ударил противника палкой по голове.

Они быстро оттащили охранников в камеру, вывели оттуда Дурды и направились к проходной у железных ворот.

Два стражника сидели в тесной каморке за столом, на котором возвышался крепко закопченный казан с вареным мясом. Оба находились под балдой, это было видно невооруженным глазом: красные физиономии, от которых можно было прикуривать, блестящие глаза, рвавшиеся из орбит.

Взять их с автоматами в руках не составило большого труда. Обоих положили на пол. Потом Андрей вырвал из розетки шнур телефона и ногой раскрошил аппарат.

Одного охранника отправили к остальным в камеру, второго, который долго искал ключи от ворот гаража, чтобы не терять времени, приковали наручниками в коридоре к водопроводной трубе.

Остатки варева из котла Мурад переложил в кастрюлю: им еще нужно будет немного подкрепиться.

В гараже они обнаружили запыленную, изрядно помятую «Ауди». Мурад сел за руль, вырвал из замка зажигания провода, соединил их и запустил двигатель. Вывел машину во двор, усадил в нее брата. Потом прошел к воротам, загремел задвижкой и осторожно открыл калитку. Выглянул на улицу. Она была пустынна от перекрестка до перекрестка.

Подозвал рукой Андрея:

— Ты открой ворота, я выведу машину на улицу. Потом ворота закрой и выходи. Хоп?

У Андрея мелькнула гнусная мысль: а что если Мурад не станет ждать и умотает, оставив его за воротами? Кто они, эти бандиты? Но все же протянул Мураду открытую ладонь.

— Хоп!

Мурад звонко шлепнул по ней двумя пальцами и пошел к машине.

Андрей взялся за железный стержень, воткнутый в две металлические петли, и вытащил его. Ворота распахнулись на удивление легко.

Машина медленно выехала на улицу.

Андрей, не выглядывая наружу, стал закрывать ворота. Не оставлять же тюремный двор открытым.

— Эй, давай быстрее! — Мурад, приоткрыв дверцу и высунувшись из машины по пояс, махал ему.

Когда Андрей забрался в салон, густо провонявший бензином, и машина тронулась, Мурад вдруг спросил:

— Почему ты поверил, что я тебя не оставлю?

— А почему я должен думать, что у туркмена нет чести?

— Спасибо, Андрей.

Теперь уже Мурад протянул ему ладонь, и Андрей ударил по ней всей пятерней.

Машина резко рванулась с места.

— Ты случайно не танкист? — спросил Андрей Мурада.

— Все умеем, — весело крикнул тот. Похоже, он балдел от того, что держал в руках руль. А насчет того, не был ли танкистом — Андрей спросил, заметив, что водитель не знает разницы между ездой по ровной дороге и ямам. На избитой дороге Мурад словно нарочно выбирал рытвину поглубже и старался попасть в нее всеми четырьмя колесами. Может быть, конечно, дело было в том, что их машина была слепа на одну фару, а та, что работала, бросала на дорогу бледный пучок света, в котором на скорости что-либо разглядеть толком не удавалось.

Дурды стиль вождения брата переносил стоически. Когда машину мотало из стороны в сторону, он хватался здоровой рукой за спинку переднего сиденья и лишь скрипел зубами. Больное плечо все время давало о себе знать, но просить брата сбавить скорость Дурды не пытался. В ту ночь в скорости было их спасение.

Эта скорость стала причиной первого инцидента, которого беглецы никак не желали.

На одном из перекрестков, который Мурад пытался проскочить с ходу, без задержки, они зацепили бампером «Мерседес», пересекавший улицу справа. Громкий звук, такой, словно кто-то ударил молотком по пустой железной бочке, заставил Мурада выругаться.

— Они здесь не умеют ездить! Там за рулем совсем ишак! Надо ему морду бить! — За рулем Мурад потерял чувство реальности и ощущал себя крутым автоджиги-том, который при любом дорожном инциденте начинает качать права, считая себя заведомо правым. — Глаза ему... — Мурад не закончил фразу — сзади замигал синий маяк и залилась воем сирена.

«Мерседес» оказался патрульной полицейской машиной.

Автомобиль следует выбирать, как коня. Садиться в первую попавшуюся колымагу допустимо только в крайней нужде. Андрей это прекрасно знал, но поделать ничего не мог — нужда у них была самой что ни есть крайней.

Долбаный рыдван с кольцами на черном капоте в молодости носил гордое имя «Ауди», но какой-то лихой наездник загнал тачку до крайности, и теперь она воспринимала каждый посыл вперед с громким чиханьем и пуканьем. Чихало в карбюраторе, пукало в выхлопной трубе. Последнее меньше всего раздражало Андрея. Выстрелы, громыхавшие через неравные промежутки времени, в какой-то мере сдерживали рвение преследователей: попробуй угадай — лупят в тебя из охотничьего обреза или из чего другого с еще большим дулом.

Расстраивало другое: подвеска звонко бренчала на рытвинах, амортизаторы не держали, и кузов ударялся об ограничители так, что казалось, в какой-то момент вся эта безумная конструкция разлетится на части.

Серый «Мерседес», словно привязанный, сохранял дистанцию — катил, не отставая и не приближаясь. Кто знает, может, там уже угадали, что старый рыдван не выдержит серьезной гонки и вскоре развалится по дороге. Значит, главное не догнать, а загнать старую клячу.

— Зараза! — выругался Андрей, когда в очередной раз на выбоине колымага вздрогнула, а все они подлетели до потолка.

— Не ругай его, — по-русски сказал Дурды. — Он хороший, только старый очень. И муки дорожные лучше мук загробных...

Они проехали еще километра два, когда Мурад сказал:

— Держитесь крепко, сейчас налево пошел!

И тут же, не дав никому понять, что делает, вертанул руль. Машина застонала, как живое существо. Карбюратор чихнул. Выхлопная пукнула сдвоенным залпом.

— Ты куда?! — заорал Андрей с нескрываемой яростью. Его шарахнуло о борт с такой силой, что бок заныл и локоть пронзила острая боль.

— Сейчас хорошо будет! — Мурад выкрикнул это и засмеялся. — Сейчас хорошо!

— Зачем свернул?! — Андрей шлепнул Мурада ладонью по спине. — Э, зачем?!

— Я хитрый, — голос Мурада озорно звенел. — Этот ишак не умеет здесь ездить. Ты увидишь!

Мурад резко прибавил газу. Машину теперь трясло прямо лихорадочно. Луч фары вдруг вонзился в темное небо, и дорога исчезла из виду. Когда нос «Ауди» резко клюнул, Мурад опять крутанул руль влево, и стало видно, что они по узкой дорожке спускаются в глубь огромного котлована.

— Ты куда поехал?! — закричал Дурды. — Там же нет выезда!

— Все! — радостно ответил ему Мурад. — Подохли собаки!

Андрей и Дурды обернулись и увидели, как, сверкая огнями, будто огромный снаряд, в пустоте летит «Мерседес».

В момент, когда на взгорке свет фар ушел вверх, преследователи, не знавшие дороги, вовремя не повернули налево и с ходу влетели в котлован.

— Как ты угадал, что они не остановятся?

— Маленький дурак по сравнению с большим — мудрец. А ты видел в нашей милиции маленьких дураков?

— Надо съехать вниз, — предложил Андрей. — Возьмем оружие и документы.

— Э, — возразил Дурды, — у нас много оружия.

— Перестань, — остановил его брат, — оружия, как денег, не бывает много.

Он осторожно съехал в глубину котлована, направил

фары на «Мерседес». Тот был перевернут и сплющен, как консервная банка.

Андрей и Мурад вышли из машины.

— Не подходи слишком близко, — посоветовал Мурад. — Может взорваться.

— Это они в американском кино взрываются, — возразил Андрей. — На самом деле такое случается редко.

Он подошел к «Мерседесу», но понял, что из него ничего не извлечешь, и вернулся к своей машине:

— Поехали!

Начальник караульной смены тюремной охраны капитан Атамурадов к полудню оставил зиндан и уехал домой пообедать. Обед затянулся до позднего вечера.

Войдя в дом, капитан снял мундир, умылся и плотно поел. Сытость, наполнившая здоровое тело, заставила взбурлить и без того горячую кровь. Та загуляла по жилам, разбудила желания, заставила напружиниться и закаменеть мужскую мышцу сладострастия.

Атамурадов прошел на женскую половину и позвал Айшу — старшую жену. Это положение она приобрела в восемнадцать лет, будучи еще худенькой недоразвитой девочкой. К двадцати одному году Айша налилась соками и расцвела. Пышная упругая грудь так и распирала ее платье, а бедра, широкие и фигуристые, покачивались на ходу, всякий раз заставляя мужа плотоядно облизываться.

В страсти Айша становилась яростной, как тигрица, она извивалась, рычала, царапалась и, казалось, на ристалище любви энергия ее никогда не иссякнет.

Первым схватку проигрывал Атамурадов. Силы оставляли его, он вдруг отваливался от разгоряченной жены, как пиявка, напившаяся крови досыта, и мгновенно засыпал.

Во время праздничного свадебного пира — тоя — отец Атамурадова Саддык предупредил сына, что взойти на супружеское ложе сын ислама имеет право только после молитвы. Молитва была простой, и Атамурадов ее легко запомнил: «С именем Аллаха, о Аллах, удали от нас шайтана и от того, кем Ты наделил нас». Последние слова относились к детям, поскольку молитва играла и определенную противозачаточную роль. Но Атамурадов правил не принял и, поднимаясь на ложе любви, не молился. Во-первых, потому, что повторять одни и те же просьбы, обращенные к Аллаху, ему пришлось бы слишком часто. Во-вторых, таблетки, которые давал аптекарь, предохраняли от нежелательных последствий ничуть не хуже любых заклинаний.

Утомленный Айшой, капитан проспал более часа. Проснувшись, попросил, чтобы ему принесла попить Гюзель — младшая сестра старшей жены. Чтобы сэкономить на калыме, хитрый Атамурадов взял в дом двух сироток — худышку Айшу восемнадцати лет и гибкую, как лоза, Гюзель — пятнадцати. Через год и вторая сестра стала женой Атамурадова.

Выпив большую пиалу чала, капитан уложил в постель младшую жену. Ему нравилось чередовать ласки двух женщин. Поначалу сгорать и изматывать силы в неравной борьбе со страстной Айшой, а затем отдыхать, сжимая в объятиях ласковую и покорную Гюзель.

После чая капитан стал собираться на службу, чтобы проверить, как его подчиненные несут наряд.

Он медленно вел машину по узкой улочке квартала частных домов, когда на углу у пересечения с главной дорогой увидел женщину. Она махнула рукой. Он узнал Лалу, вдову бывшего директора хлопкозавода. С этой веселой и смелой в общении красавицей он уже давно втайне от всех амурил.

Он притормозил у перекрестка. Луноликая Лала заглянула в окно.

— Ты меня не отвезешь на вокзал?

— Садись.

Атамурадов вывел машину на асфальт, но свернул не к центру, а к окраине. Через пять минут он был на пустыре возле Хан-арыка, обеспечивающего водой весь город. Остановился у тополей и заглушил мотор.

— Здесь теперь у нас вокзал? — спросила Лала и озорно захохотала.

— Нет, — сказал капитан, — только остановка.

Лала со смехом уронила голову ему на колени.

Атамурадов запустил пальцы в ее пышные мягкие волосы, откинул голову на спинку сиденья и замер в сладострастном ожидании чуда...

Он отвез Лалу на вокзал и поехал к тюрьме, балдея от счастья: надо же, в каких развлечениях прошел серый будничный день...

Атамурадов приехал к тюрьме затемно и первое, на что обратил внимание, была открытая дверь проходной.

Капитан ощутил прилив злости. Вот он сейчас выдаст охране: старшего отругает, младшему врежет по морде. От одной этой мысли у него зачесалась ладонь.

Атамурадов стремительно вошел в проходную, но заготовленная брань с языка так и не сорвалась.

Дежурная комната была пуста, только на столе вверх дном лежал казан. Мрачное предчувствие заставило капитана вспотеть. Быстрым шагом, почти бегом, Атамурадов пересек небольшой двор, вбежал в караулку, толкнул дверь и замер на пороге, не понимая, что там произошло, а главное, не зная, что ему делать.

Сваленный на бок стол лежал, упершись всеми четырьмя ножками в стену. На полу валялись шашки нард. Доска, раздавленная чьей-то ногой, торчала из оружейной пирамиды, на которой не стояло ни одного автомата.

Так и не войдя в караулку, Атамурадов попятился, отступил в коридор. Первым, кого он увидел, был младший контролер Мухтарбеков. Он стоял у окна, прикованный наручниками к водопроводной трубе.

— Что здесь случилось? — потребовал ответа Атамурадов.

— Заключенные... Они убежали. Русский и два наших — туркмена...

Капитан оглядел помещение. Остановил взгляд на пустой пирамиде.

— Где оружие?!

— Они забрали!

— О! — застонал Атамурадов. Он уже понял, что

звезда его счастья рухнула в бездну мрака и только крутые решения могут снять с его плеч камень суровой ответственности. Кровь его закипела, бросилась в жилу гнева, вздула ее. — Безродные ишаки! Давай вниз, разберемся.

Они прошли к камере. Железная дверь была закрыта. Большой ключ кузнечной работы торчал из замочной скважины.

Оглядевшись, капитан вынул пистолет, передернул затвор, вгоняя патрон в ствол. Потом протянул Мухтарбекову.

— Держи! Ты войдешь и докончишь дело, которое начали бандиты. Только так ты сможешь сохранить себя.

— Убить? — Мухтарбеков смотрел на капитана, вытаращив глаза от удивления и страха. — Кого из них?

— Всех, — сказал капитан брезгливо. — Хочешь сам жить, значит, всех.

— Но, — сказал Мухтарбеков, — они...

— Они не сумели удержать бандитов в клетке. Те вырвались и всех этих дураков перебили. Пошевели мозгами. Это сделали бандиты. Тебе удалось спастись. Разве твоя собственная жизнь не стоит такой платы?

— Капитан... — начал было Мухтарбеков и в бессилии замолчал.

— Бери, — Атамурадов сунул ему в руку пистолет и подтолкнул в спину. — Иди.

Капитан медленно повернул ключ и потянул дверь на себя.

Держа оружие в вытянутой руке, Мухтарбеков толкнул дверь в камеру и вошел внутрь.

С оглушительным грохотом прозвучали четыре выстрела: бах-бабах! Бабах! Бах!

Вскоре Мухтарбеков вышел из камеры, держа пистолет в опущенной руке.

— Все, капитан...

— Молодец, закрой дверь! Пошли.

Они вернулись в караулку.

Атамурадов снял трубку телефона и набрал номер дежурного по велайятскому отделу госбезопасности.

— Раис, это капитан Атамурадов. Прошу понять меня правильно. Это не донос, это информация...

— Хорошо, хорошо, капитан. Давайте информацию.

— Мой шеф полковник Пирбабаев получил сообщение о государственном преступлении. Один проклятый русский занимался агитацией против уважаемого отца нации туркменбаши. Когда меня направили арестовать преступника, я доложил Пирбабаеву, что этим должно заниматься ваше уважаемое учреждение. Пирбабаев резко ответил, что мы сами справимся. Как я понимаю, он заботился не о деле, а о том, как бы отличиться. Мы арестовали преступника. Его поместили в наш зиндан. Я сразу спросил, сообщил ли Пирбабаев о происшествии уважаемому генералу Сарачоглу. Оказалось, что он факт ареста политического преступника скрыл. И вот что случилось. Преступник, а вместе с ним еще два других, бежали из зиндана. Убито три охранника...

Генерал Сарачоглу обеими ногами стоял на почве животворного патриотизма и личной преданности великому туркменбаши. Полковник имел квартиру в многоэтажном доме в городе и собственную усадьбу с водоемом и садом, огороженную высоким глухим забором, на окраине. Во дворе усадьбы полковник установил высоченный металлический шест, который был виден с любой точки улицы. А на шесте развевался туркменский флаг.

Бывший при советской власти сотрудником уголовного розыска и носивший фамилию Сарыбаев, после обучения в Турции он вернулся домой специалистом секретной службы с фамилией Сарачоглу, был принят самим туркменбаши, имел с ним беседу, получил высокое назначение и начал делать карьеру.

Дежурный, получив донос, не стал откладывать дело до утра и около часу ночи не побоялся разбудить тревожным звонком своего шефа. Подобного у них еще не бывало, и действовать предстояло немедленно.

Через полчаса в отделе началось совещание. Сарачоглу пригласил своего заместителя полковника Овезова и полковника МВД Пирбабаева, на которого уже давно имел большой зуб. Было бы хорошо поставить на его место своего человека, и вот теперь, казалось, для этого пришло время.

— Мне очень неприятно, полковник, — обратился Сарачоглу к Пирбабаеву. — Это происшествие кладет тень на нас обоих. И я постараюсь помочь вам сделать все, чтобы найти и наказать виновных. Только не теряйте бодрости духа, ненастный день — еще не ночь.

— Спасибо, эфенди. — Пирбабаев знал, что Сарачоглу любит, когда собеседники титулуют его при каждом обращении. — Я высоко ценю ваше расположение. Вы для меня словно щит под стрелами бедствия.

— Что думаете предпринять? Ждать до утра нельзя. Требуются немедленные действия.

— Я думаю, эфенди, первым делом надо доложить о случившемся в Ашгабад. Поставить в известность руководство МВД.

Овезов, сидевший рядом со своим начальником, дернулся, с досадой хлопнул ладонью по колену.

— Э, зачем? Самим надо решать...

Сарачоглу успокаивающе качнул ладонью в сторону Овезова: мол, сиди, сиди... Посмотрел на Пирбабаева с явным одобрением.

— Хорошая мысль, полковник. Верная мысль. Конечно, надо звонить в центр. Конечно. Пусть там знают: здесь у нас в велайяте беспомощные дураки, которые сами не в состоянии ничего сделать. И потом мы должны порадовать руководство республики. Они там не знают, чем заняться, а мы им предложим работу. Начальство всегда благодарно, если на него перекладывают дела, которые должны решаться внизу.

Овезов поначалу растерялся, но вскоре понял, куда клонит генерал, и спрятал в кулак ехидную улыбку. Пирбабаев заерзал на стуле, словно ему припекло зад.

— Вот мой телефон, уважаемый, — Сарачоглу показал на аппарат. — Звоните. Я предоставлю вам право сообщить добрую весть руководству и стать героем...

Пирбабаев уже осознал всю меру собственной глупости и ужаснулся ничуть не меньше, чем после того, как ему доложили о происшествии.

— Я понял, эфенди. Все понял... — Он почтительно приложил руку к груди и смиренно склонил лысую голову.

— Что же будем делать? — вновь спросил генерал.

— Надо этих подонков уничтожить. Потом доложить.

— Тогда бегом! Нельзя терять времени! Его и так мало...

Пирбабаев вскочил и рванулся к двери. Овезов проводил его злорадной улыбкой. Когда дверь захлопнулась, он засмеялся:

— Как вы его, эфенди.

Сарачоглу поморщился:

— Пирбабаев дурак. Сын осла и земляной лягушки. У русских на этот счет есть басня, мы ее учили в школе. Попыргунья-попыргай, лето красное пропела, попыргунья-попыргай... В общем, дурак — опаснее врага... Пусть ловит этих преступников сам, если их упустил.

Сарачоглу был мудрым и опытным. Он уже просчитал возможные неприятности от погони и захвата трех вооруженных сорвиголов, которые понимают, что им никто не даст пощады, и потому будут драться до последнего. Возьмет их Пирбабаев или нет, достанутся они ему живыми или мертвыми — не имеет ровным счетом никакого значения. Во всех случаях самим Пирбабаевым займется госбезопасность. Попытка разбираться в государственных преступлениях, стремление присвоить себе несвойственные криминальной полиции функции заслуживают самого строгого разбирательства. А пока Пирбабаев бегает за политическими преступниками, нужно заняться другим делом.

— Салман, кто донес на этого русского... Назарова?

— Инженер Бекмурадов.

— Что он собой представляет?

— Хороший специалист. Туркмен. Патриот.

— Не спеши, — генерал недовольно поморщился. —

Ты не адвокат. Ты офицер безопасности. Если так, должен понимать: служба, которая считает, что каждый хороший специалист-туркмен автоматически является патриотом, не имеет права на существование. Мы должны во всем сомневаться, все проверять оперативными методами. Или ты считаешь, что в связи с Бекмурадовым все ясно и проверять нечего?

Овезов нервно сглотнул. Неожиданный поворот мысли шефа поставил его в тупик. Конечно, проверять можно всех и каждого, но что именно следует спрашивать о Бекмурадове, он понять не мог. Однако открыто сказать об этом не посмел. Сарачоглу заметил замешательство подчиненного и довольно хмыкнул. Всякий раз, когда он ставил своих сотрудников в тупик, у тех крепла уверенность в том, что их шеф не только выше по должности, но и умнее их.

— Этого Бекмурадова следует немедленно взять. Задайся вопросом, почему он решил сообщить о преступном поведении русского только сейчас. Не может быть, что подобные сомнения у него не возникали раньше. Бекмурадов учился в России. Надо проверить, такой ли он патриот-туркмен на самом деле, каким хочет казаться. Может быть, сдавая русского, пешку, Бекмурадов старается скрыть факт, что связан с русскими спецслужбами. Тебе такое в голову не приходило? И... — генерал щелкнул пальцами так, будто подгонял мысль, — будь готов, что этот тип постарается от вас скрыться. В случае побега его не надо оставлять в живых. Родимое пятно измены не отмоешь и кислотой.

Только стрела рассудительности попадает в цель желания.

Овезов был рассудительным.

— Он не убежит, эфенди. Труп доставить сюда?

Сарачоглу не обратил внимания на вопрос. Иногда подчиненным нужно мыслить самостоятельно. Он лишь сказал:

— Этот осел Пирбабаев ожирел на своем месте и уже не ловит мышей. Я бы рекомендовал Ашгабаду на его место тебя, Салман. Ты как смотришь на это?

— Во имя Аллаха милостивого и милосердного, эфенди. Вы же знаете — я ваш преданный слуга.

— Спасибо. Теперь иди, займись негодяем.

От «Ауди» Мурад избавился на ближайшей автозаправке. Он вышел из машины с автоматом в руках, загнал водителя стоявшего у колонки «КамАЗа» в будку заправки, оборвал телефонный провод и конфисковал «КамАЗ».

Едва машина тронулась, Андрей понял, что теперь навыки танкиста Мурад проявит в полной мере. «КамАЗ» разрезал ночной воздух со свистом артиллерийского снаряда и летел, не замечая колдобин.

На въезде в небольшой придорожный поселок располагался стационарный пункт дорожной полиции. Заметив издали приближавшуюся машину, на шоссе, помахивая светящимся жезлом, вышел капитан Оразалиев, строгий служака и образцовый взяточник. Чуть позади него остались стоять два рядовых милиционера.

— Остановимся? — спросил Андрей, заметив инспектора.

— Мы что, сдурели? — не понял Мурад. — Покорность — расточитель удачи.

— Тогда я их пугну. А ты сбавь скорость и держи ровнее.

Андрей поднял автомат с колен, сдвинул флажок переводчика на стрельбу очередями и приблизил ствол к ветровому стеклу.

Капитан Оразалиев почувствовал опасность слишком поздно. Подвела въевшаяся в кровь начальственная беспечность. Ежедневно ему приходилось останавливать десятки машин. Один вид человека в форме и при оружии делал из самого лихого лихача-водителя покорного теленка. Лицо его тут же расплывалось в угодливой улыбке, шея исправно гнулась, голова покорно опускалась.

Когда стекло кабины приспустилось, наружу плеснули и, судорожно вспарывая темноту, запрыгали оранжевые вспышки автоматных выстрелов.

С прошитой грудью Оразалиев взмахнул руками и навзничь рухнул на землю.

Гибель начальника на глазах рядовых милиционеров, такая неожиданная и скорая, заставила их окоченеть от ужаса.

Завизжали тормоза. Тяжелый грузовик навис над милицейской машиной.

Обе дверцы кабины распахнулись разом, и на дорогу спрыгнули двое с автоматами в руках и наперебой истошно заорали:

— Бросай оружие! Всем лежать!

Рядовые дружно рухнули на землю.

— Убивать вас не будем, — стал объяснять им Мурад. — А вот машину возьмем. Она нам нужнее.

Когда началась стрельба, сержант Бекбабаев, стоявший за машиной, опустился на четвереньки и быстро скатился с дороги в кусты гребенщика — неприхотливого жителя солончаков. Забравшись в глубину зарослей, он плотно прижался к земле и застыл. Он видел все, что произошло.

Когда к посту примчалась машина полковника Пирбабаева, сержант быстро и точно доложил ему о происшествии.

К этому времени Пирбабаев уже определил позицию. Пытаться брать беглецов живыми не имело смысла. Более того, даже попытка хоть одного из них сдаться на милость властей должна быть пресечена. Любой допрос преступника ничего хорошего не сулил. Охрана зиндана, которая так по-дурацки подставилась, не могла быть оправдана. А любое обвинение в ее адрес касалось самого полковника Пирбабаева, который и будет отвечать по всей строгости перед Ашгабадом за неимением в живых других ответчиков. Спасти его репутацию могла только версия о том, что нападение на охрану зиндана и освобождение преступников — дело рук их сообщников, остававшихся на свободе. Теория заговора могла объяснить самые сложные моменты происшедшего.

Выстраивая схему возможных оправданий, Пирбабаев учитывал все, кроме одного. Попытка представить сушествование враждебной режиму великого **туркменбаши** организации и ее успешные действия против **властей** задевали интересы службы государственной **безопасности** и ставили в щекотливое положение генерала **Сарачоглу.**

— Ты не устал? — спросил Мурада Андрей. — Давай, сменю.

— Э, дорогой, я не устал, но тебе покататься дам.

Мурад притормозил, и они поменялись местами.

Андрей плавно взял с места, в несколько секунд положил стрелку спидометра вправо набок. Дорога, ровная, как натянутая лента транспортера, наматывалась на колеса с бешеной скоростью.

Но как быстро ни гнал машину Андрей, некто двигался за ним еще быстрее. В зеркале заднего вида сперва появились две светлые точки, сверкавшие, как глаза волка в ночи, а потом свет фар догонявшей их машины становился все ярче и ярче.

— Выруби свет, — подсказал Андрею Мурад.

Он сидел, пригнувшись к водителю, и дышал ему прямо в ухо.

Андрей вырубил освещение и поехал, ориентируясь только на ленту асфальта, серебрившуюся в свете луны.

— Крути направо, — подсказал Мурад, когда впереди показался большой дом со светившимися окнами. — Это кишлак Ширинсу.

Андрей свернул на грунтовку и сбавил скорость.

— Дай ближний свет, — сказал Мурад. — Здесь дорога идет по кишлаку и возвращается на шоссе.

— Слушай, Андрей, — Дурды, озабоченно следивший за догонявшей их машиной, вдруг заговорил: — Надо рисковать.

Андрей понял это как предложение увеличить скорость. Ответил не оборачиваясь:

— Дорога ни к черту. Запорем машину, тогда совсем не уйдем.

— Он о другом, — сказал Мурад. — Надо их встретить. Ты только не гони. Сейчас будет сельский магазин. Останови там и выруби свет.

— Давай! — крикнул Дурды. — Здесь хорошо!

Андрей затормозил и остановил машину.

— Бери автомат, — приказал Мурад. — Пошли.

Они были от машины в двух десятках метров, когда узкая кишлачная улица осветилась яркими лучами фар. Преследователи знали местность не хуже Мурада, и их не обманул внезапный маневр беглецов.

— Бей в лобовое! — просипел Мурад. — Я тоже.

Машина преследователей стремительно приближалась.

— Ур! — скомандовал Мурад истошным голосом. — Бей!

Сразу два автомата плеснули свинцовые струи навстречу приближавшейся машине. Зазвенело лобовое стекло. Погасли фары. Темноту ночи теперь разрывали только пульсирующие вспышки автоматов.

Первая же очередь сразила водителя и полковника Пирбабаева. Капитан Атамурадов, сидевший за спиной начальника, сумел вовремя нырнуть на пол. Лишь одна пуля, срикошетив от стойки кузова, оцарапала ему щеку: береженого и Аллах бережет!

Авто преследователей, потерявшее управление, круто свернуло с дороги и с глухим металлическим стуком воткнулось капотом в кирпичную стену магазина.

— Андрей! — закричал Мурад. — Бегом к машине!

Машина вылетела на шоссе. Путь был открыт. Преследователи на хвосте не висели.

Предусмотрительный Сарачоглу сделал то, чего не догадался сделать Пирбабаев, сам устремившийся в лихую погоню: он отдал распоряжение перекрыть трассу и задержать преступников, расстреляв их машину при приближении. Генерал не знал одного: беглецы уже сменили две машины и теперь катили вперед на лимузине с «дискотекой» — с красными и синими мигалками на крыше.

Мурад чувствовал себя удачливым и отважным гонщиком. Удача явно сопутствовала ему в эту ночь, и он старался выжать из нее все, что можно. Он верил, что несчастливый орел ломает крылья на взлете, а счастливого — даже пуля охотника не берет.

Пошел дождь. Редкий для этой поры, но благодатный. Мурад включил дворники. Две лапы заерзали по стеклу, разгоняя по сторонам потоки воды. Дорога сделалась мокрой и опасной. Верхний слой глинистой пыли быстро промокал и превращался в скользкую смазку, которая не позволяла колесам без помех бежать по грунту.

Однако Мурад скорости не сбросил.

Впереди, в дальнем свете фар, они вдруг увидели, что дорога перекрыта армейским бронетранспортером, перед которым с оружием в руках стоит жиденькая цепочка солдат.

— Э! — воскликнул с тревогой Дурды. — Смотрите, что там!

— Мигалку! — заорал Андрей, наклоняясь к плечу Мурада. — И вруби сирену!

— Где они включаются?! — Мурад растерянно засуетился, нервно зашарил по панели. — Ну же, ну!

Неожиданно взвывшая сирена ударила по нервам, и тут же по дороге, по пустынным склонам барханов заметались тревожные красные сполохи мигалок.

— Ну же, ну! — Мурад стучал кулаком по панели, словно мог потребовать от тех, кто преграждал им дорогу, освободить проезд. — Не видите, ослы, кто едет?!

А сам судорожным движением выдернул из-под ног автомат и положил на колени стволом к окну.

— Мурад! — прокричал Андрей. — Будь готов свернуть влево. Влево, понял? А мы с Дурды полоснем из автоматов вправо. Может прорвемся.

Однако все обошлось без стрельбы. Бронетранспортер, перегораживавший дорогу, неожиданно тронулся с места и освободил проезжую часть. Должно быть, офицер, командовавший заслоном, решил не рисковать. Со слепящим сверканием мигалок и с диким воем сирены нестись по дороге мог только психованный водитель какого-нибудь местного башлыка, убежденный, что его все должны узнавать издалека. И в таких случаях лучше пропустить преступника, доложив, что он прорвался силой, чем задержать мелкого, но свирепого и злопамятного кутакбаши районного масштаба.

С истошно воющий сиреной, сверкая тревожными огнями, машина пролетела мимо заставы. Дурды, не опуская стекла, помахал офицеру рукой, а тот, заметив приветствие важного чина, приложил руку к фуражке.

— Масхарбоз! — сказал Мурад брезгливо. — Шут!

Они проехали еще километров десять, когда обнаружили на шоссе вторую заставу. На этот раз БТР стоял в узкой выемке, прорезавшей каменистый холм, и было ясно, что уступить дорогу он не сможет. Механик-водитель, видимо молодой солдат, пытался развернуться на дороге, но ему не хватало места.

— Что делаем? — крикнул Мурад, обернувшись к Андрею.

— Будем брать. Их немного, — сказал Андрей. — На нашей стороне внезапность.

— Стреляем? — спросил Дурды и потряс автоматом.

— Нет, не надо. Аскеры молодые, им война на хрен сдалась. Важно прижать командира.

Мурад сбавил скорость.

— Выключи мигалки, — посоветовал Андрей. — И сирену выруби.

Стих вой, и погасло будоражащее миганье красно-синих огней.

Андрей и Мурад разом распахнули дверцы машины и выпрыгнули наружу. Толстый офицер с выпиравшим бурдючным животом важно приблизился к Мураду. И был несказанно удивлен, когда в его живот уперся ствол «калаша».

— Э, — сказал он растерянно, — что за шуточки?

— Слушай внимательно. Мы те, кого вы ловите. Понял?

Офицер понял.

— Не убивай, — сказал он. — Мы скажем, что вы проехали здесь до того, как мы встали на дороге. Верно?

Он открыто подсказывал Мураду способ разойтись по-тихому, без стрельбы и жертв. Тот еще ничего не ответил, когда с автоматом наперевес к ним подошел Андрей.

— Нет, уважаемый, — сказал он офицеру. — Поступим по-другому. Сейчас ты дашь команду солдатам сложить оружие на землю. Это раз. Твой пистолет возьму я. — Андрей вытащил из кобуры офицера ТТ и сунул в карман куртки. — Это два. Потом ты заберешь солдат и поведешь их, — Андрей огляделся и махнул рукой в сторону, откуда они только что приехали, — поведешь их туда. Бегом. Через пять минут я начну стрелять вам вслед. Чем дальше успеете убежать, тем лучше для вас. Понял?

Офицер засопел и молча кивнул. На лбу и щеках его выступили крупные капли пота.

— Еще не все. Я сложу ваше оружие на обочину. Вернетесь — заберете. Нам оно ни к чему. После того как услышите мою стрельбу, принесите клятву верности эмиру Суперниязу. — Андрей подумал. — Повторите два раза: за себя и за нас. После этого можете возвращаться. Ты понял?

— Понял.

Судя по голосу, офицер был напуган, но веры в то, что их отпустят, не потерял.

Когда пятеро аскеров, молоденьких, с головами, остриженными под нуль, сложили оружие на обочину и нестройной толпой бросились бежать по дороге, Андрей крикнул Мураду:

— Садись на броню. Пора менять коня.

Пока Мурад разворачивал БТР, Андрей проколол оба передних ската милицейской машины.

Бронетранспортер послушно побежал по дороге на север.

Мурад вдруг потерял былую серьезность.

— Ты понял, — спросил он Андрея, — какая армия у полководца туркменбаши? Удивляюсь, что он не объявил себя до сих пор генералиссимусом, — сказал и расхохотался. — Битва в Каракумах — войско туркменбаши против трех джигитов!

— Брат, перестань! — прервал его Дурды. — Удержи

коня похвальбы уздечкой благоразумия. Мы еще не доскакали туда, где нас не поджидает опасность.

— Ибо сказано, Аллах любит скромность, — поддержал Андрей.

Мурад промолчал. Он вертел руль, словно мальчишка, впервые севший в машину и радующийся возможности покрутить баранку. Но делал это вынужденно. Дорога была вся в рытвинах. БТР подпрыгивал на каждой кочке, гремя подвеской и пустым кузовом. Бочка с соляркой, лежавшая у борта и зафиксированная двумя кирпичами, как клиньями, подпрыгивала и угрожающе ухала, всякий раз заставляя Андрея оглядываться: если бочка разотрет кирпичи, то она тут же превратится в смертельный каток.

Далеко впереди, за грядой барханов, в свете восходящей луны зеркальным блеском сверкнула лента реки.

— Джейхун, — сказал Мурад и повернулся к Андрею.

Это была Амударья, на правом берегу которой лежали такие же пески, как и на левом, но уже принадлежавшие другой азиатской стране — Узбекистану.

Они подогнали «броник» к тугаям — камышовым прибрежным зарослям, остановились на вершине глинистого холма, от которого крутой склон уходил к реке. Вылезли из «броника».

— Машину бросим? — спросил Дурды.

— Загони ее в камыши, — предложил Андрей.

Мурад влез обратно в БТР, включил первую скорость, стронул его с места и выскочил из-за руля. Машина, переваливаясь с борта на борт, медленно поползла вниз. Через несколько мгновений она вломилась в заросли кустарников. Раздался хруст веток и сухих стеблей камыша. Колеса зарылись в размокший грунт.

«Броник» дернулся, шатнулся, двигатель захлебнулся в бессилии и замолк. Из тугая осталась торчать только корма машины, забрызганная жидкой грязью.

— Пошли, — сказал Андрей и махнул рукой, предлагая идти вверх по течению.

— Именно там они нас и ждут, и будут искать.

— Сарбас прав, — сказал Мурад. — Надо идти вниз и искать лодку.

Они двинулись по обочине дороги, тянувшейся вдоль берега реки, рядом с камышовыми зарослями.

Неожиданно впереди послышался какой-то шум. Они сразу свернули в камыши и затаились.

Андрей осторожно пробрался вперед и за поворотом увидел блокпост. Два милиционера и два солдата в касках, бронежилетах и с коротковольными автоматами стояли возле небольшой будки из глинобитного кирпича.

Вдалеке загудел приближавшийся автомобиль. Андрей стал наблюдать.

Через несколько минут к блокпосту подъехал рейсовый автобус. Это был «пазик», каким-то чудом сохранившийся в этом краю. Должно быть, он ходил между прибрежными кишлаками.

С двух сторон к автобусу подошли солдаты. Один заставил открыть двери салона, второй подошел к водительскому окну и заговорил с шофером.

Забравшийся внутрь военный занимался делом серьезно. Он продвигался по проходу, заставляя пассажиров вставать с мест, заглядывал под сиденья, о чем-то их спрашивал.

Дальше Андрей смотреть не стал. Он нырнул в камыши, вернулся к Мураду.

— Бери брата, пойдем.

— Куда? Там солдаты. Придется отсиживаться до вечера.

— Есть план. Пошли.

В ста метрах от блокпоста дорога делала крутой поворот и скрывалась за стеной камышей и тальника. Лишь еще через двести метров она снова становилась видимой для тех, кто находился на блокпосту.

Втроем, держа автоматы наготове, они вышли на дорогу в месте, где она не просматривалась солдатами.

Едва автобус появился из-за поворота, Мурад поднял руку.

Заныли тормоза, облако белой пыли хлынуло вперед, окутав машину.

Дверца со стороны водителя распахнулась, и Мурад увидел расстроенное лицо шофера.

— Сколько можно?! Меня уже останавливали два раза.

— Третий — последний, — объяснил Мурад. — Какой кишлак впереди?

— Тузташ, — ответил водитель.

— Вот мы туда и поедем.

Они покинули «пазик», не доехав до кишлака несколько километров и, помахав на прощанье водителю, демонстративно направились в камыши в противоположную от берега сторону. Когда автобус скрылся, беглецы вернулись к реке и на песчаных барханах неожиданно обнаружили землянку. Ее, должно быть, выкопал для себя какой-то чабан, чтобы укрываться здесь в непогоду. В сооружении не было ничего деревянного. В пустыне дерево найти труднее металла. Потолок над ямой строитель соорудил из двух железных кроватных сеток. На них были набросаны сухие кусты полыни и верблюжьей колючки, сверху все присыпано песком.

Они вползли в укрытие, втиснулись в темную дыру под крышей, улеглись на скрипучем песке, напоминая самим себе шпроты в банке.

Ночью земля остыла. Внутри укрытия стало сыро и прохладно.

До полудня они спали как убитые. Проснулись в приступах страшного голода. Напились прямо из реки, затем Андрей и Мурад пошли в разные стороны, чтобы осмотреть берег. В низовьях, ближе к кишлаку, Андрей обнаружил паром, стоящий у старенького дебаркадера.

— Отлично, — порадовался находке Мурад, когда они с Андреем снова вернулись к землянке. — Стемнеет, пойдем туда.

Чтобы хоть как-то заглушить голод, жевали молодые ростки камыша, пахнувшие болотной тиной.

Время тянулось медленно. Землянка теперь под солнцем прогрелась, и даже дышать в ней стало тяжело, как в парной бане.

Андрей выбрался наружу, выкопал в песке окопчик и залег в нем, прикрывшись от солнца грудью бархана.

Темнота, как это обычно бывает на юге, опустилась на землю сразу. Еще минуту назад на западе розовела полоска зари — и вдруг стало темно.

— Собираемся, — сказал Мурад. — Пора.

— Стоп! — свистящим шепотом остановил его Андрей. Он неожиданно насторожился. Андрей не курил, и его нос легко почувствовал легкий запах сигаретного дыма. Кто-то неподалеку тянул сигарету. Прижавшись к песку, Андрей напряженно вглядывался во тьму, как вдруг заметил легкое движение тени. Яркий, холодный блеск звезды, висевшей на горизонте, вдруг исчез. Несколько мгновений спустя звезда заблестела снова. Потом стало слышно, как поскрипывает песок под чьими-то ногами.

Аскеры шли редкой цепочкой, выдерживая интервалы, позволявшие им разговаривать, не повышая голоса.

По мере приближения скрип песка под ногами становился все отчетливее.

Андрей подтолкнул Мурада, давая тому знак приготовиться. Уходить в такой момент было опасней, чем вступить в схватку. Только огонь, открытый солдатами, мог помочь установить их расположение.

Трудно сказать почему, но солдаты сами сделали все так, чтобы облегчить беглецам положение. Кто-то из аскеров неожиданно выстрелил. То ли ему что-то померещилось, то ли просто нервы не выдержали. Автомат затрещал, и его сразу же поддержали остальные солдаты. Психоз часто бывает массовым. Открыв огонь, они тут же залегли.

Над правым ухом Андрея тонко присвистнуло, и легкое дуновение воздуха овеяло щеку.

Раньше в Андрея никогда не стреляли, но он тут же безошибочно угадал — это, не зацепив его, пролетела пуля. Однако, себе на удивление, он нисколько не испугался.

Сдвинувшись так, чтобы гребень бархана не мешал целиться, Андрей взял автомат наизготовку и стал вглядываться во тьму. Наконец увидел то, что искал. Впрочем, скорее всего убедил себя в том, что увидел это. То было лишь легкое движение света, блик и тень на неровной границе, отделявшей темные волны песков от более светлого неба. Словно кто-то шелохнулся за укрытием и снова замер. Андрей поплотнее вдавил затыльник приклада в плечо и потянул на себя спусковой крючок.

Выстрел ахнул удивительно громко и на мгновение ослепил самого стрелка вспышкой желтого пламени.

Думать о том, попал он или нет, у Андрея времени не было. Увлекая за собой лавину песка, он скатился с вершины к подножию бархана и побежал.

— Уходим! — приказал Мурад.

— Совсем не могу, — пожаловался Дурды, который от голода и неутихающей боли в плече потерял последние силы.

Андрей подхватил его за поясницу и потащил за собой.

— Пошли, джигит. Надо спасаться!

Дебаркадер был построен во времена, которые историки нынче именуют «советскими», и за годы национальной свободы изрядно обветшал. Его ремонтировали, применяя для починки подручные материалы, собранные на свалках. Там, где бревна начали гнить и трескаться, их стягивали железными скобами. Прогнивший деревянный настил не меняли, а лишь покрывали проломы железными ржавыми заплатами.

— Идем, — сказал Мурад и решительно двинулся к берегу по колее, наполненной мягкой лёссовой пылью. Андрей, посадив Дурды на песок, пошел следом.

Мурад, добравшись до сходней, поднял руку, приказывая Андрею остановиться. Тот замер возле столба створного знака и приготовил оружие. Но пускать его в ход не пришлось. Мурад со всем справился сам.

На пароме на пустых деревянных ящиках из-под помидоров при свете керосинового фонаря сидели трое: паромщик в темной майке-безрукавке с дырками на груди и два аскера — солдата национальной армии в мятой

форме и больших военных ботинках на толстой пласти-
ковой подошве.

Заметив человека, спускавшегося к парому, ни один
из аскеров даже не встал, не потянулся к оружию, которое лежало у ног. Да и чего ради волноваться? Командир,
давая им задание, несколько раз повторил, что разыски-
ваемых трое. Причем один из них русский. Считать аскеры умели и отличить русского от туркмена могли без
труда.

Минуту спустя Мурад повернулся к берегу, махнул
рукой и закричал:

— Сарбас! Давай сюда. Быстро! И брата возьми.

Когда Андрей и Дурды по скрипучим сходням поднялись на паром, они увидел обоих аскеров, лежащих
вниз лицами, с широко раздвинутыми ногами, руками
на головах.

— Ты капитан? — спросил Мурад туркмена в майке-
безрукавке и приказал ему. — Отправляй корабль. Мне с
друзьями надо в Узбекистан.

Минуту спустя паромщик запустил движок. Несколько раз чихнув, тот весело заработал, разорвав дре-
мотную тишину ночи громким треском. На пароме заво-
няло отработанным паршивым бензином.

Мурад сбросил чалку, и паром, булгача черную мас-
лянистую воду, отошел от берега. Бесшумно рассекая
мутные волны Аму, он двинулся к противоположной
стороне реки, в другую страну Средней Азии.

— Все, — сказал Дурды, который сразу улегся на палубе возле свернутого в бухту стального троса и облегченно вздохнул. — Тебе теперь не надо каждое утро при-
носить присягу светлейшему. Слава Аллаху, который создал реки, разделяющие дураков и соединяющие умных,
утоляющие жажду жаждущих и позволяющие утонуть
тем, кто не умеет плавать...

Андрей прилег на палубу рядом с Дурды.

Паром дошел до середины реки, когда с берега, откуда они отплыли, раздался гул подъезжавших машин.
И тут же на глинистом откосе вспыхнул яркий свет. Четыре машины, выстроившись в линию, осветили реку

фарами. Было слышно, как командиры выкрикивают команды, располагая солдат на позициях.

Свет фар не был особо страшным противником, его хватало всего до середины реки, но если по парому рубанут пулеметы, ничего хорошего не будет.

— Слушай, — обратился к Мураду Андрей. — Они же против нас армию бросили.

— А ты чего хотел? Супернияз давно заявил, что у Туркмении нет внешних врагов, а ее армия предназначена для борьбы с врагами внутренними, которые и есть главная опасность для республики.

— Скорее для его власти, так?

— Таких вещей народу не говорят. Разве пастух объясняет баранам, куда он их гонит, зачем и почему?

Появление солдат на туркменском берегу вдохновило одного из аскеров, взятых Мурадом в плен, на подвиг.

Оба пленных сидели в левом дальнем углу парома, склонив головы и сложив руки на макушках. Так им приказал Мурад. Сидели тихо, не пытаясь заговаривать ни с теми, кто их пленил, ни между собой. Но когда внезапно вспыхнул свет фар и осветил реку, один из аскеров вдруг оттолкнулся от палубы ногами, вскочил и бросился на Мурада, который стоял к нему спиной в двух шагах.

Откуда у аскера появился нож, можно было только гадать, но скорее всего он сумел его укрыть от Мурада, который обыскивал обоих пленных.

Правая рука аскера, занесенная для удара, направила клинок прямо в ложбинку под затылком Мурада.

К счастью, нападавшему не повезло. Его левая нога в момент отталкивания от палубы попала на комок жидкой глины, который кто-то притащил на палубу на ботинках.

Ступня, попав на скользкую поверхность, потеряла опору, и аскер со всего маху шлепнулся животом о настил палубы.

Острие ножа в намеченную цель не попало, хотя все же задело Мурада, скользнув по его левой руке от плеча до локтя.

Андрею хватило секунды, чтобы понять происшедшее. Опережая аскера, который пытался встать, он прыгнул ему на спину и нанес два резких удара кулаком по затылку. При каждом из них аскер с грохотом ударялся о палубу лбом. После второго удара он обмяк.

Оттолкнувшись от безвольного тела противника, Андрей схватил автомат, лежавший за Дурды, и плюхнулся животом на палубу. Опершись о нее локтями, прицелился в сиявший солнечным блеском диск самой правой в линии фары. Нажал на спуск.

Попадание было точным. Ни звона стекла, ни щелчка пули по металлу отражателя на пароме никто не слышал, но внезапный гомон голосов, возникший на берегу, разнесся над рекой, и Андрею показалось, что там собрался большой восточный базар.

Ухмыльнувшись, он прицелился в фару, которая светила в середине линии машин.

На этот раз с первой пули попасть не удалось. Пришлось стрелять еще раз.

Судя по реакции тех, кто находился на той стороне, попадание было точным: свет фары погас, и опять загомонили солдаты. Потом вся линия огней погасла, и река погрузилась во мрак.

Командир на том берегу принял правильное решение: с беглецами, которых догнать у него нет возможности, лучше не связываться.

Для острастки с туркменской стороны выпустил несколько очередей ручной пулемет. Но прицел был взят слишком низкий, и пули с чмоканьем ушли в воду далеко за кормой парома.

Больше по ним не стреляли. Утлое суденышко пересекло реку и, скрипя днищем по песку, уткнулось в глинистую кромку узбекского берега.

— Вставай! — Мурад ткнул в спину стволом автомата лежавшего на палубе аскера

Тот безропотно поднялся с палубы.

— Я с ним хочу поговорить, — сказал Мурад Андрею и подтолкнул аскера коленом к сходням, которые уже опустил паромщик. — Сходи на берег.

Они двинулись в темноту, но еще некоторое время были слышны их хрупавшие по песку шаги. Затем метрах в двадцати от переправы хлопнул выстрел и зашуршал камыш.

Мурад вернулся к парому, поддергивая сползающие штаны. Андрей поглядел на него, но спрашивать о том, что с аскером, не стал. И так все было ясно. Однако Мурад сам счел нужным объяснить происшедшее. Он подошел к молодому солдату, который испуганно жался к пустой железной бочке, и сказал:

— Я с твоим старшим договорился. Пошли, я отведу тебя к нему...

Андрей подошел поближе и встал между Мурадом и аскером.

— Будь другом, оставь парня здесь.

Мурад потоптался на месте, решая как быть. Потом согласился:

— Шайтан с ним. Делай, что хочешь.

Солдатик опустил голову на колени и сжал ее руками.

— У тебя аркан есть? — спросил Андрей паромщика. — Надо вас обоих связать.

— Нет, — испуганно ответил тот. Он боялся, что русский отсутствие нужной вещи вменит ему в вину. — Был аркан. Украли...

Андрей открыл железный инструментальный ящик и заглянул в него. В ящике лежали гаечные ключи, плоскогубцы, но главное — здесь были гвозди и молоток.

— Ложитесь рядом!

Он заставил аскера и паромщика распластаться на палубе, раскинув руки и раздвинув ноги в стороны. Потом взял молоток, присел рядом и стал приколачивать к настилу обмундирование солдата и куртку паромщика. Приколотил рукава, полы. Встал с колен, с удовольствием оглядел свою работу. Спросил паромщика:

— Удобно?

— Аш-шайтан! — выругался тот. — Чтобы тебе самому было так удобно.

— Не-е, постой, — сказал Андрей, — мы не хотим

вам зла. Но если не нравится и ты хочешь чего-то другого, я тресну тебя молотком по башке. Идет?

— Э-э! — завопил паромщик протестующе. — Не
надо по башке! Так удобно.

Молодой солдатик, понявший, что теперь ему уже
ничто не грозит, кроме томительного ожидания освобождения, переносил свое положение молча.

Дурды, наблюдавший за действиями Андрея и слышавший его разговор с солдатом, хохотал, то и дело хва-
таясь за больное плечо.

— Сарбас! Тамаша! Потеха!

Попрочнее привязав чалку парома к столбу, вбитому
в землю, чтобы река не унесла людей, трое двинулись на
северо-восток.

Они пересекли полосу песков, вышли к сухому руслу
реки и двинулись по нему. Мурад вел группу уверенно, и
Андрей понял, что он неплохо знает эти места.

Через полтора часа они вышли на заброшенную паш-
ню. Судя по грядкам, которые исчезали за горизонтом,
здесь когда-то располагалась хлопковая плантация. В
стороне виднелись несколько заброшенных складских
помещений, со всех сторон заросших бурьяном. Здесь в
давние годы размещался ток, на который с колхозных
полей свозили хлопок. Главным завоеванием, которое
принесла республике независимость, стало обретение
лучшего в мире пожизненного президента Муслима
Ярынбаева. Все остальное, кроме его личной власти,
бурного развития не получило. Для приобретения здеш-
них земель, которые при Советах занимали хлопковые
поля, богатого арендатора не нашлось, и поля пустова-
ли, зарастая бурьяном и засаливаясь.

— Что за дом? — спросил Андрей у Дурды, которого
ему все время приходилось поддерживать.

— Наш дом. Хороший. — Дурды рассмеялся. — Сейчас
кушать будем. Отдыхать будем. Потом в Бухару поедем.

— Как поедем? — Андрей не мог скрыть удивления.
Уж слишком просто представлял Дурды их дальнейшие
действия.

— Э, — исхудавшее и побледневшее за последние

дни лицо Дурды, походившее больше на маску, неожиданно изменилось — порозовело, ожило, глаза обрели блеск. — Теперь мы у себя. У своих.

У двери склада их встретил молодой парень, босой, в джинсовых брюках, обрезанных до колен, в тюбетейке с узбекским орнаментом, стилизованно изображавшим стручковый перец.

Он смотрел на подходивших людей с откровенной настороженностью и подозрением.

— Ассалям алейкум! — сказал Мурад, шедший первым. — Почему ты один, Фархад?

Парень узнал Мурада, заулыбался, приложил руку к животу и поклонился.

— Алейкум ассалам, мустафир. Хош кельдиниз. — Добро пожаловать! Келин — Проходите! — Выговорив обязательный набор вежливых слов, принятых при встрече со знакомым, он доложил: — Я не один. — И тут же крикнул: — Алты! Имран! Выходите!

Из-за углов здания с разных сторон вышли еще два парня с автоматами Калашникова в руках.

По тому, как согнулись в поклонах крутые парни, как расцвели улыбками их суровые, дочерна обожженные лица, Андрей понял, что они воспринимают Мурада не как человека, зашедшего к ним случайно, а как высокого гостя, хозяина (или, может быть, одного из них), от которого во многом зависит их собственное будущее.

Вооруженных автоматами людей нисколько не интересовало и не беспокоило, кто и почему пришел сюда с Мурадом. Главное — он сюда привел их сам.

Гости прошли в помещение склада, забитое до потолка тюками хлопка-сырца. В середине склада на свободном пространстве стоял длинный стол, по сторонам его деревянные лавки.

Обметая полотенцем одну из лавок, и не потому, что она была грязной или пыльной, а просто в знак высокого уважения к гостю, Фархад предложил всем садиться.

Через минуту на столе появились свежие, еще горячие лепешки, которые, должно быть, пекли где-то рядом на тандыре, два чайника, пиалушки, фруктовый сахар и холодное вареное мясо на керамическом блюде.

— Поешьте, — предложил Фархад радушно. — Отведайте нашего хлеба. Мы вас не ждали, простите. Но Алты уже готовит свежий плов. Угощайтесь пока тем, что есть. — Обращаясь в основном к Мураду, Фархад разлил чай, положил перед каждым из гостей по лепешке: — Угощайтесь, ешьте!

Мурад разломил лепешку, разорвал половинки на мелкие части и стал жевать.

Андрей последовал его примеру.

За два тревожных полуголодных дня Андрей почти забыл вкус хлеба. Лепешка, вкусная и ароматная, стала для него своеобразным знаком возвращения к нормальной жизни.

— Когда приедет машина? — спросил Мурад, отхлебывая мелкими глотками зеленый чай.

— Она здесь, господин, — ответил Фархад угодливо. — Можете взять.

— Заправлена?

— Да, господин.

— Мне нужно в Бухару. Но сначала мы отдохнем. Двое суток не спали.

— Как прикажете, господин.

С самой высокой башни будущее не разглядишь

После отдыха и обеда Мурад вывел из гаража машину. Теперь они ехали, не боясь ничего, ни от кого не убегая. Это сделало Мурада вальяжным и покладистым.

— Андрей, я уже тебе говорил, что терпеть не могу политиков. Мне все равно, кто наш президент — туркменбаши или кутакбаши. А хороших людей — пусть он туркмен, узбек или русский — уважаю. Ты хороший мужик, Андрей. Мы тебе поможем. Уедешь в Россию? Твое дело. Решишь остаться — очень хорошо. Приедем в Бухару, я тебя познакомлю со своими ребятами. Ты должен иметь в виду — они перевозчики.

— Не понял, — Андрей посмотрел на Мурада, требуя объяснения.

— Я тебе в зиндане не все сказал, — Мурад взглянул на Андрея, стараясь угадать его реакцию. — Просто тогда не знал, кто ты. Теперь скажу: у меня большое дело, большие обороты...

— Наркотики? — спросил Андрей, не отводя глаз.

— Э, — возразил Мурад и улыбнулся. — Наркотики не наше, некрасивое слово. Мы называем это по-афгански — мадда йе мохаддера. Красиво, правда?

— Опасное дело, — сказал Андрей. Осуждать Мурада у него не было ни желания, ни права.

В Бухаре в садах за Газлийским шоссе они отыскали большую усадьбу, огражденную со всех сторон высоким глухим забором. Хозяин, моложавый узбек с энергичным лицом, быстрый в движениях, встретил их, держа в руке мобильный телефон, радостно воскликнул, увидев Мурада, по-братски обнял его. Так же сердечно поприветствовал Дурды. Подал руку Андрею. Назвался:

— Я Иргаш. Будем знакомы.

— Очень приятно. Андрей Назаров.

— Уважаемый, посидите с Дурды, попейте чаю, а мы с Мурадом немного поболтаем. Плов скоро поспеет, тогда будем обедать вместе.

Дурды и Мурад прошли на айван, представлявший собой помост вроде эстрадной сцены под деревьями яблоневого сада, где на ковре все уже было накрыто для обеда и чая.

Мурад, уединившись с Иргашем, рассказал тому обо всем, что приключилось с ним и с братом, и об их благополучном побеге.

— Нам звонили друзья, — сказал Иргаш, выслушав рассказ. — Шум на той стороне еще идет. Мы боялись, что у вас плохие дела. Там объявили, что все преступники уничтожены.

— Я бы им возразил, — засмеялся Мурад, — но чем спорить с султаном, лучше целоваться с тигром.

— Зачем вы притащили сюда русского? — спросил Иргаш.

— Я обещал ему помочь найти дело. Тем более у него нужная специальность. Он хороший буровой мастер. Прошу тебя дать ему у себя работу. Это человек верный.

— Нет, Мурад. — Иргаш говорил хмуро, не скрывая своего отношения к чужаку. — Все, что ты рассказал о русском, убедило меня пока только в одном. Этот кафир умеет спасать свою шкуру и не бросает в беде спутников.

— Это так, — кивнул одобрительно Мурад.

— Только это и не больше, — опять возразил Иргаш. — А вот насколько на него можно положиться в других делах — не знаю. Это проверять и проверять.

— Что тебя тревожит? — спросил Мурад.

— Очень многое. Я вообще боюсь доверять русским в делах, которые касаются интересов ислама. У русских хитрые лица. Трудно понять, говорит он правду или притворяется. Как бы не вышло, что закинем сеть на судака, а вытянем крокодила. Вдруг ваш спутник из КГБ?

— Э-э, — скептически протянул Мурад и махнул рукой. — КГБ уже давно кончился. Умер.

Иргаш выпрямился и пристукнул кулаком по ладони.

— Мурад, не надо кусать палец самоуверенности зубами незнания. Кроме боли ничего не ощутишь. КГБ никогда не умирает. Он бессмертен.

— Бессмертен?! — Мурад заржал. — Вот не знал!

— Теперь будешь знать, — спокойно ответил Иргаш. — Секретные службы не умирают, как не умирает власть. Поэтому понимающий человек считает, что лучше бодрствовать всю ночь, чем спокойно ее проспать и проснуться в сетях позора.

— Все же подумай, Иргаш. Поговори с ханом.

— Хорошо, подумаю. А теперь пошли обедать.

Хозяин и Мурад вышли к гостям, которые в ожидании плова пили чай. Когда обед был в самом разгаре, у Иргаша зазвонил телефон, и он, вежливо предоставив гостям свободу действий, спешно ушел.

Андрей, хотя ему было страшно интересно, расспрашивать о том, кто такой Иргаш, чем занимается, не стал. Подобного рода вопросы создают человеку репутацию чересчур любопытного и не способствуют укреплению отношений. Любопытный гость сродни навязчивой мухе, которой мало хозяйского меда и очень хочется попробовать на вкус самого хозяина.

— У тебя есть деньги? — неожиданно спросил Андрея Дурды, когда они заканчивали трапезу.

Андрей грустно хмыкнул:

— Была у собаки хата, и та по осени сгорела.

— Как жить будешь?

— Что-нибудь придумаю.

— Брат, — сказал Мурад, — ты, наверное, дремал в машине, но я уже сказал Андрею, чтобы он не беспокоился. У нас большие деньги и хорошие связи. Андрей нам помог. Мы с тобой поможем ему. Ко всему, я уже переговорил с Иргашем. У него есть отличная работа. Очень отличная. Важно, чтобы ее предложили. Такую один раз сделаешь — будешь хорошо богатый на целую жизнь. Даже богаче меня...

— Что за работа? — спросил Андрей. — Если связано с красивым словом мадда йе мохаддера, я не возьмусь.

Мурад, сверкая большими белыми зубами, громко расхохотался:

— Запомнил хорошее слово? Молодец! Но тебе я обещаю работу по специальности. Не веришь?

— Почему нет? Верю.

— Как тебе понравился Иргаш? — спросил Мурад Андрея.

— Судить о человеке, не зная его хорошо, показатель глупости. Зачем ты меня на этом испытываешь?

Мурад довольно улыбнулся:

— Ты хорошо ответил. Думаю, у тебя будет время узнать Иргаша получше.

— Он в самом деле может дать работу?

— Я просил его помочь тебе.

— Если просил, для тебя он сделает, — сказал Дурды убежденно. — А ты, — он положил руку на плечо Андрея, — запомни: не пугайся, если покажется, что тебя оценили ниже твоих возможностей. Любая пешка, пройдя шесть полей, становится ферзем. И даже ущербная луна на четырнадцатую неделю делается полной. Все зависит от срока, положенного на испытание. Ты сумеешь себя показать.

— Брат прав, — сказал Мурад. — Тебя поначалу могут проверять, значит, станут пугать. Иргашу нужны очень смелые помощники. Ты — такой. И не бойся, ты мой друг, и вреда тебе они не сделают, главное, не надо их бояться. Если не понравишься, они прямо скажут, что работы нет. Но не тронут. Иргаш мне говорил: тебя надо испытывать. Я сказал, что уже проверил на деле. Ты мне как брат. Там стреляли, ты Дурды за собой таскал. Ты потерпи проверку. Деньги будут хорошие. Очень лучшие!

— Завтра Иргаш летит в Коканд, — сообщил Андрею Дурды вечером. — Он заберет тебя с собой.

— Зачем?

— На свадьбу, — сказал Дурды, стоявший рядом, и улыбнулся.

— Как тебя понимать? — спросил Андрей настороженно.

— Он шутит, — успокоил его Мурад. — Сперва в Коканд, затем в Фергану. Там тебе устроят смотрины, потом
решат, какое дать дело.

Андрей любил Фергану. В Узбекистане она стала первым городом европейской планировки: ровные длинные
улицы, пересекающиеся под прямыми углами, строгие
жилые кварталы, аккуратная сеть арыков, стройные
ряды вековых чинар, тянущиеся вдоль тротуаров...

Отцом нового города стал русский генерал Михаил
Дмитриевич Скобелев, военный губернатор и команду-
ющий российскими войсками в Ферганской области,
которая была образована на территории упраздненного
Кокандского ханства. Бывший центр ханства — Коканд
до сих пор сохранил следы хаотичной застройки. Старый город был опутан узкими кривыми улочками, которые с обеих сторон сжимали глухие глинобитные забо-
ры — дувалы. За заборами прятались глинобитные до-
мики с плоскими крышами, дворы с искусственными
водоемами — хаусами, обильно плодоносили яблочные
и абрикосовые сады.

Вести боевые действия с мятежниками регулярной
армии в таком городе было трудно. Поэтому Скобелев
заложил новый центр области рядом с кишлаком Мар-
гилан. Выбрав подходящий холм, Скобелев построил на
нем крепость. А от крепостных ворот проложил ровные
как стрелы улицы. Такую планировку определила артил-
лерийская целесообразность: орудия крепости могли
простреливать весь город насквозь без труда.

Генерал, заложивший город, назвал его Новым Мар-
гиланом. Позже город получил имя основателя и стал
Скобелевым. В годы советской власти, учитывая «зло-
вредную» роль русского генерала Скобелева в истории
Средней Азии, город переименовали, назвав Ферганой.

Фергана стала жемчужиной Узбекистана, одним из
наиболее развитых промышленных и культурных цент-
ров новой цивилизации. Здесь появилась одна из первых
в Средней Азии тепловых электростанций — ТЭЦ «Заря

Востока», были построены хлопкоочистительные заводы, текстильный и шелкомотальный комбинаты, маслозавод, возникло химическое производство пластмасс, удобрений, гидролизного спирта. В городе работали два театра, педагогический и медицинский институты.

В новом Узбекистане, отделившемся от России, Ферганская долина с ее большим, но резко обедневшим населением, стала оплотом агрессивного исламизма. Ревнители веры провозгласили жизненным идеалом движение вспять.

Книги — зло, и все их должен заменить Коран.

Женщине предписано покрывать свои прелести чадрой.

Мужчины обязаны стать моджахедами — борцами за веру, совершать пятикратный ежедневный намаз, отпустить бороды, такие, чтобы, зажатые в кулак, они торчали наружу, как то было у пророка...

Вертолет приземлился рядом с усадьбой Иргаша.

— Пошли, — сказал Иргаш и шлепнул Андрея по спине.

Они вышли из ворот и направились к машине.

Вертолет раскручивал лопасти винта. Ветер прижимал к земле траву, разгонял в сторону пыль и сухие листья.

Пригнувшись, Иргаш и Андрей прошли к распахнутому люку и по металлической лесенке поднялись внутрь.

Бортмеханик втянул трап, и вертолет взмыл вверх.

Андрей сидел у блистера и видел, как провалилась вниз, опрокинулась на бок земля и сразу уменьшились в размерах дома и деревья.

Вертолет заложил вираж, и перед Андреем открылась панорама Благородной Бухары, как этот город именовался во времена Бухарского эмирата. Будто на архитектурном макете, Андрей увидел вдалеке ансамбль Пои-Калян, медресе Мири-Араб, свечу минарета Калян, крепость Арк с мечетью Джами.

Иргаш, должно быть, проследил взгляд Андрея и увидел выражение его лица. Подтолкнул локтем:

— Красиво?

— Да, — ответил Андрей.

— Это красота ислама, — голос Иргаша был полон энтузиазма. — И мы наполним этой красотой весь мир.

Описав над городом круг, вертолет взял курс на северо-восток.

Они приземлились не в Коканде, а в стороне от него — в кишлаке Гумбаз. Здесь Иргаш пересадил Андрея в джип, передав его водителю Камалу, а сам полетел дальше.

Камал — хмурый узбек лет сорока, сухощавый, жилистый, выжаренный солнцем до коричневого цвета — оказался крайне неразговорчивым. Он даже не счел нужным отвечать на вопросы Андрея, и тот, раза два попытавшись вызвать водителя на разговор, прекратил попытки.

В Коканде Камал остановил джип у чайханы, стоявшей под тенистыми кронами чинар над большим арыком. И впервые заговорил, причем на хорошем русском языке:

— Андрей, ты туда заходи и подожди меня. Еда, чай — все заказано заранее. Там, возможно, будет тот, кто захочет поговорить с тобой относительно дела. Я скоро вернусь.

— Идет, — согласился Андрей, изрядно вспотевший в машине.

В чайхане царили таинственный полумрак и удивительная для июня прохлада. Мощная японская сплит-система создавала в помещении благодатную атмосферу высокогорья.

Краснолицый узбек с обритой наголо головой поднялся с ковра навстречу Андрею. С минуту они молчали, глядя один на другого, потом узбек приложил ладонь к белой рубахе, обтягивавшей тугой живот, и склонил голову.

— Хош кельдиниз! Келин! — Добро пожаловать! Проходите!

Андрей знал, что церемония выражения взаимной приязни в жизни мусульман занимает особое место. Однажды, отвечая на вопрос о том, какое проявление приверженности к исламу является наилучшим, пророк Мухаммад сказал, что это стремление угощать людей и приветствовать тех, кого знаешь и кого не знаешь. В полной мере заслуживает благословения тот, кто соединил в себе три качества: справедливость по отношению к самому себе, привычку приветствовать всех людей и способность расходовать в бедности.

— Ас-салям алейкум ва-рахмату-Ллахи ва-баракатух. — Мир вам, милость Аллаха и его благословение, — сказал узбек.

Андрей приложил левую руку к груди чуть пониже сердца, склонил в легком поклоне голову и ответил:

— Ва-алейкум ассалям ва-рахмату-Ллахи ва-баракатух! — И вам мир, милость Аллаха и его благословение!

Андрея нисколько не удивило, что его узнали сразу без какого-либо труда. Да и чему удивляться — в чайхану на окраине, лежащую в стороне от туристических маршрутов, вряд ли часто заходят европейцы.

И все же узбек спросил.

— Вы Андрей?

— Да, уважаемый.

— Очень приятно.

Узбек протянул руку.

— Здравствуйте еще раз. Меня зовут Ибрай.

Андрей пожал его сухую ладонь с вежливой мягкостью: в церемонию приветствия не входит демонстрация силы, а лишь проявление воспитанности, доброжелательности и благочестия.

— Вам надо покушать, уважаемый, — Ибрай говорил по-русски удивительно чисто. — Вам придется долго ехать.

— Куда? — спросил Андрей.

— Не беспокойтесь, куда надо я вас довезу сам. Хорошо. На машине. И доставлю назад, сюда.

— Разве не вы должны говорить со мной?

— Благослови Аллах, уважаемый. Я только скромный исполнитель воли сильных мира сего... Садитесь, пожалуйста. Вам будет удобно на ковре?

— Спасибо, удобно.

Андрей опустился на пол и сел, подогнув под себя ноги.

Ибрай в это время обернулся в сторону чайханщика, стоявшего в стороне, и ловко щелкнул пальцами.

Легко ступая по ковру босыми ногами, чайханщик тут же принес и поставил перед Андреем еду.

Суп-лапша, поданный в большой глубокой миске — кисе, был щедро сдобрен пряностями и приятно обжигал рот. Плов, возвышавшийся на плоском блюде островерхой горкой, оказался отлично приготовленным. Уста-пловчи — мастер плова, работавший в чайхане, заслуживал высших похвал.

Андрей заканчивал пить чай, когда за окнами чайханы раздался противный ноющий звук милицейской сирены.

Тут же неслышно к нему приблизился Ибрай. Присел на корточки. Заговорил быстрым жарким шепотом:

— Андрей, сейчас нужно уходить. Милиция проводит облаву, а вам это ни к чему.

Действительно, подставляться милиции, не имея ни документов, ни денег, было бы безрассудно.

— Как можно уйти?

— За кухней выход в сад. Там прямо по дорожке до калитки в заборе. На улице буду я с машиной.

— Рахмат, — сказал Андрей. — Спасибо.

Он быстро встал и двинулся к двери, из которой в общий зал выносили еду и откуда тянуло аппетитными ароматами узбекской кухни.

Он приоткрыл дверь и оказался в пустом темном коридорчике. Тут же, накрыв ему голову старым одеялом или какой-то попоной, руки нескольких людей спеленали, опрокинули, подхватили, подняли и поволокли его куда-то.

При этом не было произнесено ни слова. Нападавшие лишь громко пыхтели, управляясь с живым человеком, который не думал сдаваться без боя, дергался, брыкался и извивался в крепких чужих руках.

Когда человек попадает в переделки раз за разом, он

начинает соображать быстро и четко. Андрей оценил случившееся почти сразу. Чтобы убить его, нападавшим особых хитростей не потребовалось бы: удар ножом под лопатку, тычок шилом в бок — и аут. Однако этого никто не сделал. Значит, он им был нужен живой, и вероятность того, что, протащив какое-то расстояние, они попытаются его ухондошить, Андрей сразу исключил. Это соображение несколько успокаивало, но радовать не могло. Если он кому-то потребовался живым, значит, от него попытаются что-то узнать. Поэтому, что бы он ни говорил, на веру брать не будут. Чтобы убедиться, говорят им правду или нет, его будут пытать. А это может оказаться куда более неприятным, чем мгновенная смерть.

Теперь ему надо было просчитать, кто его прихватил и зачем. Первая мысль — это туркменские лачины — боевые соколы спецслужбы туркменбаши или те, кого они сумели нанять здесь, на территории Узбекистана.

Ткань, наброшенная на голову, дышать Андрею не мешала. Но ее, перед тем как пустить в дело, не вытрясли, и пыль, попадая в нос, заставила его несколько раз громко чихнуть.

Похитители в полном молчании подтащили Андрея к машине и, слегка качнув, забросили в кузов. Судя по тому, что он ударился ребрами о металл, стало ясно — его погрузили в пикап. Четверо сопровождающих залезли в кузов и с двух сторон прижали его бока ногами.

Машина сразу набрала приличную скорость. Несмотря на завязанные глаза, Андрей понял это по резко усилившемуся ветру. Примерно через полчаса машина сбавила ход, осторожно перебралась через рытвину и двинулась дальше. Теперь она ехала медленно, ее то и дело переваливало с боку на бок на ухабах и кочках. В кузове запахло лёссовой пылью. Стало понятно: хорошая дорога позади, и они едут по проселку, а может быть, даже вообще жмут напрямик по степи.

Сколько времени они провели в пути, Андрей не мог определить. Езда лежа, со спутанными руками и ногами, без возможности видеть, куда тебя везут, отбивает у человека способность чувствовать время. Ко всему, сопровождавшие Андрея люди за всю дорогу не произнесли ни слова. То ли не испытывали необходимости в общении, то ли им было запрещено разговаривать. Андрей даже не мог угадать, кто они по национальности.

Когда машина остановилась, Андрей почувствовал боль во всем теле — у него ныла каждая косточка, стонала каждая мышца.

Крепкие руки с двух сторон подхватили его под мышки и поставили на землю. Без слов повели за собой по проезжей части узенькой сельской улочки. Во всяком случае, такого толстого слоя лёссовой пудры под ногами в другом месте быть не могло.

Вскоре они остановились, и по тому, как загремела железная щеколда, Андрей понял — перед ними раскрылись ворота. Молча его провели через двор — он чувствовал под ногами хрустевшую гальку, а неподалеку в небольшом водоеме, соревнуясь, заливались кваканьем лягушки. Потом он услышал скрип открываемой двери. Ржавые петли давно не смазывались. Его подтолкнули вперед. Он слегка споткнулся о порог и ощутил влажную прохладу. Значит, его ввели в помещение.

Позади раздался лязг ключа, запиравшего дверь снаружи.

Постояв с минуту, Андрей вслепую начал разматывать тряпку, прикрывавшую его лицо. Глаза привыкали к полумраку недолго. Маленькое помещение с узким окном под потолком, глинобитный пол, стол, сколоченный из грубых плах, керосиновая лампа без стекла.

Впервые Андрею удалось взглянуть па часы. Он провел в дороге почти четыре часа. Уже вечерело.

Присмотревшись, Андрей выбрал место в углу комнаты и опустился на пол.

Некоторое время спустя загремел ключ в замке и дверь отворилась. В помещение, слегка согнувшись, чтобы не задеть головой притолоку, вошел босой мужчина в белых штанах и рубахе, подвязанной кушаком. В руках он держал миску с какой-то едой.

— Где я? — спросил Андрей по-узбекски, уверенный, что имеет дело с узбеком.

Однако ответа не услышал. Мужчина поставил миску на стол и вышел. Снова загремел замок.

Еда, поставленная на стол, даже по местным меркам оказалась пищей бедняков: в миску было положено несколько ложек каши из джугары — азиатской крупы типа сорго. Попробовав варево, Андрей отставил миску и, несмотря на то что по дороге натряс изрядный аппетит, есть кашу не стал.

Ночь он провел в полусне, в полубреду. Лежать на жестком холодном земляном полу человеку, даже привыкшему обходиться без пятизвездочных удобств, не очень комфортно.

Утром Андрей встал и первым делом съел холодную противную кашу.

В семь часов дверь отворилась.

— Можно выйти, — сказал узбек в белой рубахе навыпуск, подпоясанной белым куском материи, и показал Андрею на открытую дверь.

Андрей вышел наружу. И одного взгляда ему хватило, чтобы понять, где он находится: ему уже приходилось бывать в этих местах.

С высоты, на которой он стоял, открывался вид на реку, несшую бурные голубые воды по глубокой лощине. В отдалении из другой лощины катил желтые воды другой поток. Обе реки сливались в устье двух теснин, напирали волнами на берега, сталкивались друг с другом, бурля и волнуясь. И далеко, насколько хватал глаз, поток стремился к Ферганской долине, разделенный на два цвета — голубой и глинисто-желтый.

Значит, он находился в Шахимардане, в одной из самых северных святынь мусульманского мира.

— Прошу за мной, — сказал проводник, показал рукой на тропку, сбегавшую вниз, и затрусил впереди, ведя за собой гостя.

Добротно закатанная гравием дорога, поднимавшаяся из долины, упиралась в мощные металлические ворота. Когда Андрей приблизился, небольшая створка автоматически отъехала в сторону, открыв узкий проход внутрь двора. Едва он вошел, дверца закрылась.

Андрея поразил уровень охраны частной усадьбы, расположенной в горах, но поделиться удивлением было не с кем.

Сразу за воротами размещались деревянная будка для охранника и асфальтированная стоянка на десяток автомашин.

Андрей пошел по дорожке к дому. Его встретил плечистый узбек в тюбетейке и солнечных темных очках.

— Я Кашкарбай, — представился он. — Вы Андрей, так? — Не ожидая ответа, приветливо показал рукой на вход: — Пожалуйста, проходите внутрь.

Андрей перешагнул порог, и первым, кого он увидел, был Иргаш, с которым он расстался в Коканде. Иргаш стоял, слегка расставив ноги, сунув руки в карманы брюк, и широко улыбался. За его спиной маячила фигура еще одного человека — чернявого лысого узбека в недорогих круглых очках.

— Андрей! Рад вас видеть! Как вы? Мне говорили, что в дороге у вас возникли неприятности. Так было? Я даже стал беспокоиться...

— Ничего серьезного, мухтарбек. Все обошлось. Я здесь.

— Прошу к столу, — Иргаш указал рукой на центр комнаты, где на ковре уже была постелена чистая скатерть — достархан. На скатерти стояли большие фаянсовые блюда. На одном, выложенный горкой, дымился янтарный плов, на втором искусно выполненным натюрмортом лежали фист成ки, изюм, колотые ядра фундука, мелко набитые кристаллы фруктового сахара.

— Рахмат, мухтарбек, — поблагодарил Андрей. — Спасибо, уважаемый.

— Да, познакомься, — Иргаш кивнул в сторону чернявого, который так и оставался за его спиной. — Это наш юрист Мирхайдаров. Бо-ольшая голова!

Мирхайдаров слегка склонил голову:

— Очень приятно.

Невысокий черноволосый босоногий парнишка в коротких штанах и белой рубахе вошел в комнату, держа в руках металлический черный поднос с маленькими кофейными чашечками и высоким медным, но уже изрядно закоптившимся кофейником. Легко нагнувшись, он поставил поднос на скатерть, поклонился хозяину и вышел.

Иргаш посмотрел на Андрея:

— Не возражаете?

— После дальней дороги грех отказаться от такого удовольствия.

Проходя к указанному ему месту, Андрей бросил взгляд на стол, стоявший в углу комнаты. На нем были навалены топографические карты. Глаз схватил несколько тюркских названий, скорее всего казахских: Шыгыс орман, Сары казаншункыр, Жаман жер — Восточный лес, Желтая котловина, Плохая земля...

Названия этих казахстанских пустошей были Андрею знакомы.

Не придав случайному открытию никакого значения, он опустился на ковер.

Иргаш сам разлил кофе по чашечкам и передал одну Андрею.

— Отведайте, Ахмед умеет готовить кофе.

Андрей понял, что речь идет о мальчике. Он отпил глоток, подержал кофе во рту, смакуя.

— Прекрасно. Но я думаю, что меня привезли сюда не для того, чтобы угощать кофе. Тогда для чего еще?

Иргаш улыбнулся:

— Вы прекрасно знаете узбекский, но душа у вас все еще европейская. Время не нужно подгонять. Мы не властны ни замедлить его, ни ускорить. Значит, надо наслаждаться каждым мигом, пока он не занят делами.

— И все же? — сказал Андрей, отпив еще глоток.

— А что вы сами об этом думаете?

— Боюсь, не знаю, что и предположить.

— Трудно поверить. Вы человек с большим опытом и знанием жизни, смелый, инициативный и вдруг не можете высказать разумного предположения...

— Конечно, могу. Но это будет только догадкой. Вам нужен буровой мастер. Так?

— Так, — ответил Иргаш и разгладил усы.

— Что предстоит искать? Золото?

— Нет, — ответил Мирхайдаров.

— Тогда что? — Андрей повторил вопрос с подчеркнутым безразличием. — Нефть?

Спросил и внимательно взглянул на Иргаша, стараясь оценить его реакцию на вопрос. Если те карты, которые он видел на столе, относились к району предстоявших работ, то вести в тех краях буровые работы на нефть без предварительной сейсмической разведки могли только люди некомпетентные. Весь район степной геологической платформы был достаточно хорошо изучен, и признаков нефти в нем не обнаруживалось. Свинец, цинк, медь, каменный уголь — эти и другие залежи минералов разного качества и объемов разрабатывались с давних пор и оказались частично исчерпанными. Конечно, имелась вероятность обнаружения нефтеносных пластов на больших глубинах, но их разведка, а тем более организация добычи требовали нерентабельно высоких затрат. В силу умеренных цен на нефть на мировых рынках вряд ли серьезные инвесторы рискнут финансировать такие работы.

— Нет, — сказал Мирхайдаров, — может быть, со временем дойдет и до нефти, но в ближайшее время придется искать пресную воду. Во всяком случае, мне так сказали.

— Оставь, — сказал юристу Иргаш. — Андрей наш человек и может знать правду.

Мирхайдаров смущенно сгреб в кулак бороду и стал ее теребить.

Иргаш улыбнулся, допил кофе и поставил чашечку на поднос. Бросил взгляд на Андрея.

— Вы знаете, кем был Тимур?

— Книжный пионер или тот, исторический?

— Последний.

— Знаю.

— Значит, слыхали, что после него остались несметные сокровища.

— Нет.

— Выходит, теперь услышали.

— Что дальше?

— У нас есть сведения, где скрыт этот клад. Мы собираемся его найти.

— Значит, все же золото?

— Много золота.

— Зачем вам я?

— Клад спрятан в пещере. У нас есть все нужные карты и схемы. За тысячу лет все входы в нее закрылись. Мы найдем скалу и будем бурить. Искать.

— На это есть разрешение?

— Конечно, фирма зарегистрирована официально и имеет лицензию. Все в законном порядке.

— Такая работа мне подойдет. Как будут платить? В местной валюте или в иностранной?

Иргаш бросил взгляд на Мирхайдарова, и тот вступил в разговор:

— Вы знаете в Средней Азии валюту, которой можно доверять? Пятьдесят российских рублей за десять тысяч туркменских манатов или девять рублей за сто узбекских сомов. Вас устроит?

Андрей пожал плечами. Мирхайдаров улыбнулся.

— Что выберете — доллары или дойчемарки?

— Доллары.

— Отлично. Какая сумма вас устроит? — Чернявый лукаво сверкнул маслянистыми выпуклыми глазами и понизил голос до шепота: — Советую от себя: просите больше. Мой доверитель крайне заинтересован в ваших услугах. А он человек богатый.

Хитро подмигнув, чернявый снова заговорил громко:

— Можете подумать, я не тороплю. Важно, чтобы вы назвали ваши условия в течение дня.

По идее, услышав предложение просить больше, Андрей должен был раскатать губы от внезапно привалившей возможности обогатиться. Но он прекрасно знал — ухватив зубами большой кусок, можно не прожевать его и подавиться. Лучше показать умеренный аппетит.

Посмотрев на юриста, Андрей задумчиво почесал бровь. По его мнению, даже триста тысяч долларов были сумасшедшей суммой, и какой бы ни оказалась работа, нормальный хозяин любого нанимаемого, который заломит такую цену, должен гнать его от себя прочь поганой метлой. Все же попробовать стоило.

— Триста, — сказал он и, чтобы не смотреть на посредника, взял бутылку, стал наливать в фужер минеральную воду. — Тысяч, естественно.

Мирхайдаров неторопливо прожевал шпротину, положил вилку, взял накрахмаленную салфетку и осторожно промокнул уголки губ. Посмотрел на Андрея внимательно.

— Не мало?

Андрей, начавший пить чай, едва не поперхнулся: в голосе юриста не было насмешки.

— Тогда шестьсот, — сказал Андрей, заранее готовясь все свести к шутке.

Мирхайдаров задумчиво подергал кончик усов.

— Это заявка серьезная, — сказал он. — Я сообщу ее хозяину.

Иргаш, слушавший их разговор, тихо засмеялся.

Дверь внезапно отворилась, и в комнату вошёл высокий, хорошо сложенный мужчина в европейском дорогого пошива костюме, в ослепительно белой рубашке с распахнутым воротом. Круглое лицо украшала густая борода, подправленная умелым парикмахером, — черный перец и белая соль. Живые, проницательные глаза, полные влажные губы, аккуратный с горбинкой нос и прекрасно уложенная белая чалма на голове.

Иргаш быстро вскочил на ноги. Вслед за ним, кряхтя от усилий, поднялся Мирхайдаров и остался стоять, согнув спину и опустив голову в уважительном поклоне.

Андрей встал вместе с ними. Иргаш осторожно подтолкнул его локтем в бок и прошептал:

— Это Ширали-хан. Называй его великим ханом.

Андрей приложил руку к груди и поклонился вошедшему:

— Мир вам, великий хан.

Глаза вошедшего хитро блеснули.

— И вам мир и благословение, уважаемый гость. Как вы себя чувствуете?

— Спасибо, хан, все хорошо.

— А как самочувствие уважаемого Мурада? Как плечо его брата Дурды?

Хан не просто демонстрировал вежливость. Куда важнее было то, что все видели, — он испытывает искренний интерес к судьбам простых людей, с которыми знаком и ведет дела.

— Спасибо, хан, у них все в порядке. Главное — мы убежали оттуда...

Лицо хана засветилось улыбкой:

— Не испытав трудностей, нельзя обладать сокровищами желаний.

Андрей молча склонил голову.

— Ваше счастье, что супернияз Текеханов — это дырявый мешок честолюбия в цветном колпаке клоуна. Он строит мечети и тут же возводит собственные статуи, не понимая, что служит не Аллаху, а шайтану. Он гребет в две руки все, что под них попадает, но между пальцев проскакивает все, что не хочет попадать в загребущие руки. Вам повезло. От меня вы бы не убежали.

Хан захохотал. Вместе с ним засмеялись Иргаш и Кашкарбай.

Хан перестал смеяться, и сразу умолкли его подкаблучники.

— Ты знаешь моих людей? — спросил хан. — Познакомься. Иргаш — мой советник и генерал. Кашкарбай — феррашбаши — начальник дворцовой охраны. А теперь поговорим о деле. Мне нужны верные люди. В пути от Коканда сюда ты вел себя достойно.

— Меня везли как бревно, великий хан, как я мог вести себя иначе?

— Самонадеянный глупец стал бы искать возможности вырваться. Ты же положился на волю Аллаха.

— Прошу прощения, великий хан, я неверующий.

— Это ничего не значит. Наши поступки говорят о нас куда больше, чем наши слова.

— Спасибо, великий хан.

— Теперь вопрос. Ты знаешь, где сейчас находишься?

— Да, хан. И потому удивлен, к чему потребовалось тащить меня сюда в грязном мешке.

Хан опять засмеялся. Вообще, судя по всему, он был человеком веселым. Красивая борода затряслась. Он хлопал себя ладонями по ляжкам.

— Ты подумал, что совершается глупость?

— Нет, я так не думал, хотя не понял смысла.

— Так где ты сейчас?

— В Шахимардане, великий хан.

— Вот для этого тебя и везли в мешке. Мы предполагали, что ты сразу узнаешь место, где бывал много раз. Оно тебе хорошо знакомо, верно? Но раз ты не видел, куда тебя везли, то мог бы сделать вид, что не знаешь, где оказался. Я просто хотел проверить твою искренность, Андрей Назаров.

— Для чего?

— Когда собираешься поручить человеку важное дело, нужно знать, в какой мере он достоин доверия. Ты с этим согласен?

— Да, великий хан.

— Мы тебе доверяем, Назаров, и ожидаем от тебя преданности.

Андрей низко склонил голову.

— Андрей, почему тебе не принять ислам? Эта вера чище христианской. Ты подумай, что важнее для человека — бог или поп? Мусульманин обращается к Аллаху лично, без посредников. Мулла только помогает верующим понять тексты, которые не каждый может знать. Вы, чтобы общаться с богом, целуете руку лохматому батюшке, называете отцами пьяниц в рясах.

— Великий хан, почему вы все время говорите «вы», «вы»? Я вообще неверующий.

Ширали-хан хитро улыбнулся. В советское время большую часть жизни он прожил, обходясь без бога. Высшее образование, увлечение светскими ценностями, незнание исламской обрядности — все это не свидетельствовало о религиозности хана, и он, не будучи ханжой, понимал, что имеет в виду Андрей. Однако надежды на возвращение престола и большой власти, которые хан связывал с утверждением ортодоксального ислама в своей стране, заставляли его не только искать союзников среди единоверцев, но и обращать в веру тех кафиров, которые ему служили.

— Говоря «вы», Андрей, я имею в виду русских. Тех, кого власть и православие сделали попрошайками. Вместо того чтобы всего добиваться самим, они только клянчат. Просят власть: «дай!» Просят бога: «дай!» А власть умоляет иностранцев: «дайте!» Может быть, вы... — Хан запнулся и тут же исправился. — Может быть, пришло время русским отправиться в поиск? Походить по селам в Грузии. Наверняка там найдете усатого грузина. Пусть вами правит. Или отыскать в Ставропольских степях чабана, который растерял своих овец. Такой наверняка хорошим президентом будет. А еще лучше — подобрать в уральской пивной забулдыгу. Чем для России не президент? Впрочем, Андрей, если без шуток, пора русским на старых ладьях плыть к варягам и попросить кого-то: «Придите и правьте нами». И перестать говорить: «Мы великий народ». Сейчас вы уже не великий, а вымирающий. Андрей, ты же умный, пора видеть правду.

— Я вижу.

— Всю ли? Ты задумывался, как вами правит власть? Она не ведет вас за собой, а гонит вперед, как чабан гоняет баранов. Куда — на пастбище или на бойню, вы сами того не знаете. А идете. Некоторые пытаются упираться, их пускают на шашлык. А посмотри на своих попов. Это безобразная толпа шарлатанов, обуянных гордыней. Парча, золото, жемчуга. Найдешь такого муллу?

— Разрешите сказать? — Иргаш просительно посмотрел на хана.

— Иргаш, что за церемонии? Конечно, говори!

— Я подумал, что русским нужно плыть на ладьях не на север, а к теплым морям. Пусть побывают в Арабских Эмиратах. В Эр-Рияде, в Дубае. Сравнят эти города со своими. Потом попросят шейха-мусульманина взять власть над Россией. Он вернет их народу природные богатства, которые сейчас украдены, и сделает людей обеспеченными без объявления социализма.

Ширали-хан бросил довольный взгляд на Иргаша. Сказал, улыбаясь:

— Он сам видел страны, где жизнь похожа на сказки Востока. Эр-Рияд, Абу-Даби, Аль-Айни, Дубай, Шарджа, Эль-Кувейт. Разве их сравнишь с Читой, Оренбургом или, как вы сами считаете, с великим Урюпинском? А?

И тут же хан сменил тему.

— У нас говорят: мыхман атанды улы, — гость главнее отца. Прошу, Андрей, отобедать со мной.

— Премного благодарен, великий хан, — Андрей приложил ладонь к животу, показывая, насколько он полон. — Я уже воспользовался гостеприимством вашего дома и сейчас сыт.

— Нет, трудная работа требует много пищи. Я предлагаю оценить искусство моих поваров, ибо сказано: стремящийся научиться отличать отличное от хорошего должен зашить иглой око удовольствия во имя познания блаженства, которое ведомо даже слепому.

Трапеза затянулась до вечера. Ханское застолье не терпит суеты и поспешности.

Прощались, когда с востока из-за гор на мир стала накатывать серая волна сумерек.

— Экспедиция начнется не раньше чем через месяц, — сказал Ширали-хан, милостиво протянув руку Андрею. — До этого времени ты свободен. Что собираешься делать?

— Хочу съездить в Москву.

— Зачем? — с настороженностью спросил Иргаш, выступив из-за спины хана.

— Странный вопрос. Ты сам в Ташкент часто ездишь?

— Всегда.

— А я хочу съездить в Москву.

— Поезжай в Ташкент. Это наш город, да?

— В Москве у меня сестра. Деньги, которые я заработал в Туркмении, у нее. Поеду. Немного отдохну. Помогу сестре по хозяйству. Возьму деньги, вернусь. Надо жизнь начинать сначала. В Туркмении меня не ждут.

— Ждут, ждут, — сказал Кашкарбай и засмеялся. — Секир-башка тебе будет там.

— Вот видишь, одна дорога — в Москву.

— Там не останешься?

— Кому я там нужен?

— А здесь?

— Здесь мне хан предложил работу. Руку дающую не отвергают.

— Он хорошо сказал, Иргаш, — Ширали-хан довольно положил правую руку на плечо Андрея. — Что тебе нужно, Назаров? Аванс? Получишь. Что еще?

— Я без паспорта, великий хан.

— Паспорт Иргаш сделает. На какую фамилию?

— На мою. Я Назаров.

— Изменить не собираешься? Тебя могут искать туркмены.

— Они объявили, что мы все трое уничтожены.

— Верить в это наивно. Объявить можно что угодно, они знают — вы в бегах.

— Останусь Назаровым.

— Да будет так. Иргаш, ты понял? — Хан повернулся к Андрею. — Желаю удачи, Назаров. Хайр! Пока!

Хан и его приближенные вышли из комнаты, оставив Андрея одного.

— Так мы его отпустим? — спросил Иргаш Ширали-хана, когда они вышли из дома.

— Почему нет? Пусть едет. Но его надо хорошо проверить. Билет он уже достал?

— Нет.

— Билет ему возьми ты. Я скажу, как и у кого. И передай благословенному служителю таможенной службы Карабаеву в Ташкенте, чтобы он подсадил в поезд своих людей. Надо пощупать Назарова на наркотики.

— Не уверен, великий хан, что он их повезет.

Ширали-хан опять весело засмеялся.

— Так сделайте, чтобы они у него оказались.

— Простите, великий хан, — сказал Иргаш и повинно склонил голову, — мне не очень ясен ход вашей мудрой мысли.

— Если Назаров в какой-то мере связан с российскими органами, они не дадут его в обиду. За этим надо просто проследить.

— Боюсь, Карабаев на посылку своих людей не согласится. Он активных дел не любит. Он привык сидеть на таможенном посту, как каракурт в норке. Добыча к нему сама приходит.

— Пусть вылезет из норы, если так надо. У него в руках весь поток, и пусть несколько капель из него выделит на наше дело. Не сдохнет же от жадности.

— Будет возражать, я его знаю.

— Скажи, что я его растопчу и вотру в пыль.

— Великий хан, Карабаев нужный человек для нашего дела.

— Ты чего-то не понимаешь, Иргаш. Кто нужен, а кто — нет, проверяется делом. Тем, кто борется за утверждение ислама в нашей стране, мало бить поклоны в мечети. Надо смело рисковать ради святого дела. И нет в наших рядах таких, кто имеет право отсиживаться в укрытии, когда остальные рискуют. Пусть Карабаев оторвет зад и прикроет Назарова, если тот попадется с наркотиками по-настоящему.

— Слушаю и повинуюсь, великий хан, — Иргаш поклонился, показывая, что понял приказ и готов исполнить его.

— А ты, Кашкарбай, — хан сделал легкое движение рукой в сторону феррашбаши, — тем же поездом, но в другом вагоне тоже поедешь в Москву. Тебе этот город знаком. Приглядись к Назарову. Он очень нужен для дела, но знать о нем мы должны все.

Когда Иргаш вернулся к комнату, где Андрей в одиночестве попивал чай, уже вечерело.

— Пора отдыхать, — сказал он миролюбиво. — Великому хану ты понравился. Это очень важно.

Они вышли из дома на свежий воздух. Остановились у входа, с удовольствием вдыхая прохладу, струившуюся с гор Катран-Тоо.

По дорожке, аккуратно утрамбованной щебенкой, со

стороны ворот шел среднего роста плотно сбитый узбек, с телом равного объема от плеч до бедер, в дорогом шелковом халате и красиво сплетенной чалме — дастаре. Шел, что-то бормотал под нос и перебирал пальцами связку дорогих янтарных четок. Насколько Андрей успел заметить, был он в состоянии явного подпития.

— Кто это? — спросил Андрей, удивленно взглянув на поддатого узбека, впервые встреченного им здесь.

— Не обращай внимания, — посоветовал Иргаш. — Это Мухаммад-Али-ходжа-хан, родной брат Ширалихана. Беспутный человек. Пиён — пьяница.

— Но он в чалме?

— Он мулла. Окончил медресе в Каире. Очень умный, но пьет...

— Так бывает. Ладно, оставим это. Сегодня ты можешь спать в саду. Там есть два топчана, матрасы, теплые одеяла. Выбирай любое.

— Спасибо. Мне это нравится.

Сон на свежем воздухе, который обеспечивает людям климат Средней Азии, был для Андрея одной из сторон, привлекавшей его в этом краю. Горожанину Центральной России, даже имеющему собственную дачу, трудно представить прелесть южной ночи, проведенной под открытым небом.

Теплое дыхание ветра, шелест листвы фруктового сада, аромат цветов, стрекотание цикад, черный бархат небосвода, усыпанный звездами и перепоясанный бриллиантовым поясом Млечного Пути. Смотри в беспредельную высь, думай о вечности...

Не потому ли чабан, проводящий полжизни в степи, знает о звездах куда больше студентов столичных университетов?

Андрей с удовольствием ушел в сад.

Ночь стояла тихая, безветренная. Темное звездное небо дышало прохладой. Ласково журчала вода в арыке, протекавшем прямо под топчаном.

Андрей лежал с открытыми глазами.

Неожиданно он услыхал легкие шаги. Приподнял голову.

— Это я, — послышался знакомый голос. — Мулла Али-ходжа. Вы не спите?

— Нет, просто лежу. Не могу заснуть. Садитесь, Али-ходжа.

Мулла опустился на свободный топчан и подобрал ноги. Вздохнул.

— Андрей, у вас нечего выпить?

Услыхать такую просьбу от муллы Андрей не ожидал.

— Удивились? — спросил Али-ходжа. — А вот я иногда пью. — И объяснил: — Долго работал в духовном управлении мусульман Средней Азии. Часто ездил в Москву. Там ни одна встреча не проходила без водки. Мне понравилось.

— Мне это угощение не запишут как грех?

— Я помолюсь за вас. — И тут же Али-ходжа произнес слова молитвы. — Джаза-кя Ллаху хайран! — Да воздаст тебе Аллах благом!

Андрей вытащил из кармана плоскую фляжку, которая была при нем, передал Али-ходже. Тот отвернул пробку. Понюхал. Глубоко вздохнул. Сказал по-русски:

— Прости, Господи!

И отхлебнул с голодным страдальческим стоном. С трудом оторвался от фляжки. Вздохнул с облегчением. Спросил с интересом:

— Вы уходите в экспедицию?

— Пока не уверен, но разговор об этом был.

— Это интересно — найти меч Аллаха. Вы тоже так считаете?

— Меч Аллаха? Я никогда о нем не слыхал. Это Зу-л-Факар?

— Нет, Зу-л-Факар — это меч пророка, да благословит его Аллах и приветствует. Мухаммад захватил этот меч в битве у своих врагов. Поэтому Зу-л-Факар — это меч его собственный.

— А у Аллаха тоже есть свой меч?

— Во имя Аллаха милостивого и милосердного. Творец миров, солнца, звезд, земли и людей имеет все, что желает иметь. Но его сверкающий меч всегда вложен в ножны. Горе неверным, горе врагам ислама, если Аллах обнажит его.

— Об этом сказано в благословенном Коране?

— Нет, это тайные строки, которые передаются из уст в уста посвященным.

— Почему их нет в Книге всех книг?

— Андрей, слава и мощь Аллаха столь велики, что лишь один человек — пророк Мухаммад понял самое немногое из его мудрости. Еще меньше понимаем мы, простые люди. Коран учит различению, но это дано только глубоко посвященным.

— Я думал: читай и поймешь. Разве не так?

— О Аллах, прости мне все мои грехи, малые и большие, первые и последние, явные и тайные! Ты когда-нибудь слыхал, что когда Аллах был занят своими делами, к пророку под его личиной являлся дьявол — Иблис и диктовал обманные суры?

— Хаджи, ты не грешишь, говоря такое?

— Я просил прощения у Аллаха, прежде чем тебе сказать это. А мне об этом рассказывал образованный богослов. Он окончил исламский университет Аль-Азхар в Каире. Он рассказывал, что посвященные изъяли из Корана строки, в которых говорилось, что у Аллаха были дочери Аллат, Узза и Манат. В то время как у Всемогущего нет родителей, детей и сотоварищей. Аллах един.

— Значит, были и строки о сверкающем мече Аллаха?

— Этого я не знаю, но посвященным известно даже место, где этот меч сокрыт. И они считают, что пришло время показать его миру.

— Значит...

— Тебе выпало испытание, Андрей. Это тоже воля Аллаха, — Али-ходжа посмотрел на Андрея внимательно и снова заговорил с пьяными интонациями. — Слушай, ты меня не осуждай. У меня болит сердце. Я вижу большую беду. Она меня пугает. Мусульман специально озлобляют. Сперва унизили нищетой, теперь подстрекают злым словом к злому делу. Это нехорошо. Мусульманином может называться только человек, который ни словом, ни делом не наносит вреда, не делает обиды, не причиняет ущерба и мучений другим людям. Ты меня понимаешь, Андрей? Остановить зло — благое дело. Ты меня понимаешь?

— Нет, уважаемый мулла, не понимаю.

— Экспедиция, куда тебя пригласили, пойдет в Казахстан. Там в местности со страшным названием Ульген-Сай — Мертвый Лог — русские оставили в подземелье ядерный заряд. Мой сиятельный брат, обуянный дьявольским честолюбием, назвал его мечом Аллаха, решил его достать и передать в руки тех, кто желает спалить адским огнем Израиль. Спалить, чтобы утвердить в мире мысль о могуществе ислама, о его готовности подчинить себе все, что ему до сих пор не подчинилось.

— Почему именно Израиль?

— Потому что исламисты не признают такой страны. Для них ее нет ни в действительности, ни на карте. Есть только захваченные евреями земли арабской Палестины.

— Но это же безумие.

— Да, это страшное безумие и, если ему не помешать, тень Ульген-Сая ляжет на всю Землю... О Аллах, поистине мы призываем Тебя помочь нам уничтожить их и прибегаем к Тебе от зла их!

Али-ходжа вдруг замолчал, еще раз отхлебнул из фляжки и опустил голову на грудь. Андрею показалось, что он круто пьян...

Эту ночь Андрей не спал. Он пытался осмыслить услышанное и чем больше думал, тем менее вероятной казалась ему легенда о поисках сокровищ Тимура, тем реальней выглядела версия, высказанная Али-ходжой. Но что делать? Отказаться от участия в экспедиции? Показать, что не веришь в ее цели и не желаешь участвовать в авантюре? Нет, этого делать было нельзя. Такие люди, как Иргаш и Кашкарбай, не будут раздумывать, как поступить с отступником. Надо просто уехать в Москву и больше не возвращаться в эти края, пусть они и стали для него родными.

На следующий день Иргаш и Андрей уехали из Шахимардана в Фергану. Машина легко неслась по асфальту, спускаясь с горных отрогов в благодатную долину. Андрей, откинувшись на спинку сиденья, любовался природой, знакомой с раннего детства.

Паспорт гражданина Узбекистана Андрей получил от Иргаша. Иргаш выдал ему и аванс — десять тысяч долларов. Сказал:

— Вечером возвращаемся в Бухару. В Москву поедешь оттуда.

Задавать вопросов Андрей не стал. Спорить не имело смысла.

А вот перед тем, как собраться в дорогу, он решил побывать на базаре. Хотелось приехать в Москву и привезти сестре среднеазиатские гостинцы.

Торжище, кипевшее на базарной площади, было тесным, шумным, полным острых запахов. Над толпой плавали сизые струи дыма шашлычных мангалов и отработанной солярки. Все это сдабривалось ароматами фруктов и специй, свежих лепешек, а также зловонием людского пота и грязных ног. Люди здесь почти не стояли на месте, двигались в разных направлениях, сталкивались, вежливо расходились, чтобы уже через несколько минут снова столкнуться лицом к лицу, но уже в другом месте.

По периметру базара теснились лавочки мастеров шурпы — узбекского супа, лагмана, чучвары и плова. В больших казанах, сопровождая каждое движение рекламными возгласами, кондитеры готовили для любителей сладкого густое блюдо — мешалду.

Быстро проскочив мимо обжорного азиатского ряда, Андрей прошел к лавочкам, где торговали промышленными товарами. Здесь можно было найти все — от давно отжившего советского телевизора «Рубин-111» до новых «Панасоников» и «Элджи» «желтой» сборки; от ручного коловорота, который служил многим поколениям плотников, до электрических дрелей и рубанков. Залитые солнцем, сверкали радугой красок восточные ковры ручной и машинной работы.

За промышленными рядами расположились фруктово-овощные. Благодаря щедрой природе Ферганы у торговцев получались на прилавках огромные пирамидынатюрморты. Глаза разбегались при виде гор слив, абрикосов, кураги, яблок, свежего лука, свеклы, морковки. Однако подойти к кому-то и сразу купить товар, словно ты в магазине, азиатский этикет не позволял. К любому товару — хорошему и похуже, к дорогому и дешевому, следовало сперва прицениться, высказать свое мнение, а потом перейти к другому продавцу, чтобы повторить ритуал торга еще и еще раз. Базар должен не только снабжать покупателей товарами, куда важнее общение, которое дарит людям возможность торговаться и покупать.

— Хозяин, здравствуй! Как давно я тебя не видел! Бери мой урюк, — старик-торговец протянул Андрею сухую мозолистую руку. — Свой огород: половина сахар, половина — мед.

— Спасибо, отец. Я приезжий.

— Все равно я тебя узнал. Наверное, у тебя в Фергане есть друзья?

— Есть, конечно.

— Кто же это?

— Иргаш.

— Иргаш?! Подари ему Аллах свое благословение! Он твой друг? Тогда я ухожу отсюда, ты бери мой товар просто так. Приказывай, сколько возьмешь? Я уступлю тебе сразу все по сто сомов.

— Побойся Аллаха, хозяин! По пятьдесят еще куда ни шло.

— Нет, только восемьдесят. И то из уважения к твоим друзьям.

Урюк выглядел прекрасно, на вкус был ароматный и свежий, но брать, не посмотрев, чем торгуют другие, значило признаться в неумении торговаться и покупать.

Андрей подошел к соседнему развалу.

— У меня урюк — чистый сахар, — сразу же сказал продавец, сверкая хитрыми глазами. — Съешь один — целый день во рту сладко.

— Врачи говорят, что сахар — это белая смерть.

— Э, уважаемый! Лучше умереть с сахаром во рту, чем с уксусом. Разве не так?

— Откуда урюк?

— Сад Муян знаешь? Оттуда. Очень лучше, бери, уступлю, сколько хочешь.

— Сколько?

Торговец, конечно же, слыхал весь разговор Андрея с соседом, и назначить цену ниже той, на которой окончился торг, ему не позволял рыночный этикет. Здесь подобных штучек не поощряли.

— Восемьдесят сомов, уважаемый. Из уважения к тебе, к твоим родственникам и знакомым. Все убытки пусть лягут на мою доброту...

Андрей не успел ответить. Толпа людей неожиданно загудела и задвигалась. Что произошло, Андрей не понял, но базар, стройный в своей хаотичности, вдруг закипел, забурлил по непонятной причине. Толпа уплотнилась, сжалась и, будто подталкиваемая кем-то, двинулась в направлении южных ворот. Андрей понимал, что в такой давке и суете лучше не сопротивляться потоку, — он сам вынесет тебя на более просторное место.

Неожиданно слева от Андрея громко вскрикнула женщина. Он скосил глаза и увидел высокую стройную узбечку в темном просторном платье и цветной тюбетейке. Толпа сжала ее с двух сторон и притиснула к проволочной сетке, ограждавшей гору арбузов от проезжей части.

Женщина пыталась ослабить напор, но у нее явно не хватало сил.

Тараня правым плечом толпу, Андрей пробился к ограде и протянул женщине руку.

— Хватайтесь!

Она приняла помощь, сжав пальцы на запястье Андрея, и тот рывком, даже не подумав, что может повредить хрупкий плечевой сустав, потянул ее руку на себя.

Рывок был настолько сильным, что узбечка дернулась вперед и с ходу всем телом прижалась к Андрею. Он увидел перед собой ее широко открытые карие глаза и услышал едва прошелестевшее слово: «Рахмат!» — «Спасибо!»

Все это произошло так неожиданно и быстро, да и сама обстановка базарной паники не располагала к анализу собственных чувств, но Андрей заметил, как заколотилось его сердце.

— Давайте туда! — сказал Андрей. Повернув женщину к себе спиной и держа ее за локти прижатых к груди рук, он пытался направить ее влево. — Там меньше народа.

— Нет, — возразила женщина. — Лучше вправо. Тут неподалеку в дувале пролом. Его вчера пробил грузовик.

— Хоп! — согласился Андрей, набрал в легкие побольше воздуха и тараном попер в сторону, куда указала женщина.

Они протиснулись между двумя грузовыми фурами с брезентовыми тентами, перелезли через огромную кучу пустых пластмассовых ящиков и выбрались к глинобитному забору, в котором зиял огромный сквозной провал.

Вместе вышли на пыльную узкую улочку.

— Вам куда? — спросил Андрей с европейской галантностью. — Я вас провожу.

Он все еще ощущал сердечное томление, возникшее, едва он увидел эту женщину. Теперь Андрей видел — она не узбечка, хотя по-восточному свежа и красива.

— Спасибо, не надо. Я найду дом сама.

Андрей, чтобы сгладить горечь отказа, спросил:

— С чего это на базаре поднялась паника?

— Вы не поняли? Приехала милиция. Облава. Ищут сторонников Намангани. Исламистов Узбекистана. Террористов.

Они расстались. Случайная встреча, мимолетное соприкосновение рук. Но в душе образовалась какая-то пустота. Постепенно ее заполнили мелочные заботы повседневной суеты, хотя мутный осадок неосознанной тревоги сохранялся еще долго.

Жажду крови
водой не утоляют

Люди привыкли во всем искать закономерности, но жизнь полна явлений случайных, непредсказуемых, нелинейных. Случай управляет судьбой человека, перемещая события, как цветные стеклышки калейдоскопа.

Это только кажется нам, что мир беспредельно огромен. Он в действительности мал и тесен. Глобализация, о которой столько говорят политологи, это постепенное превращение мира в одну большую деревню, где все обо всех все знают, где неосторожный чих больного соседа заражает многих других.

Заглянуть в прошлое можно только из настоящего, идя по следам, которые оставили минувшие события. Угадать будущее мы не в состоянии. Оно накатывает на нас неожиданно, не давая возможности приготовиться. Точки, в которых начинаются события, способные вовлечь нас в свой водоворот, часто отстоят во времени и расстоянии так далеко, что мы не всегда можем понять, откуда накатила волна и почему именно нас она швырнула в пучину приключений, удач или невзгод.

Задолго до того, как Андрей попал в Фергану, случилось совершенно пустяковое по любым меркам событие, о котором он так никогда и не узнал.

В прокаленном жарой городе Душанбе на выселках в микрорайоне Обшорон в небольшой чайхане собралась компания безработных работяг: Икрам — водитель-дальнобойщик первого класса, Нури — мастер текстильного производства, Акбар — электромонтер и Рафикджон — сапожник.

Безработица — это не отдых и работящим людям не в кайф. Безделье радует лодыря и угнетает нормальных людей, как скрытая от глаз внутренняя болезнь. А кто выставляет напоказ свои недуги и болячки?

Четверо — старые приятели, знавшие друг друга с детства, и в чайхане у них всегда находились темы для обсуждения.

Рафикджон пришел на встречу с газетой. Ему повезло: российский офицер-пограничник принес мастеру для ремонта разбитые на камнях дорог ботинки. Обувь была завернута в старую газету. Рафикджон развернул ботинки, газету расправил, разгладил рукой и захватил с собой в чайхану.

Заняв обычное место, Рафикджон водрузил на кончик орлиного носа очки, развернул газету и стал читать.

— Э, рафик Рафикджон, — сказал Нури, — что там пишут?

Нури шутник и всякий раз, обращаясь к другу, слегка подкалывает его. Рафик по-таджикски, как слово, так и имя, имеет одно значение — приятель, товарищ. Сочетание их в одном предложении звучит необидной подначкой.

Рафикджон, не отрывая глаз от газеты, не реагируя на подкалывание, спокойно ответил:

— Много букв, обо всем написано.

— Что интересного? — спросил электромонтер Акбар.

— Один русский генерал сказал, что у него есть чемоданчик. Если открыть, будет атомный взрыв. Хиросима.

— Врет он, — тоном, не терпящим возражений, опроверг Акбар. — Ерунда все это.

— Правду говорит, — голос Икрама прозвучал веско и уверенно. — Есть такой чемоданчик. Ты Сабита Лысого знаешь? Так вот он рассказывал еще давно, что такой чемоданчик у русских есть.

— Ладно, шайтан с этим чемоданчиком, — сказал Акбар, обиженный опровержением. — Ты, Рафикджон, лучше прочитай, когда у людей будут работа и деньги.

— Это, дорогой, не напишут. Это даже у русских большая государственная тайна.

Обычный треп обычных людей. Дело житейское, проходное.

Но...

КГБ, ЦРУ, БНД, «Моссад» — этим монстрам мирового шпионажа в своих разведывательных возможностях не уступают крупнейшие церкви мира — католическая, православная, мусульманская...

Обряд исповеди, доверительные беседы клира с прихожанами позволяют собирать огромные массивы информации. Без больших материальных затрат и опасности угодить в контрразведку удается узнать не только о том, кто, как и с кем спит, но и о том, кто берет взятки, кто ворует, кто что думает о законах и власти и еще о многом другом.

Уже на другой день богобоязненный сын ислама Нури после утреннего посещения мечети побеседовал с муллой Азади. Поговорили о том о сем. Рассказал Нури и о разговоре, который у друзей состоялся вчера, в том числе о работе и чемоданчике, таившем в себе огромную разрушительную силу.

Мулла Азади, в молодости окончивший физический факультет университета, по-своему трактовал рассказ Нури. В тот же вечер он передал разговор своему знакомому, который официально числился корреспондентом газеты «Шариат», а на деле являлся представителем подпольной исламистской организации «Хизби-ут-Тахрир».

«Корреспондент» передал информацию по своим каналам дальше, даже не зная, к кому она попадет.

А у ценной информации есть определенное свойство: она всегда попадает к тем, кто ею интересуется.

Небо в краю пустынь Аравийского полуострова чаще всего не голубое, а пепельно-серое, выгоревшее от вечного зноя. Солнце здесь мало похоже на яичный желток, каким его рисуют дети. Диск светила, добела раскаленный, яростно клокочущий испепеляющим жаром, застывает в зените, и тени на земле почти исчезают. Ветер, дующий со стороны залива и океана, несет на сушу воздух, напоенный удушающим дыханием парилки. Сменив направление, он приносит не облегчение, а овевает колючим жаром песков.

Нельзя сказать, что люди, живущие в этих местах, привыкли к песчаным бурям, зною и жажде. Нет, они не привыкли, они просто научились терпеть. Они знают — природа их края данность, которой не преодолеть. Их религия — ислам.

Ислам — это покорность. Умение терпеть жару. Переносить песчаные бури, смертельную жажду, спокойно принимать трудности и неудачи, поскольку все они предопределены Аллахом и ниспосланы людям в виде пожизненного испытания.

Аллах поощряет терпеливых и обещает им в потусторонней жизни неожиданные радости. Тех, кто на этом свете страдает от зноя и жажды, там ожидают тенистые кущи фруктовых садов, реки чистой холодной воды, вино и прекрасные женщины — гурии, способные ублажать своими ласками самых взыскательных мужчин.

Шейх Джамал ибн Масрак родился и вырос в этом суровом жарком краю. Богатые родители, арабские миллиардеры, дали сыну европейское образование. Ибн Масрак учился в Лондоне и стал бакалавром философии. Он страстно любил Швейцарию. Заснеженные вершины гор и виноград, вызревающий в теплых долинах. Изобилие ключевой воды и свежий воздух. Ибн Масрак месяцами жил на вилле в Цермоте, но никогда не пытался встать на горные лыжи. Его интересовали только кони и женщины.

Шейх был убежден, что никакое богатство не может сделать счастливым паралитика, слепого или прикованного смертельной болезнью к постели. Только здоровому богатство может подарить все, чем он пожелает утолить свои желания, прихоти и похоти. Одна из радостей, которыми одарил Аллах правоверных, — их женщины. В этом мире они достаются мужчинам в форме плотской, украшенной всеми достоинствами, подаренными им природой.

Оставив сердце на жаркой родине, ибн Масрак не

завел для себя гарема, хотя прекрасно знал традиции и порядки, освященные исламом. Пытаясь утолить жажду к плотским наслаждениям, богатые шейхи без устали умножают количество жен. Никогда не осуждая их ненасытной жадности, Джамал ибн Масрак в душе презирал дураков, веривших, что женщина, запертая за высоким забором, становится его собственностью.

Ибн Масрак, приобретший вместе с европейским образованием весьма высокую долю скептицизма, прекрасно понимал, что ни один мужчина, будь он молод, здоров и завистлив, не способен регулярно дарить свои ласки всем женщинам, которых он на правах эксклюзивного владения запер в гареме. И чем богаче владелец сада цветов, чем в более роскошной изнеженной обстановке он содержит жен, тем более изощренными они становятся в поисках удовлетворения телесных желаний, превращая естественные чувства в похотливые игры.

В больших гаремах обязательно находится опытная матрона — эг-шейк-эль-безэ, организующая для наложниц, лишенных мужского внимания, лесбийские утехи. Она строго следит за тем, чтобы хозяйские жены по интересам разбивались на пары. Чтобы более влиятельные и опытные отбирали для себя из молодых наложниц мужа подруг, и те, в свою очередь, удовлетворяли потребности избалованной плоти своих повелительниц.

Приобщившись к европейской сексуальной цивилизации, ибн Масрак понял, что куда проще обходиться без гарема и в то же время оставаться ценителем женской красоты. В его постели попеременно появлялись именитые топ-модели, артистки, жены серьезных американских бизнесменов, позволявшие себе в Европе легкомысленные вольности, богатые искательницы приключений из обеих Америк, красавицы из Индии и Африки.

Похождения шейха не остались незамеченными. Одна из бульварных газет посвятила ему репортаж с броским заголовком «Весь мир в одной постели», достаточно подробно описав трудовые блудни шейха. Это стало для ибн Масрака хорошей рекламой, а слава арабского плейбоя послужила отличной ширмой для дела, которым шейх занимался всерьез.

Ибн Масрак создал плотную и широко разветвленную разведывательную сеть, служившую организации воинствующего исламизма «Пламя джихада», которую сам организовал и возглавлял.

Осевшие в Германии турки и чеченцы, боснийские мусульмане, косовские албанцы, приверженцы ислама, жившие во Франции и Англии, стали резервуаром, в котором люди ибн Масрака отыскивали агентуру.

Анализируя огромный массив слухов и достоверных сведений, специалисты ибн Масрака позволяли шейху держать руку на пульсе событий. Иногда он узнавал о них не из сообщений прессы, а заранее, когда те еще только планировались или готовились.

Делами шейх обычно занимался перед обедом. Вышколенный секретарь, Мехди бен Омар, приносил в кабинет бумаги и докладывал о делах, которые представляли особый интерес для хозяина.

В один из дней, почтительно склонившись, он положил на стол лист дорогой бумаги с фамильным вензелем шейха.

— Это вам, из Афганистана. Пришло с нарочным.

Шейх взял лист в руки. Чуть отставил от глаз и начал читать.

«Сардар-э азам командан-э омуми Шейх сейид Джамал ибн Масрак ...»

Арабские буквы, выведенные на бумаге опытным каллиграфом, складывались в слова донесения.

«Премьер-министру, Верховному главнокомандующему шейху сейиду Джамалу ибн Масраку.

Во имя Аллаха милостивого и милосердного, творца всего сущего, отца благородных сыновей и великих пророков.

Доношу вашему превосходительству известие, которое при внимательном рассмотрении может представить интерес для дела священного джихада.

По сведениям нашего московского источника, широко

*известный русский генерал Сафед сделал публичное сооб-
щение о наличии у России портативных ядерных зарядов,
размещаемых в небольших чемоданчиках...»*

Ибн Масрак запнулся, оторвал глаза от записки и
снял очки. Несколько мгновений сидел, старательно
размышляя.

Ибн Масрак знал русский язык. Он защитил диссер-
тацию в Москве в Институте дружбы народов и, вернувшись на родину, внимательно следил за тем, что происходило в России. Всех крупных политиков и военачаль-
ников, чьи имена встречались в прессе, он помнил достаточно хорошо. А вот «широко известного генерала
Сафеда» вспомнить никак не мог.

Ибн Масрак еще раз перечитал текст. Нет, ошибки
не было.

— Тьфу! Прости Аллах и помилуй! — Ибн Масрак
прихлопнул ладонью донесение и захохотал. На языке
дари слово «сафед» означало слово «белый».

Джасус — агент разведки «Пламени джихада», работавший в Афганистане, почему-то счел нужным перевести эту фамилию на свой язык.

Отсмеявшись, ибн Масрак подумал, что надо дать
переводчикам распоряжение оставлять неприкосновен-
ными иностранные фамилии и названия чужих городов.

— Вы очень старательны, майор. Я хочу это отметить
особо.

Бен Омар приложил руку к сердцу и благодарно
склонил голову, коснувшись подбородком груди.

— Записка очень точно схватила весьма существен-
ный для нас факт. И он нас заинтересовал. Единственное, чего вам не стоит делать в будущем, это переводить
фамилии неверных на наш язык. Как по-русски звучит
фамилия Сафед? Вы знаете?

— Да, ваше превосходительство. Бялый.

— Похоже, — ибн Масрак спрятал улыбку в густые
усы. — Очень похоже. Но превращать ее в Сафеда не
стоит. Это может привести к взаимному непониманию.
Представьте, что кто-то переведет на английский вашу
фамилию бен Омар как бен Лобстер. Вы меня поняли?

— Прикажете исправить записку?

— Теперь не надо. Материал, хотя и не представляет для нас особого интереса, должен оставаться секретным. Пусть Сафед станет псевдонимом генерала.

Ибн Масрак бросил взгляд на часы.

— Мне кажется, что мадам Женевьева уже задерживается.

— Нет, ваше превосходительство, — возразил бен Омар, — у нее по меньшей мере есть еще час.

Над швейцарскими Альпами дул теплый западный ветер. Он ласковыми дуновениями врывался в открытое окно «Опеля», за рулем которого сидела молодая красивая женщина — очередная любовница ибн Масрака — Женевьева Дюран.

На горной дороге, где полотно обтекало скальный массив, который круто нависал над рекой, бурлившей глубоко в лощине, поперек пути стоял серый «Мерседес».

Женевьева издали заметила препятствие и стала притормаживать. Она остановилась, не доехав до чужой машины двух метров. И почти сразу на таком же расстоянии от нее остановился второй «Мерседес», долго следовавший позади.

Женевьева не успела выйти из машины, как ее окружили трое мужчин в элегантных костюмах. Один вышел из «Мерседеса», который перегородил дорогу, двое — из того, что подъехал сзади.

Тот, что был впереди, подошел к «Опелю» со стороны водителя. Вынул из кармана полицейский жетон и небрежно махнул им перед глазами Женевьевы.

— Полиция, — сказал он сурово. — Мадемуазель, прошу выйти.

— В чем дело? — У Женевьевы не было желания оставлять свою машину. — Может быть, объясните мне так?

— Об этом мы поговорим в моей машине. Прошу выйти.

Женевьева вынуждена была подчиниться. Она прошла с полицейским к его машине. В «Опель» на ее место сел человек из второго «Мерседеса». Все три машины тронулись и, проехав не более полукилометра, оказались на просторной площадке для стоянки и отдыха автомобилистов.

Полицейский заглушил двигатель:

— Ваши документы, мадемуазель.

Женевьева открыла сумочку и вынула пластиковую карточку автомобильных прав.

Полицейский осторожно взял ее за два ребра, чтобы не оставлять своих отпечатков, сличил фотографию с оригиналом.

— В жизни вы красивей, госпожа Дюран.

Стоило бы сказать спасибо за комплимент, но Женевьева решила промолчать.

Полицейский положил карточку на приборную панель.

— Госпожа Дюран, пусть вам не покажется смешным, но меня и моих коллег серьезно беспокоит ваша судьба.

— С какой стати полиции заботится обо мне? — Женевьева постаралась произнести это как можно язвительней.

Полицейский на ее слова не обратил ровным счетом никакого внимания. Он вынул из кармана пиджака фотографию:

— Вам знаком этот человек?

Со снимка на Женевьеву смотрел шейх Джамал ибн Масрак, одетый в традиционную ослепительно белую джалабу, с головой, покрытой клетчатой красно-белой шемагой.

— Да, знаю. Что дальше?

— Дальше? Это тоже он?

На втором снимке шейх был совершенно голым. Он стоял на открытой веранде, подставив тело лучам восходящего солнца. На фото хорошо просматривался рельеф мышц груди и живота. Неприкрытые первичные признаки мужского пола ютились в куще густых черных волос. Довершали образ волосатые слегка согнутые в коленях ноги.

— Он, — не задумываясь, ответила Женевьева.

— Судя по всему, — сказал полицейский, — шейх одинаково хорошо знаком вам в одежде и без нее. Разве не так?

— Вы дерзите, — изобразив на лице крайнюю степень неудовольствия, сказала Женевьева. — Я буду вынуждена обратиться к прокурору.

— Госпожа Дюран! — Полицейский широко улыбнулся. — О какой дерзости вы говорите? Была только констатация факта. Вас даже не удивила и не шокировала фотография голого шейха. — И вдруг, перестав улыбаться, с лицом, вмиг посуровевшим, добавил: — Кстати, я даже не знаю, доберетесь ли вы когда-нибудь до прокурора.

Ледяной тон и серьезность, с которой были произнесены последние слова, не на шутку испугали Женевьеву. Она уже поняла, что слишком необычной оказалась ее встреча с полицией, и угадать, чем она закончится, крайне трудно.

— Что вы имеете в виду? — спросила Женевьева, и голос ее дрогнул.

— Горную дорогу, моя госпожа. Только дорогу. Впереди есть очень опасный скальный участок. Там ровно два дня назад в пропасть сорвался «Порше». Великолепный жеребчик, серебристый металлик. Погибли двое — он и она. Их тела подняли из пропасти, а машина все еще в ней. У вас нет желания взглянуть на нее? Тут совсем недалеко.

— Я вожу машину аккуратно, — сказала Женевьева, сдерживая испуг. В словах полицейского она угадала страшный намек, облеченный в форму рассказа о дорожном происшествии.

— Она тоже ездила аккуратно, — полицейский как фокусник извлек из кармана третью фотографию. — Взгляните.

Цветной снимок запечатлел лицо красивой женщины. Закрытые глаза и правая щека, залитая кровью, свидетельствовали, что на снимке мертвое тело.

— Уберите, — требовательно попросила Женевьева и

хотела отшвырнуть фотографию. Полицейский успел перехватить ее руку.

— Вглядитесь повнимательней. Вам она знакома?

— Нет!

— Верно, мадам Дюран. Но я вам скажу, кто она. Это ваша предшественница в постели шейха Масрака.

— Как вы смеете?! — Женевьева была близка к истерике. — Кто вам позволил лезть в мою частную жизнь?!

— Прекрасно, моя госпожа, прекрасно! Вы спросили, кто мне позволил лезть в вашу жизнь. Я отвечу — закон. Тот, который гарантирует нашим гражданам безопасность их жизни, здоровья, собственности.

— Разве мне грозит опасность? — Женевьева изменила тон. Она поняла, что с полицейским лучше говорить спокойно. — Я этого не замечаю.

— Зато заметили мы и пытаемся вас уберечь от неприятностей.

— Что вы имеете в виду, господин э..?

— Инспектор Анри Бальфур, к вашим услугам, моя госпожа. А имею в виду не только я, но и те джентльмены, которые сидят в другой машине, что вы оказались в зоне чрезвычайной опасности.

— В какой именно?

— Мы не будем затрагивать причин, по которым вы оказались в постели шейха Масрака...

— Это мое личное дело, в чьей постели и когда находиться.

Женевьева вспылила, но с достаточной умеренностью. Она уже чувствовала, что инспектор Бальфур подавляет ее своей уверенностью и волей.

— Верно, госпожа Дюран. Поэтому я и сказал, что мы не будем затрагивать причин, по которым вы влезли под чужое одеяло...

— Это...

— Прошу, помолчите. Когда я закончу, у вас будет возможность высказаться. Так вот, моя госпожа, шейх, с которым вас связывает ложе, стоит во главе опасной исламистской террористической организации. Девушка, фотографию которой вы видите, Урсула Нойман из Бремена. Она была одной из любовниц шейха до вас. Но он ее заподозрил в связях с полицией и организовал убийство. Короче, ее убили по одному лишь подозрению, не имея доказательств и фактов, хотя Урсула никаких связей с нами не имела.

— Но при чем здесь я? — Женевьева слушала инспектора со страхом. Она пыталась сдержать нервную дрожь, но ее состояние выдавали трясущиеся колени.

— Очень при том, моя госпожа. После убийства Урсулы мы хотели подвести к шейху нашу опытную сотрудницу. Увы, она проиграла в конкуренции, и на ее месте оказались вы.

— Я в чем-то виновата?

— Нет, но у нас нет времени ждать, когда Масрак пресытится вашими прелестями...

— Что вы о них знаете?! — психанула Женевьева.

— Ничего ровным счетом.

Бальфур знакомым ей движением руки вынул из кармана очередное фото. На нем Женевьева, прекрасная в своей наготе, полулежала, опершись о локоть, на капоте шикарного автомобиля, бесстыдно раздвинув ноги и придерживала обеими руками большие красивые груди. Она хохотала.

— Вы!.. — крикнула Женевьева и прихлопнула снимок ладонью.

— Нет, вы, — спокойно прервал ее Бальфур. — А теперь помолчите. Поскольку у нас нет времени ждать, когда шейх начнет замену любовниц, у вас есть два варианта действий на выбор.

— Какие?

— Первый, вы будете делать то, что собиралась делать наша сотрудница...

Женевьева сразу подумала, что ей предложат отравить шейха.

— Вы хотите его убить?

— Бог с вами, моя госпожа! Как вам пришло такое в голову?

— Что же тогда?

— Нам нужен свой человек в окружении шейха. Чтобы знать, чем он бывает занят помимо секса. Для этого мы обеспечим вас...

Женевьева прервала инспектора:

— А если я не дам согласия?

— Вступит в действие второй вариант. Вряд ли вам он понравится.

Сердце Женевьевы екнуло.

— Я слушаю.

— В самом начале беседы я рассказал об опасностях этой дороги. Предложил пройтись и посмотреть на машину, которая лежит в пропасти. Вы не захотели. Может, все же пройдемся сейчас?

— Вы угрожаете?

— Нет, моя госпожа. Просто объясняю возможный ход событий. Вы, пусть не по своей вине, сунули ноги в чужую обувь. У нас не остается выбора: нужно либо освободить туфли для нашей сотрудницы, либо заручиться помощью того, кто их носит сейчас.

— Что произойдет, если я дам согласие, а сама обо всем расскажу шейху?

Бальфур открыл стекло и крикнул, обращаясь к одному из своих помощников:

— Раймон! Подойдите сюда!

Блондин, который привел на стоянку «Опель», подошел к «Мерседесу».

— Слушаю, шеф.

— Снимки у вас с собой?

— Да, они здесь.

— Позвольте показать их нашей даме.

— Пожалуйста, — Раймон вынул из кармана и передал инспектору пачку фотографий.

Бальфур взял их и начал по одной показывать Женевьеве.

— Это вы конспиративно встречаетесь с инспектором Раймоном Граве. Вот он, вот вы. Это другая агентурная встреча. Уже с инспектором Крейцем.

— Я никогда не встречалась с этими господами. Никогда! Я их не знаю. Это обычный фотомонтаж. Гнусная фальшивка!

— Ну, ну, успокойтесь. Зачем такие энергичные определения? Никакого монтажа нет, госпожа Дюран. Снимки отпечатаны с видеоленты, на которой есть точное время и дата встречи.

— Но встреч не было! — голос Женевьевы дрожал от возмущения.

— Они были. Это вот Раймон спрашивает у вас, как пройти к фирме проката машин. Мимолетная встреча. Здесь у магазина инспектор Крейц помог вам выйти из машины...

— Значит, это подлог.

— В какой-то мере, но в большей степени — это фотодокументы. Одна встреча с агентом полиции может быть случайной. В двух случаях просматривается совпадение. В трех — закономерность.

— У вас нет третьего снимка, — в голосе Женевьевы прозвучало нечто вроде надежды на спасение.

— Боже мой, госпожа Дюран! Мы с вами сидим в моей машине на горной площадке. Раймон уже сделал пять или шесть снимков. Вы не заметили? Так что вы можете говорить шейху что угодно, но такое объяснение не в ваших интересах. Масрак поверит фотографиям, а не словам испуганной женщины.

Женевьева закрыла лицо руками.

— Он убьет меня, — простонала она в отчаянии.

— Нет, моя госпожа. Мы такой возможности ему не предоставим. Конечно, если вы согласитесь сотрудничать со мной.

Женевьева вздохнула:

— Что мне надо делать?

— Госпожа Дюран, вы умная женщина. Дальше поступим так. К вам в машину сядет мой помощник Раймон Граве. Вы оформите сотрудничество, он даст инструкции. Можете идти к своей машине.

Женевьева взялась за ручку дверцы, но Бальфур остановил ее:

— Секундочку.

Он подержал в руке снимок с изображением самой Женевьевы, потом протянул ей:

— Можно ваш автограф, госпожа Дюран?

Женевьева вынула из сумочки авторучку, быстро что-то черкнула на обороте фото, бросила его на сиденье и вышла из машины.

Бальфур поднял фото, повернул его изображением вниз. На белой стороне размашистым почерком был записан номер телефона.

— О'кей! — сказал Бальфур сам себе и засмеялся.

— И что, Арон, — задал вопрос инспектор Крейц, — ты уверен, что система заработает?

— Уверен. Госпожа Дюран уже не первый год промышляет в среде богатых сластолюбцев. Она по натуре авантюристка. Раймон поможет ей направить таланты в нужном направлении.

— Я поеду быстрее, — предупредила Женевьева севшего в «Опель» Раймона. — Шейх не любит, когда я опаздываю.

— Как угодно, мадам. Много времени у вас я не займу. — Раймон раскрыл кейс, который держал на коленях. — Я кое-что передам вам, госпожа Дюран. Не пугайтесь. В нашем наборе не будет традиционных безделушек вроде брошек-микрофонов, перстней-жучков, часов и фотографирующих зажигалок. Эти вещи теперь вызывают подозрения.

— Что же вы предложите?

— Небольшой несессер. В нем маникюрный набор. Щипчики, пилки, пинцеты. Пилочка может все время лежать на туалетном столике.

— Для чего?

— Это уже наша забота, госпожа Дюран. Не ломайте голову над пустяками.

— Вы правы, месье Раймон. Когда существует угроза сломать голову на крупном промахе, думать о пустяках вроде пилочек — глупо. Разве не так?

— Вот флакончик ваших любимых духов. Пробка в виде черного шарика. Внутри — чувствительный микрофон. Носите духи с собой. И еще вы должны...

Ровно через четверть часа Раймон попросил остановить машину и остался на дороге. «Опель», сердито взревев мотором, скрылся за поворотом горной дороги.

Утренний розовый свет зари осветил просторную спальню шейха. Ибн Масрак, раскинувшись на белых простынях огромной кровати, в которую можно было уложить по меньшей мере еще шесть человек, смотрел в зеркальный потолок. Рядом с ним на спине лежала Женевьева, чье тело шейх рассматривал с тем чувством, с каким увлеченный коллекционер изучает самые дорогие экспонаты своего собрания.

Левая рука шейха временами блуждала по телу подруги, то касаясь ее груди, то по животу опускаясь ниже. Женевьева тихо мурлыкала, изображая томление духа от прикосновений шейха.

Неожиданно интимную обстановку спальни нарушил мелодичный перезвон мобильного телефона, который исполнил несколько тактов популярной арабской песни.

Шейх опустил руку и поднял с ковра лежавшую у кровати трубку. Приложил к уху.

— Хэллоу, — и тут же, узнав в трубке знакомый рокочущий голос, наполнил свой сладкими нотками вежливости. — Мир вам, мой дорогой учитель. Рад слышать ваши слова, целительные для души и побуждающие сердце к добрым деяниям во славу Аллаха.

— И вам мир, благородный шейх. Мы здесь уже скучаем без вас и хотели бы встречи. Тем более что в саду сокровенных желаний полнятся соками бутоны прекрасных возможностей. У вас нет желания положить на них свой взгляд и руку?

— Мой благородный учитель, я с радостью принимаю ваше предложение. Вылетаю первым же рейсом.

На крутом вираже «Боинг-707» опустил вниз правое крыло, и ибн Масрак, сидевший у иллюминатора, увидел во всей экзотической красе столицу Иордании — Амман. Город растекся по пологим склонам холмов от горизонта до горизонта. Солнце ярко освещало широкие проспекты, по которым тянулась длинная череда автомобилей.

Самолет качнулся, и город исчез из вида.

Шум в салоне изменил тональность. Теперь к гулу двигателей примешивался свист выпущенного перед посадкой шасси. Ощущение потери высоты стало более заметным.

Ибн Масрак взглянул в иллюминатор. Над бетоном аэродромных полос струились потоки нагретого воздуха, создавая иллюзию, что лайнер садится в воду.

Ибн Масрак вышел из самолета и сразу оказался в объятиях зноя.

Быстрым шагом он пересек полосу, направившись к белому «Мерседесу». Хотелось поскорее оказаться в пространстве, охлажденном кондиционером.

Мелькнула мысль, что Европа быстро развращает людей даже своим климатом, делая их изнеженными и нестойкими.

Откинувшись на кожаные подушки сиденья, поскрипывавшие при каждом движении и слабо пахнувшие конской сбруей, ибн Масрак отдался созерцанию города, большого и шумного, который так хорошо знал и любил.

Полчаса езды в сплошном потоке машин, и «Мерседес» остановился перед большим трехэтажным особняком, огражденным кованой металлической оградой. Ворота автоматически распахнулись, и на мраморное крыльцо из дверей дома вышел человек в униформе и в красной феске на голове.

Машина осторожно проехала по дорожке, скрипевшей гравием, остановилась у ступеней, которые вели к парадной двери.

Страж в красной феске распахнул дверцу и поклонился, встречая вышедшего из машины ибн Масрака.

Шейх, еще недавно севший в «Мерседес» в легком светлом костюме европейского покроя, вышел из него облаченным в молочно-белую джелабу, с головой и плечами, покрытыми клетчатой бело-красной шемагой.

Быстрыми шагами ибн Масрак поднялся по ступеням и вошел в дом. Он оказался в просторном холле, устланном роскошными восточными коврами. По обе стороны двери высились две мраморные статуи обнаженных женщин — черной и белой.

Ибн Масрак, проходя мимо, коснулся черных ягодиц и улыбнулся охраннику:

— Какую из них, Исмаил, ты выбрал в подруги? — и, не ожидая ответа, перешел к делу. — Аятолла Шахиди у себя?

— Да, господин, он вас уже ждет.

Поднимаясь по широкой лестнице, покрытой коврами, ибн Масрак с удовольствием касался рукой белых как сахар и скользких как лед мраморных перил. Мрамор в жаркой стране в богатых домах — материал функциональный: он помогает сохранять прохладу, так высоко ценимую в жарких странах, и наполняет помещения живительной чистотой.

На верхней площадке с распростертыми для объятий руками стоял старый друг и наставник ибн Масрака — имам Шахиди.

Владык формирует окружение. Эта истина в равной степени годна для Запада и Востока.

У рыцаря должен быть оруженосец Санчо Панса, который в безумии своего Дон Кихота видит мудрость, недоступную для других.

У хана или шаха обязательно имеется мудрый визирь, говорящий всем, что умнее его повелителя нет никого на свете.

Чем ниже сгибаются подкаблучники, тем более великим ощущает себя владыка, будь то азербайджанец Али Магомедов, хозяин трех ларьков на Ленинградском рынке в Москве, или губернатор российской области, беспощадно разоряющий свою вотчину.

Ученый богослов Шахиди, имам мечети Аль Саида Айша, делал все, чтобы поддержать у ибн Масрака уверенность в его божественном призвании быть меченосцем Аллаха. Они вечерами вели долгие беседы, когда чаще и дольше говорил Шахиди, а ибн Масрак внимал, потому что медоточивые речи завораживают не только людей недалеких. Они наполняют бальзамом удовольствия уши и вливаются в души великих уверенностью в своем величии.

— Чем я могу служить вам, учитель? — спросил ибн Масрак, после обильной трапезы и обмена вежливостями и несущественными новостями, без которых немыслим полноценный разговор арабов.

— В последнее время нас все сильнее беспокоит затишье в исламистском движении. Мы теряем темп, а это равносильно отступлению по всей линии. Вдумайтесь, высокочтимый шейх, насколько глупо и неправильно живет мир, именующий себя западной цивилизацией. Американцы и европейцы, считающие, что имеют право поучать человечество и командовать им, богопротивны в своей задиристости и гордыне. И вообще цивилизация не сделала людей умнее. Наоборот, они все больше утрачивают способность к самостоятельному мышлению. Эта всемирная компьютерная сеть, которая многим кажется величайшим достижением ума человека, на самом деле является мутной канализационной канавой порока и греха. Включите компьютер, и вы найдете в сети все — от порнографии и призывов к насилию до того, что пишут на стенах европейских сортиров. Остановить такое можно только огнем. Жизнь должна быть простой и строиться по шариату.

Такой заход позволил ибн Масраку понять, что у имама есть определенные соображения, высказать которые без подготовки он не хочет. Сочувственно кивнув, шейх сказал:

— Вы правы, учитель. Но как активизировать борьбу? У вас есть рецепты?

— Мне кажется, что шейх Усама бен Ладен в последнее время усиливает противодействие неверным, Аллах да поможет ему.

К удивлению имама, шейх не воспринял его слова с сочувствием.

— Кто такой бен Ладен? — сказал ибн Масрак. — Надо ли нам сегодня им восхищаться? Нет, не надо.

Сейчас мы ясно видим, что бен Ладен несет движению исламизма больше вреда, чем принес пользы. Вполне естественно, что он вынужден по воле Аллаха коротать дни в нищем Афганистане, оказавшись в плену собственной недальновидности. Что такое взрывы американских посольств? Это только шум, пыль, дым и немного крови неверных. Нужны новые подходы и смелые шаги. Три войны на Ближнем Востоке показали, что сложение боевых сил исламских государств — Ирака, Сирии, Ливана — не принудят Израиль к капитуляции. Ливия далеко. Египет в драку не полезет. Евреи отбили ему охоту воевать надолго.

— Вы безусловно правы, шейх, но в последнее время бен Ладен и сам понял бессмысленность мелких укусов. Он сейчас вынашивает грандиозный замысел.

Шейх вопросительно вскинул брови.

— Что же он задумал?

— Недавно у нас в Аммане побывал его доверенный человек. Предлагал нашей организации принять участие в новой операции. Если вам интересно...

— Я весь внимание, — ибн Масрак любовно огладил бороду и склонил голову, показывая готовность слушать.

— Усама финансирует подготовку военной операции против Штатов...

— Что, что? Я не ослышался?

— Нет, высокочтимый шейх. Речь идет об ударе по Америке силами авиации.

— Авиацией по Америке? — Ибн Масрак улыбнулся скептически. — Усама должно быть перегрелся в Афганистане? У него что, появились бомбы и самолеты?

— У него и у тех, кто стоит за ним, есть главное — деньги. Все остальное — самолеты, оружие; руки, которые будут его держать; мозги, которые спланируют операцию и наметят цели — можно купить. Более того, по моим сведениям, все это уже куплено. Если честно, бен Ладену не хватило бы ума на то, что задумано. За этим стоят более серьезные силы. Подготовка к удару возмездия неверным идет более полугода. За этот срок специалисты разработали детальный план операции. Назначены цели. Готовятся исполнители и их дублеры. Подобраны группы обеспечения и прикрытия.

— Какие же цели выбраны?

— Это Белый дом в Вашингтоне, атомная электростанция и плотина на крупном водохранилище.

— Аллах милосердный! — Ибн Масрак не скрыл испуга. — Мне кажется, Усама и те, кто стоят за ним, пожелали откусить кусок куда больший, чем может войти в их рты. Умные обычно стараются рубить дерево по своим силам, ибо сказано: каждому впору та одежда, которая сшита по мерке. Разинул рот, так хоть глаза не закрывай! И какой ответ, учитель, вы дали на их предложения?

— Оставил право сообщить решение после совета с вами, шейх.

— Мое мнение: нет и нет! Более того, я предвижу, что, даже если Усама в какой-то мере осуществит свой замысел, наступит миг, когда нам придется публично осудить его действия. Мне, учитель, нисколько не жаль Америки, но нельзя замахиваться на то, что выше этой страны, ее народа и правительства, — на американский доллар. Все наше могущество и богатство, как и наших соседей, основано на этой валюте. Сила и состояние самого Усамы выражается не в лирах или динарах, которые мало что значат, а в долларах. Поистине, кто стучит головой о скалу, разбивает не камень, а лоб. Остается надеяться на то, что американцы узнают об этих замыслах бен Ладена значительно раньше того, как кто-то приступит к их осуществлению.

— Вряд ли неверные насторожаться, получив сведения о том, что их ждет. Даже вы, шейх, узнав о плане бен Ладена, спросили, не перегрелся ли он. Тем более не поверят в них самонадеянные американцы. Ведь Усама уже давно грозит им применением авиации, и это вызывает в мире лишь скептические улыбки. Слишком фантастичными всем кажутся его угрозы.

— Если хоть одна бомба упадет на Вашингтон, американцы поспешат с вооруженным ответом. Они нанесут удары по странам исламского мира, которые сами называют изгоями. Ощутимых результатов это не даст. Как не дает избавление от укуса ос палка, которую суют в их гнездо. Осы только рассвирипеют. Но это уже будет война. Война христиан против мира ислама. Бесперспективная и глупая. К чему приводили крестовые походы — всем хорошо известно. Это будет война расовая. И выиграть ее белой Америке руками черных солдат не дано. Это будет война бедных против богатых. На чьей стороне окажется перевес — нечего даже спорить. Вот тогда и придет время решить проблему, которая нас волнует. Мы уничтожим Израиль. Для этого нужно только оружие.

Имам перестал теребить бороду, распрямил спину, сел ровно, поднял голову:

— Нет в мире ничего, причиной чему не служила бы воля Аллаха. Если существует атомное оружие, значит, мы должны уповать на Блюстителя небес, земли и тех, кто там обитает, ибо нет мощи и силы ни у кого, кроме Аллаха. Мы можем заполучить в свои руки такое оружие и обратить его в назидание неверным. Люди должны вспомнить, что уже однажды Аллах огненным мечом благочестия уничтожил земную скверну безбожия и разврата. Пусть воскреснет в их памяти история сожжения Содома и Гоморры, городов, полных безбожия и греха. Иудеи, которым в священных книгах есть напоминание об этом, не сделали правильных выводов. Они враги ислама. Придет время, Аллах поднимет сверкающий меч возмездия и обрушит его на Израиль.

— Я понимаю ход вашей мудрой мысли, учитель, но для того, чтобы поднять меч, надо его иметь.

Имам Шахиди снова взялся за бороду, и глаза его вдохновенно блеснули.

— Возможность овладеть рукоятью огненного лезвия у нас есть. Как сообщают верные люди в России...

Для ибн Масрака показаться неосведомленным было куда неприятней, чем быть обвиненным в невежливости. Он прервал имама:

— Если вы, мой учитель, имеете в виду слова российского генерала, то они пусты, как орех, изъеденный червями. Генерал этот большой болтун и любитель надувать щеки. Ему нравится, когда его имя вспоминают люди, и он готов молоть языком даже полову, в которой давно нет зерна. У меня есть на этот счет определенные сведения.

Имам Шахиди довольно улыбнулся.

— Вы правы, шейх, я имел в виду именно то, о чем сказал генерал. Но сведения у меня из другого источника. Они надежны, и пренебрегать ими нельзя. Наши информаторы сообщили, что русские, прекратив ядерные испытания на территории Казахстана, оставили в глубине скал один заряд, который не был взорван. Его можно извлечь.

Ибн Масрак поднял руки на уровень лица ладонями внутрь и с чувством произнес слова благодарности:

— Аллах велик, многая хвала Аллаху, слава Аллаху утром и вечером!

— Аминь, — закончил имам Шахиди. — Я предоставлю вам, шейх, все бумаги, которые есть у меня. Только вам с вашими талантами и энергией по плечу такое благородное дело.

— Спасибо, учитель.

В тот же вечер, ознакомившись с досье, которое предоставил имам Шахиди, ибн Масрак давал указания начальнику своей собственной спецслужбы.

— Бен Омар, следует начать подбирать людей, которые знают Среднюю Азию, как я свой дом.

— Связаться с шейхом Усамой бен Ладеном?

Ибн Масрак удивленно вскинул брови.

— И это спрашиваешь ты, мой верный соратник?! Ни в коем случае. Усама — под плотным наблюдением друзей и врагов. Связаться с ним — означает провалить операцию до ее начала.

Бен Омар сперва опустил глаза, принимая упрек шейха и, признавая его неоспоримую правоту, затем качнул головой, показав, что ждет указаний.

— Установите контакт с Ширали-ханом через его людей в Фергане.

— Ему можно доверять?

— Да, это преданный человек ислама. Он прямой потомок последнего кокандского властителя — Худояр-хана. И сам наследный хан. Живет в Узбекистане, имеет влияние на все исламское движение в Средней Азии.

— Эфенди, каким может стать бюджет операции?

— Бен Омар, ты можешь сказать, сколько стоит Израиль?

Бен Омар остолбенело посмотрел на шейха:

— Как я могу знать это, эфенди?

— Хороший ответ, бен Омар. Только Аллах определяет цену народам и государствам. Поэтому мы заплатим за Израиль столько, сколько Аллах прикажет. Разобраться в этом мы поручаем тебе. Полетишь в Среднюю Азию. Из Дубая есть регулярный рейс в Бишкек. Это Киргизия. Оттуда переберешься в Узбекистан к Ширали-хану. У тебя будет все — явки, пароли, деньги.

«Гыз галасы» — Девичья башня... Это название древней архитектурной достопримечательности Баку вспыхнуло в памяти Арона Гаспаряна во сне, и он мгновенно проснулся, не понимая, что заставило вспомнить давно забытое название с оставшейся в далеком прошлом родины.

Арон никогда не думал, что прошлое так цепко держится в памяти.

Арон Гаспарян родился в Баку в семье армянина и еврейки. Сказать, что мальчишка, одинаково свободно говоривший на русском, армянском и азербайджанском языках, с детства ощущал в среде пацанов национальную дискриминацию, было бы неправдой. Тем не менее он так и не был до конца принят в ребячью компанию азеров. У тех были свои тайны, в которые Арона не посвящали: приятели узнавали в своих семьях нечто такое, о чем армянину и еврею, или еврею и армянину — можно крутить как угодно, — рассказывать не полагалось.

Естественный закон отчуждения действовал на уровне подсознания и инстинктов. Если азербайджанец подчинялся начальнику иной национальности, он в душе испытывал к тому противоречивые чувства. Главным в них было неудовольствие тем, что чужак, на его, азербайджанской, земле командует им. В такой же степени начальник-азербайджанец старался срывать свое зло или плохое настроение в первую очередь на подчиненных иной национальности. Этим он утверждал сознание их вторичности и обозначал ограниченность круга прав и возможностей чужаков.

Во время армянских погромов в Баку отца Арона — Арсена — убили. Продолжать жить в Азербайджане еврейке с сыном стало опасно. И тогда мать с семнадцатилетним сыном перебралась в Израиль. Там с помощью дальних родственников обосновалась в Рамалле.

Арон, способный к языкам, уже через год свободно владел арабским.

В восемнадцать лет его призвали в Цва Хагана ле Исраэль — армию обороны Израиля. Пройдя курс базовой армейской подготовки, молодой солдат решил связать судьбу с военной службой, окончил школу сержантов, был принят в Центральное военное училище и вышел из него в звании сеген-мишне — младшего лейтенанта.

После недолгой службы в строевой части Центрального военного округа Арона вызвали в штаб дивизии.

— Сеген-мишне Арон Гаспар, — представился он на иврите рав-серену, офицеру в майорском звании. Окончание «ян» в фамилии Гаспарян Арон снял еще в период, когда мать готовила документы на выезд из Советского Союза.

— Садись, — предложил майор по-русски и показал на стул у своего стола. — Мне интересно узнать, как тебе служится. Есть ли трудности, жалобы?

Обращение старшего к младшему на «ты» нисколько не удивило Арона. В израильской армии особенностью взаимоотношений военнослужащих стала абсолютная демократичность. Во всех случаях вне строя независимо от ранга военные обращаются друг к другу на «ты».

— Спасибо, трудностей нет, — также по-русски ответил Арон.

— Скажи, ты слыхал, что такое «Мистаравим»? — этот вопрос майор задал по-арабски.

— Слыхал, но сказать уверенно, что знаю об этом все, не могу, — Арон ответил на том же языке, на котором прозвучал вопрос.

Майор благожелательно улыбнулся:

— Мне нравится твое произношение.

— Спасибо, — Арон поблагодарил рав-серена на иврите.

— Я не удивлен, что ты не знаешь многого о «Мистаравим», — майор продолжил разговор на арабском, — поскольку это условное название специальных отрядов. Происходит название от слов «стань арабом». Отряды эти созданы для борьбы с исламскими террористами на их территории. Военнослужащие, входящие в состав «Мистаравим», действуют под видом арабов. Они отличаются высокой боевой выучкой и отличным знанием арабского языка. Командование решило перевести тебя в спецназ «Мистаравим». Что скажешь?

— Почему предложение сделано именно мне? В полку есть немало других отличных офицеров, разве не так?

— Мы внимательно следим за успехами всех и радуемся, когда видим, как растет достойная смена старым бойцам. Наблюдая за тобой, мы особо отметили высокие способности и потому решили предложить из обычного пехотного подразделения, где тебе уже тесно в плечах, перевестись в специальное.

— Я... — Арон собирался что-то сказать, но майор остановил его движением руки.

— Не спеши, Гаспар. Служба в специальном подразделении типа «Мистаравим» хотя и почетна, но чрезвычайно трудна. Мы, офицеры этой службы, с болью смотрим на хороших ребят, которые, дав согласие, потом скисают, не выдержав трудностей. Поэтому, сделав тебе предложение, я советую хорошо обо всем подумать. Тебе дается два дня на размышление. Одна просьба: ни с кем не делись тем, о чем мы тут говорили.

— Мне не нужен срок на размышления, — сказал

Арон и встал со стула, приняв стойку «смирно». — Я даю согласие и обещаю доверие командования оправдать делами.

— Садись, Арон. Почему ты не хочешь взять время на раздумья?

— Когда я учился прыгать в воду с вышки, то поначалу останавливался на краю и думал: прыгать или нет? Чаще отходил. Потом перестал задерживаться. Поднимусь наверх — и пошел! В некоторых делах раздумывать вредно. Решил — и вперед!

— Хорошо. Если ты решил, поговорим конкретно. Тебя поначалу зачислят в подразделение «Сайерет дюведеван». Для того чтобы стать полноценным бойцом, придется пройти специальную подготовку.

— Я готов, — сказал Арон.

— Не спеши, я кое-что объясню. Начнешь с освоения спецкурса на военной базе «Миткал Адам». С твоей подготовкой многого там ты не приобретешь, но узнаешь, чему учат солдат и какие нагрузки на них ложатся. Затем под руководством специалистов в особом учебном центре будешь изучать тактику контртеррористических действий и специфику службы в «Сайерет дюведеван». Сюда войдут углубленное изучение арабского языка, основ ислама, сур Корана, обычаев палестинцев. Придется освоить правила ношения арабской одежды, как мужской, так и женской, и получить в этом достаточную практику.

— Женской?! — Арон посмотрел на майора с удивлением.

— Что тебя испугало? Женщина у арабов — существо второго сорта. Поэтому на женщину в традиционном замужнем наряде посторонние мужчины стараются не обращать внимания. Под такой одеждой удобно прятать оружие, носить средства связи...

— Да, но как-то непривычно...

— Не волнуйся. Искусством проводить спецоперации в арабской женской одежде неплохо владел наш нынешний премьер-министр, когда служил в подразделении «Сайерет маткал».

Три года спустя Арон Гаспар, отличившийся в проведении нескольких операций против террористов организации «Хезболла» на арабских территориях, уже в звании капитана — рав-сегена — прошел еще один курс специальной подготовки и был переведен на службу в знаменитую израильскую разведку «Моссад». Здесь его зачислили в боевой отдел, сотрудники которого занимались проведением тайных акций на территориях иностранных государств.

Когда в «Моссад» поступили сведения, что боевики-исламисты организации «Пламя джихада» собираются овладеть ядерным зарядом, оставленным после незавершенных испытаний на территории Казахстана, руководство разведки приняло решение захватить курьера, который должен был лететь в Среднюю Азию рейсом Дубай—Бешкек с важными документами. Овладение этими документами считалось первым шагом тайной акции против «Пламени джихада».

Все операции «Моссада» за рубежами Израиля строго формализованы. Их разрабатывают специалисты, знающие места, где предполагается проведение активных действий. Планировщики заранее готовят отвлекающие маневры, оставляют на месте ложные следы, которые призваны запутать тех, кто будет проводить следствие, разбивают всю операцию на этапы и готовят инструкции исполнителям.

Едва в отделе планирования началась разработка плана операции «Бен Омар», рав-сеген Арон Гаспар получил указание отправиться в одну из секретных резидентур «Моссада», которую офицеры в своем кругу называли «отстойником».

В пустынном горном районе, на закрытой территории военной базы, был выстроен типичный палестинский поселок — жилые дома, загоны для скота, в которых топтались бараны и ревели живые ослы, здание полицейского участка, торговый центр и обязательная мечеть. В положенные часы с минарета раздавались призывы муэдзина к азану — очередной мусульманской молитве.

Здесь же, на реальном фоне, в масштабе реального времени тренируются перед проведением акции бойцы «Сайерет дюведеван».

В особо охраняемой зоне базы располагался коттедж «отстойника». Здесь офицеры, которые отбирались для спецзаданий, готовились к ответственному делу.

Бойцы «Сайерет дюведеван», отправляясь в рейд на арабские территории, прибегают к нехитрой маскировке: надевают парики, клеят усы и бороды, меняют одежду на арабскую, и это считается вполне достаточным для успеха.

Правда, на практике встречались и провалы. Так, во время проведения в секторе Газа акции по ликвидации заместителя начальника боевого отдела организации «Хезболла» Абу Хасана у одного участника группы отклеились усы. Израильским спецназовцам с трудом удалось оторваться от боевиков, и акция сорвалась.

Позволить себе такие проколы руководство «Моссада» не могло, и в «отстойнике» участники предстоявшего дела отращивали настоящие усы и бороды, если такие требовались по сценарию.

Любые активные действия «Моссада» на чужой территории не могут осуществляться без личного разрешения премьера. Когда шеф «Моссада» докладывал премьеру Бен Лазару о том, что акция «Бен Омар» разработана и будет проводиться в Аммане, премьер попросил представить ему руководителя операции рав-сегена Арона Гаспара.

Встреча произошла в загородном, хорошо охраняемом особняке, куда разведчик приехал поздним вечером в машине с тонированными стеклами, в сопровождении охраны. Накануне важной операции засвечиваться ее участникам было опасно.

Бен Лазар встретил гостя в холле. Сделал шаг навстречу Арону, протянул руку:

— Салам.

Арон оторопело посмотрел на него: приветствие было арабским и никак не подходило премьеру Израиля.

Бен Лазар понял, почему смутился гость, и опять же, говоря на арабском, пояснил:

— Мне надо услышать не то, как говорит Арон Гаспар, а как изъясняется Абу Багдади.

Арон понял, в чем дело: Абу Багдади было его именем на время операции в арабской стране. И он с облегчением заговорил по-арабски.

— Во имя Аллаха, всемилостивого и милосердного. Эфенди, я весьма польщен возможностью встретиться с вами и готов выполнить ваши приказания во имя Аллаха и его пророка, да благословит его Аллах и приветствует.

Премьер посмотрел на Арона, и в его глазах заблестели веселые искры.

— Спасибо, Арон. Я убедился, что сдавать экзамены по арабскому тебе не надо. Пройдем ко мне в кабинет.

— Благодарю, господин премьер-министр.

Они пошли в комнату, обставленную как скромный офис. Шкафы с энциклопедиями. По корешкам Арон сразу узнал Большую советскую, Американскую и Британику. Компьютер на столе, сканер и принтер, ксерокс, факс и аппарат для уничтожения бумаг — все свидетельствовало о том, что даже дома премьер не оставляет дел.

Открылась боковая дверь, и в комнату бесшумно вошел мужчина в белой рубахе с короткими рукавами, с распахнутым воротом, из-под которого виднелась грудь, густо покрытая темным волосом, в брюках цвета хаки.

— Познакомься, — сказал Бен Лазар. — Алуф Моше Райян. Мой советник по спецоперациям.

Арон с интересом взглянул на вошедшего генерал-майора армии, в которой высший чин генерал-лейтенанта может получить всего один человек — начальник Генерального штаба. Премьер-министр также не сумел дослужиться до этого звания и ушел в свое время из армии в чине бригадного генерала — тат-алуфа.

Моше Райян кивнул Арону и сел в кресло в углу комнаты под торшером.

— Прошу садиться, — Бен Лазар показал Арону на стул и сам отодвинул его от стола.

Арон сел. Он был совершенно спокоен. Чинопочитание никогда не было свойством его натуры, и он не млел, не пылал восторгом оттого, что беседует с главой правительства, за которого, кстати, не голосовал на выборах. Премьера он воспринимал строго по-деловому, понимая, что этот человек законами Израиля облечен верховной властью и по положению может приказывать тем, кто ему подчинен.

— Моше, — Бен Лазар обратился к Райяну. — Сколько у вас кандидатов на руководство операцией?

— Восемь офицеров.

— Как видишь, Арон, у генерала Райяна достаточный резерв. Поэтому право сделать выбор оставлено за тобой. Ты должен понимать, на что идешь. У тебя одна мать, что я ей скажу, если случится нечто неожиданное? С другой стороны, я не могу запретить тебе участие в операции. Право на него ты заслужил тем, что признан лучше других подготовленным.

— Я пойду, — сказал Арон упрямо. — Это давно мной решено.

— Ты понимаешь, что от тебя будет зависеть?

— Да, конечно. Нельзя допустить, чтобы исламисты получили в руки ядерное устройство. Иначе они могут использовать его против Израиля.

— Ты прав, но не во всем. Допустить, чтобы страшное оружие попало в руки фанатиков, мы не можем. Но то, что мы ни в коем случае им не позволим обрушить его на нас, сомневаться не стоит. У нас есть силы, чтобы предупредить такую агрессию. Поэтому операция, которую вы проведете, будет шагом к минимизации потерь в сопредельных с нами странах. Если на то пошло, она проводится в интересах всего Востока.

Арон внутренне усмехнулся: премьер не мог не удержаться, чтобы что-то не связать с международным положением. Ничего не поделаешь: он политик.

— Значит, ты уверен, что справишься? — спросил Бен Лазар.

— Справится, — ответил за Арона генерал Райян.

— Тогда давайте выпьем, — сказал Бен Лазар. — Виски? Коньяк? Водка?

— Водка, лучше русская, — Арон взял с подноса, который стоял на сервировочном столике, стаканчик с прозрачной жидкостью.

Бен Лазар предпочел виски, Моше Райян — коньяк.

— За успех, — сказал премьер.

Они подняли стаканы, посмотрели друг на друга. И выпили.

— Арон, ты всегда предпочитаешь водку? — спросил Бен Лазар и хитро прищурился.

— Всегда. Это солдатский напиток. Отец моей мамы, мой дед, был русским солдатом. Он воевал с гитлеровцами. Имел ордена. Я их и сейчас храню. Я бы и сам защищал Советский Союз, как готов защищать Израиль.

— Россию, — попытался подсказать Моше Райян.

— Нет, Советский Союз. Не Россию и не Азербайджан, — упрямо возразил Арон.

Спорить с ним не стали.

Прощаясь с Ароном, генерал Райян передал ему несколько номеров арабского иллюстрированного журнала, на обложке которого Арон увидел собственное цветное фото и заголовок статьи «Доктор Багдади — добрый целитель».

— Возьми, Гаспар. Это тебе пригодится.

— Кукла? — спросил Арон, знавший, что в «Моссаде» могут сделать все — от фальшивого документа до номера известной газеты.

— Нет, — сказал Райян. — Журнал, фото и статья настоящие, хотя заказные.

В тот же вечер Бен Лазар утвердил план операции.

Всю операцию генерал Райян расчленил на отдельные части, исполнители которых даже не знали друг друга. Любой провал одного звена не затрагивал других, и на шахматной доске, партию на которой «Моссад» начал белыми фигурами, позиция мало менялась.

Четыре араба-друга, люди проверенные, прошедшие

срочную службу в пограничных войсках Израиля на Синае, сменяя один другого, взяли под плотное наблюдение Бен Омара, который перемещался по Амману, посещая то резиденцию имама Шахиди, то особняк шейха ибн Масрака, то проводя время в центральном офисе «Пёшн Галф бэнка». Видеосъемка отслеживала манеру поведения Бен Омара за рулем «Кадиллака», фиксировала его случайные и обусловленные встречи. Лица, с которыми контактировал Бен Омар, опознавались, устанавливались их имена, место жительства, характер занятий, общественное положение и финансовое состояние. Регулярно доверенные люди забирали из разных ячеек камеры хранения аэропорта собранный материал, и он попадал в руки специалиста-аналитика. Вскоре было установлено, что Бен Омар небольшими суммами снимает средства с фиктивных счетов членов организации «Пламя джихада», которые на них заблаговременно перевел шейх ибн Масрак. Делалось это в целях конспирации, чтобы не привлечь внимание суммой одномоментно взятых в банке денег.

Араб-бедуин, работавший уже более пяти лет на генерала Райяна, в густонаселенном квартале, пропахшем жареной бараниной и нечистотами, арендовал просторное помещение для доктора Багдади.

На двери, окрашенной дешевой охрой, тут же появилась грязная табличка с битой в разных местах эмалью с именем, написанным по-арабски:

«Доктор Багдади, психотерапевт».

В доме, где сдавали квартиры часто менявшимся постояльцам, которые большей частью были паломниками, на новых жильцов никто не обратил внимания.

Полицейского бен Омар заметил издалека. Жезл с красным диском, который тот держал в руке, ясно приказывал остановиться.

Бен Омар начал притормаживать и остановил машину рядом со стражем дорожного порядка. Тот приложил ладонь к форменной фуражке.

— Прошу вас, господин, предъявить документы.

— В чем дело, офицер? — спросил бен Омар. — Я превысил скорость?

— Нет, эфенди. Просто у вас потрясающе неисправная машина.

— Не может быть! — голос бен Омара наполнился возмущением. — Моя машина исправна.

— Уважаемый господин, я попрошу вас выйти и посмотреть самому. У вашего автомобиля разбита правая фара и подфарник.

Бен Омар нехотя вышел из машины, подошел к радиатору. Бросил взгляд на фару и с удивлением обнаружил, что она разбита вдребезги, даже зеркало рефлектора смято сильным ударом.

— Как же так?!

Бен Омар хотел обернуться к полицейскому, который стоял за его спиной, как вдруг мир погас в его глазах, и тупая глухота поглотила все...

Колени бен Омара подогнулись, и он стал падать на капот машины.

Арон Гаспар подхватил араба под руки, легко приподнял его, подтащил к дверце и втиснул в машину.

Тут же подъехал и остановился рядом белый «Кадиллак».

Хлопнула дверь, и к Арону подошел Мозес Ашкенази, облаченный в арабский наряд.

Вместе они погрузили бен Омара в багажник «Кадиллака», и Мозес тут же укатил.

Арон сменил номера «Мерседеса», на котором приехал бен Омар, снял форменную тужурку и фуражку, сел за руль, развернулся и поехал в город.

В одном из фешенебельных районов, населенном местной знатью, он припарковал машину в условленном месте, оставил ключ в замке зажигания и ушел, не оглядываясь.

Свою часть задачи Арон выполнил в абсолютном соответствии с планом. Он нашел в заранее обусловленном месте небольшой пикап японского производства, сел за руль и уехал, совершенно не думая о том, почему требовалось оставить «Мерседес» там, где было приказано.

В задачу, которую выполняли другие, его не посвящали, да он и сам не стремился к тому, чтобы узнать лишнее.

Арон еще не дошел до ближайшего перекрестка, когда из особняка вышел мужчина в арабской одежде, вынул ключ из замка «Мерседеса», взял кейс, лежавший на заднем сиденье, запер машину и вернулся в дом.

Особняк этот принадлежал боделю — сотруднику «Моссада», который содержал здесь конспиративную явку. За день до начала операции к нему из Египта приехали два эксперта, которым предстояло исследовать содержимое кейса курьера ибн Масрака, не оставив при этом никаких следов.

Проведя поистине ювелирную операцию, в ходе которой не был затронут ни один секрет, охранявший тайны, эксперты вскрыли кейс. В нем были обнаружены документы и несколько плотных пачек американских долларов.

Уже на другой день в «Моссаде» читали послание шейха Джамала ибн Масрака.

ИСЛАМСКИЙ БОЕВОЙ СОЮЗ «ПЛАМЯ ДЖИХАДА»

Амман,
Иордания

Его Величеству Хану сардару Шир-Али Коканди.
Во имя Аллаха милостивого и милосердного!
Глубокоуважаемый Хан!
С этим письмом направляем к Вам нашего надежного человека, который на словах изложит суть благочестивых дел, призванных послужить утверждению истинных ценностей ислама в этом безбожном мире.

Мы, доверяя Вам, Ваше Величество, как верному хранителю истинных ценностей ислама, прямо называем нашу благородную цель. Она в том, чтобы уничтожить Израиль.

Когда мы будем обладать желанным оружием, мы постараемся провести во всем мире силами сынов ислама активную пропаганду.

Надо детально объяснить людям, что уже однажды Аллах огненным мечом благочестия уничтожил земную скверну безбожия и разврата. В иудейской и христианской верах воспоминания об этом зафиксированы в истории сожжения Содома и Гоморры и спасения праведника Лота, который на самом деле носил имя Лута, о чем говорится с Книге книг — Коране.

Иудеи не сделали правильных выводов. Они враги ислама. Придет время, Аллах поднимет сверкающий меч возмездия и обрушит его на Израиль.

Наш человек — Мехди бен Омар — передаст вам 1500 тысяч долларов на проведение подготовительных работ в Ульген-Сае. На остальные расходы деньги будут переданы в том объеме, который потребуется для обеспечения реального успеха дела.

Мы обещаем Вашему Величеству полностью профинансировать очищение земель Средней Азии от неверных и их пособников и восстановление Ферганского халифата в границах, которые пролягут по всем землям северной страны, населенным последователями ислама.

Мы молимся с Вами. О Аллах, ниспославший Писание и скорый в расчетах, нанеси поражение этим людям, о Аллах, разбей и потряси их!

Для личного ознакомления прилагаем для Вашего Величества текст беседы с одним из бывших советских участников ядерных испытаний в Казахстане, записанный нашим другом, корреспондентом газеты «Шариат». Отдельные детали, названные собеседником нашему другу, помогут вашим людям уточнить место, о котором идет речь, и определить, как можно извлечь то, в чем сегодня так нуждается движение за чистоту ислама.

Запись беседы с Сабитом Каспаевым, касающаяся непосредственно интересующего Вас объекта.

Вопрос: Когда вы закончили работать на Минатоме СССР?

Ответ: В последний раз мне пришлось бить штольню в расселине Ульген-Сай. От штольни прошли два небольших штрека вправо и влево. *Получилась Т-образная выработка.*

Вопрос: Готовились какие-то испытания?

Ответ: Конечно, иначе не стали бы тратить средства.

Вопрос: Вы всегда знали, какие испытания готовятся?

Ответ: Где готовятся, знали всегда. Какие именно, нам не сообщали. Секретность на всех испытаниях была страшно высокая. Мы приезжали, по проекту выполняли работу, а когда она была сделана, нас увозили.

Вопрос: Вы никогда не интересовались целью своей работы?

Ответ: Это было опасно. За рабочими следили, чтобы они не болтали лишнего и не интересовались чем не положено. За молчание или, как у нас говорили, «за мертвый язык», выдавали дополнительную плату. Я знал двух любопытных. Их убрали из бригады очень быстро. Причем одного обвинили, будто он собирал секретные сведения, и даже отдали его под суд. Чем кончилось дело, не знаю. Для меня главным было то, что хорошо платили.

Вопрос: И все же, Сабит, не могло быть, чтобы какие-то слухи до вас не доходили? Да и сами вы могли по объему работы, которую выполняли, представить мощность устройства на испытаниях?

Ответ: Конечно, выработки каждый раз бывали разными. Последняя, что в Ульген-Сае, оказалась самой маленькой.

Вопрос: Вас это не удивило?

Ответ: А чему удивляться? Есть проект, его и выполняли.

Вопрос: Неужели позже, когда все прекратилось, вы ни с кем не обсуждали прошлое? Не интересовались, дала ли ваша работа пользу?

Ответ: Конечно, обсуждали. Мы ведь, пока работали, видели разное. Например, белую гору.

Вопрос: Что это такое?

Ответ: Когда мы готовили штольню для испытаний, гора была серая. Известняк. После того как там взорвали

заряд, высокая температура обожгла известняк, и гора
стала белой.

Вопрос: А насчет Ульген-Сая с кем-нибудь были разго-
воры?

Ответ: Сейчас подумаю. Так... Да, однажды такой
разговор был. Это после того, как русский генерал... Ну,
как его? Да ладно, шайтан с ним. Он рассказал о ядерных
чемоданчиках. Мой старый приятель Иван Ищенко при
встрече сказал, что в Ульген-Сае мы копали для испыта-
ний как раз такого чемоданчика.

Вопрос: И как прошло испытание?

Ответ: Говорят, его отменили в последний момент.

— Где я?

Люди, приходящие в сознание после обморока, часто задают дурацкие вопросы.

Мехди бен Омар на локтях приподнялся над ложем и
огляделся. Он лежал на низкой деревянной кровати с
упругим матрасом из морской, плотно спрессованной
травы. Комната с чистыми белыми стенами, с узорчаты-
ми металлическими решетками на двух окнах казалась
просторной. Откуда-то издалека доносились звуки
арабской мелодии.

Человек, сидевший на стуле возле кровати, встал.

— Лежите, господин. Вы у меня. Я дипломирован-
ный врач. Доктор Багдади.

Бен Омар, почувствовав слабость, опустился на ложе
и глубоко вздохнул.

— Что со мной?

— Об этом, уважаемый господин, мне следует спросить вас самого. Я ехал в аэропорт, когда увидел вашу
машину. Она стояла на обочине, вы лежали рядом на
земле и были без сознания.

— Позвольте, — бен Омар приподнялся и, преодолев
слабость, сел на постели. Он пытался вспомнить, но
мысль словно дразнила его: воспоминания витали в голове, но нужные образы зафиксировать не удавалось.
Он достаточно четко помнил лишь то, как прощался перед отъездом с женой Сакаяной. Он растрепал ей воло-

сы, уложенные в модную прическу, и те упали на круглые матовые плечи мягкой иссиня-черной волной. Он расстегнул одну за другой перламутровые пуговки ее цветастого шелкового халата, распахнул полы и жадными руками стал ласкать ее тело — белый живот, тяжелые груди — жаркие и возбуждающие. А вот когда и как он поехал в аэропорт, вспомнить не мог.

Сакаяна долго не отпускала его, обхватив ногами поясницу и прижимала к себе. Ах, да! Был полицейский. Из обрывков воспоминаний выплыла и причина, по которой его остановили.

— Доктор, я помню! Меня остановил полицейский. Я не знаю, когда и как это случилось, но у моей машины оказалась разбита правая фара.

— Благослови вас Аллах и помилуй. Когда я нашел вас на дороге, я ехал со своим слугой. Мы перенесли вас в мою машину и привезли сюда. Мой слуга пригнал ваш автомобиль. Он стоит во дворе. На нем нет ни одной царапины. Все фары целы...

Бен Омар обессилено лег, прикрыл глаза. И опять ожили воспоминания о Сакаяне. Своей грудью он давил на нее, и прелестные шары упруго пружинили. Ее ноги касались его бедер, сжимали их. Он тяжело дышал. Сакаяна стонала, но то был стон восторга и радости...

— О Аллах, избавь меня от наваждения шайтана! — пробормотал бен Омар, испугавшись видений, от которых никак не мог отвязаться. — Доктор, как вы полагаете, что со мной?

— Не хочу вас обидеть, эфенди, но впечатление такое, что вы перебрали наркотиков.

— Нет, доктор, это невозможно. Я собирался лететь в Дубай. Спешил к самолету. Наркотики исключены... — бен Омар резко сел на постели. — О Аллах! Мой самолет! Я опоздаю.

Багдади положил руку на плечо Бен Омара.

— Вы уже опоздали, господин. Так что не торопитесь.

— Сколько я здесь нахожусь?

— Двое суток. Пошли третьи.

— Мой багаж?! — бен Омар не мог скрыть испуга. — Где мои вещи?!

— Не волнуйтесь, они в сохранности.

Багдади встал, прошел к сейфу, который стоял в глубокой нише стены. Открыл дверцу, вынул кейс.

— Это ваш?

— Да! — Бен Омар обеими руками схватил кейс и прижал к себе. Потрогал замки, пытаясь их открыть.

— Не волнуйтесь, господин. Ваши вещи никто не трогал. Если там были деньги, вы можете их пересчитать.

Деньги, упакованные в аккуратные пачки, оказались на месте. Пакет с документами находился в нетронутом состоянии. Бен Омар проверил секретные знаки, удостоверявшие целостность упаковки и облегченно вздохнул.

— Когда же я улечу?

— Не раньше чем завтра. Сегодня самолета в Дубай нет. Ко всему вам полезно полежать у меня хотя бы еще день. Я вам во всем помогу, эфенди.

Дорог в жизни много, путь у судьбы — один

Оперативный сотрудник Службы по борьбе с незаконным оборотом наркотиков Министерства внутренних дел России капитан милиции Гордов прилетел в Ташкент ранним утром. Едва вышел из самолета на трап, почувствовал, что попал в раскаленную духовку. Мгновенно вспотело под мышками, лоб взмок. Подумалось, что белому человеку терпеть такую жару ни к чему, особенно если поселиться здесь и терпеть всю жизнь.

Машину к самолету не подали, и пассажиры, растянувшись по бетонке, добирались к аэровокзалу на своих двоих.

У таможенного поста таможенник — скуластый узбек с острыми глазами и красными припухшими веками — взял паспорт Гордова и небрежно перелистал его страницы. Так же небрежно бросил на стойку. Сказал по-русски без какого-либо акцента:

— Москвич? Клади сюда двадцать долларов.

Узбек постучал ладонью по стойке, указывая место, куда следовало положить деньги.

Гордов удивленно вскинул брови:

— Это почему?!

Узбек что-то пробормотал себе под нос по-своему. Скорее всего, ругательство. Потом поднял глаза на Гордова.

— Слушай, москвич! Я не обязан каждому объяснять, но тебе скажу. Ты здесь великодержавный шовинизм не разводи. Узбекистан — свободная страна. У нас свой президент, свои порядки, свои законы. Понял? И все гости должны их выполнять.

— Хорошо, где закон, по которому я должен платить таможеннику? Покажите.

Узбек гневно сверкнул глазами на упрямого русака. Повернул голову в сторону молодого парня в таможенном мундире, который стоял в сторонке без дела.

— Э, Абдулатип. Надо хорошо досмотреть этого москвича. Мне он не нравится. И раздень его для личного досмотра. Загляни во все дыры, куда можно контрабанду спрятать. Пальцем пощупай.

— Хорошо, раис.

Молодой лениво шагнул к Гордову.

Тот, трезво оценив обстановку, вынул бумажник, достал две купюры по десять долларов и швырнул на стойку.

Таможенник ухмыльнулся:

— Видишь, вас, русских, тоже можно учить. Верно? Гордов промолчал. И тогда узбек смягчился:

— Э, москвич, ты не обижайся. Я здесь сижу, чтобы быстро и хорошо обслуживать вас, пассажиров. А знаешь, сколько мне платят? Даже плов хороший на эту зарплату не сделаешь. Теперь ты мне заплатил, я для тебя стараться буду и досмотр отменю. — Он повернулся к молодому, который все еще не сделал разделявших их пяти шагов. — Э, Абдулатип, не надо досмотра. — И опять Гордову. — Вы наш гость. Мы москвичей уважаем. Добро пожаловать в свободный солнечный Узбекистан.

Гордов взял паспорт, снял со стойки так и не раскрытый чемоданчик и вдруг увидел встречавших. Пересекая таможенный зал, к нему приближались офицеры в милицейской форме. Первым шел полковник Нурисламов, с которым они учились в Москве в Академии МВД.

— Саня! Салам! Хош кельдиниз! Добро пожаловать, гость дорогой.

Нурисламов распахнул объятия, обнял Гордова, обдав его крепким запахом пота. — Как долетел? Как тебя здесь встретили? Не обижали?

Таможенник, увидев милиционеров, стремительно, повернулся к Нурисламову, прижал правую руку к сердцу.

— Ассалом алейкум, Умит-ака.

И тут же, быстро перевел взгляд на Гордова, бросил ему:

— Гражданин, вы забыли деньги. Будьте добры, заберите.

Нурисламов, человек искушенный в подобного рода делах, сразу понял в чем дело.

— Саня, забери доллары. А до тебя, Карабаев, — он показал таможеннику кулак, — я еще доберусь, погоди!

Таможенник, так и не отрывая руки от своего щедрого сердца, еще долго смотрел им в след.

— Теперь, Саня, надо ехать в Бухару. Ты там бывал? Нет?! Э, уртак, это живая история. Пользуйся моментом. Тем более там я тебе передам фигурантов. Заодно покажу немало интересного. Крепость Арк, которая возникла в пятом веке, и еще в двадцатом служила цитаделью бухарских эмиров. Минарет Калян, примерно 1127 года рождения, представляешь?

Что-то дернуло Гордова, и он не удержался от подковырки:

— Заодно будешь говорить, как некоторые улицы у вас там назывались еще не так давно. Идет?

— Зачем куда-то ехать? Я тебе навскидку назову такие улицы. Но сперва скажу: ученые считают, что Бухара возникла не позже первого века нашей эры. Седая старина, так у вас говорят? И вот в этой седой старине появились улицы Ульянова, Урицкого, Чапаева, Чкалова, Курчатова... Потом еще три улицы Жуковского. Просто улица, потом Первая и Вторая. Затем улицы Кирова, Куйбышева, Правды, Толстого, Гоголя, Достоевского...

Гордова, хотел он того или не хотел, упоминание фамилий писателей неприятно царапнуло. И он попытался возразить:

— Толстой, Гоголь, Достоевский — все же великие писатели.

— Не возражаю, — сказал Умит. — Только и обижаться не надо. Скажи, какое отношение имел Достоевский к Бухаре, которой при его жизни уже было больше чем полторы тысячи лет? Можешь мне объяснить?

Гордов понял, что метод защиты недавнего прошлого, избранный им, не очень хорош, поскольку он легко побивается аргументами седой старины. Спросил:

— Теперь, Умит, откровенно, ты веришь, будто какой-то русский мудак из Москвы приказывал вам называть улицы узбекских городов именами Ульянова, Орджоникидзе, Достоевского, Пабло Неруды или еще кого-то, кто к вашим городам не имел никакого отношения? Не кажется ли тебе, что это в угоду Москве делали ваши партийные баи из узбекского ЦК партии?

— Все, Саня, — Умит протянул руку Гордову, — не стану спорить. Ты, наверное, прав. Только учти, мнение о зловредной роли Москвы в нашем народе посеяно умело. И уже дало крепкие ростки.

— Я это вижу. И все же ради уважения можно было назвать какую-нибудь улицу Московской или даже Ижевской. От автоматов Калашникова вы не отказывались, а они — ижевские. Тем более в Москве есть Ташкентская и Ферганская улицы, Самаркандский бульвар.

— Саня, только больше никому не говори об этом. Наши националисты тут же объяснят это как имперские притязания России. Скажут, что вы не забываете узбекские города потому, что снова постараетесь присоединить наши земли к себе. Тем более ни Вашингтонской, ни Лондонской улиц вы не завели.

— Спасибо, ты меня просветил. А я все еще думал, что дружба народов оставила какие-то следы в умах.

— Давай не будем о дружбе народов. Это все хренота. Дружба может быть только между людьми. Как между мной и тобой. А народы — понятие расплывчатое. Народы сами не знают, чего хотят.

Они сидели в бухарской чайхане на деревянном помосте. Ветерок продувал веранду насквозь, но облегчения это не приносило: Гордову казалось, что его охлаждают горячим феном.

Принято считать, что горячий зеленый чай хорошо утоляет жажду, однако оказалось, что пить его на жаре, обливаясь липким потом, не так-то просто. Для этого нужны опыт и немалое терпение.

— Ты пей, пей, — то и дело подбадривал Гордова Умит. — Наслаждайся.

Судя по тому, с каким видом он сам держал в руке пиалушку, как подносил ее ко рту и отхлебывал чай, можно было понять, — он действительно наслаждался.

Принесли плов. Гордов ожидал, что еду подадут в тарелках, разделенную на равные порции, но ошибся. Чайханщик, пылая жаром красного лица, в белой рубахе и панталонах до колен, подпоясанный белым кушаком, на правой руке, поднятой над плечом, нес огромное фаянсовое блюдо, на котором лежала горка, нет, не горка, а скорее гора риса, янтарного, дымившегося ароматами специй. Такого количества еды хватило бы на то, чтобы утолить голод, по меньшей мере, пяти едоков.

— Это нам? — задал вопрос Гордов с тайной надеждой услыхать, что нет, конечно же, не для них двоих.

— Мало? — спросил Умит, и тревога послышалась в его вопросе: восточное гостеприимство не позволяет оставить гостя голодным.

— Что ты! Много! — поспешил объяснить свои сомнения Гордов. Он похлопал себя по животу. — Лопнет.

— Ха! — засмеялся Умит довольно. Сообщение, что пищи много, сделанное гостем, услаждало слух хозяина, который не ударил в грязь лицом.

— Ты знаешь разницу между животом и бочкой? — Умит задал вопрос, и тут же сам на него ответил: — Чтобы бочка не лопнула, на ее бока набивают железные обручи. Чтобы не лопнул живот, достаточно распустить ремень.

Он потянулся к кейсу, который лежал рядом с ним на ковре помоста, открыл крышку и вынул бутылку коньяка. Пояснил:

— Здесь пить не положено.

Гордову дуть коньяк в такую жару совсем не хотелось, и он с облегчением предложил:

— Если нельзя, может, и не будем?

— Надо, — сказал Умит. — Сюда и ходят для того, чтобы бацнуть стакашечку.

Нурисламов, прекрасно знавший русский, любил

иногда вставить в разговор редкое слово или выражение. Гордов улыбнулся. «Бацнуть стакашечку» не часто говорят даже русские.

— Видишь тех, что сидят у окна? Приглядись внимательно. С кем-то из них, скорее всего, тебе придется ехать в поезде. Слева с конячьей физиономией... Я правильно сказал «с конячьей»?

— Точнее, если сказать «с лошадиной». Я на него сразу обратил внимание.

— Он у них главный. Абдужабар Хакимов. Слева от него Усман Рахимов. Милиционер, между прочим. Имеет разрешение на ношение оружия. Справа — Алим Темирбашев. Мастер спорта по карате.

— А кто этот русский?

Умит взял пиалушку, морщась, сквозь зубы, выцедил водку. Посопел, снял с блюда стручок красного перца и стал сосредоточенно жевать.

Гордов последовал его примеру, но едва надкусил стручок, чуть не задохнулся от жаркой горечи. Перец оказался свирепым.

— Так кто он? — повторил вопрос Гордов.

— Не знаю, — Умит сказал и тут же поправился: — Пока не знаю.

Признаваться в некомпетентности ему не хотелось, тем более что появление незнакомого русского, впервые объявившегося в городе, уже было замечено, и были приняты меры, чтобы за ним проследить. Удалось установить совсем немногое. Агент, водивший его по городу, доложил только об одном: если на русского не смотреть, то отличить его от узбека нет никакой возможности. Русский говорил без какого-либо акцента, при этом, как определил топтун, язык им усвоен не в учебном заведении, а в долгом непосредственном пребывании в национальной языковой среде.

Подозрительных встреч у русского в то время, когда он находился под наблюдением, не было, разговоры, которые он заводил с прохожими, интереса не представляли. Однако на базаре в толчее овощных рядов наружник потерял сопровождаемого. И вот русский оказался в чайхане в компании людей, которые и были объектом пристального внимания службы Умита. Вот почему он и сказал:

— Пока...

Умит поднял руку и громко щелкнул пальцами. Было похоже, что он пытается привлечь внимание чайханщика, поскольку тот стоял к ним спиной, но сигнал не сработал, и чайханщик не повернулся. Тем не менее Умит сказал:

— Все в порядке. Снимки будут.

Кто принял команду Умита, Гордов не заметил.

Гордов сел в московский поезд на степной узловой станции, пыльной и вонючей. Здесь царствовало запустение. Мусорные урны вдоль облупленной стены вокзала были переполнены отбросами.

Асфальт на перроне ощеривался выбоинами, которые, должно быть, никто не собирался заделывать. Но главным наказанием были мухи. Они летали огромными темными стаями, нахально лезли в глаза и уши, не боялись рук, которыми от них отмахивались.

Чтобы не мучиться, Гордов и вышел на платформу, которую со всех сторон продувал горячий ветер, поднимавший тучи пыли.

На вокзале, в последний раз пожав руку Гордову, Нурисламов вдруг спохватился и достал из кармана пакет из серой оберточной бумаги.

— Здесь бухарские фотографии. Возьми, может, пригодятся. Да, еще того русского, которого мы видели в чайхане в Бухаре, зовут Андрей. Он человек мутный, но наркотиками не занимается. Его видели в обществе ребят из ИДУ.

— Не понял.

— ИДУ, это всего-навсего Исламское движение Узбекистана. Организация воинствующих исламистов. Но это уже не по нашей линии. Ими занимается безопасность.

— Боевик?

— Нет, в этом не замечен. Скорее всего, случайный знакомый крутых ребят.

— Для меня главное, что за ним нет наркоты.

— И все же, ты к нему приглядись.

Гордов вошел в купе. Было душно, пахло табачным дымом и хлорамином. Трое попутчиков встретили его настороженными взглядами.

— В очко будешь? — с ходу спросил Гордова сидевший с краю азиат и облизал толстые губы под неухоженной щетиной жиденьких усов.

Гордов оглядел его с головы до ног. Широкоскулое лицо, узкие щелки глаз с припухшими веками, а главное — голова, часть волос на которой съел лишай, и оттого над левым ухом, от виска до макушки, тянулась красная плешь, делавшая этого типа запоминающимся.

Ответил просто:

— Нет, в очко не буду. У меня нормальная сексуальная ориентация.

Бросил на полку авоську с продуктами и вышел в коридор.

Двое пассажиров, сидевших у столика, засмеялись, а третий, сделавший предложение Гордову, обиженно надулся и тоже вышел из купе.

В кругах железнодорожной шпаны и опытных наркокурьеров этот тип был известен под кличкой Бурге, что в русском переводе означало Блоха.

Кличка с точностью до ста двадцати процентов определяла существо опустившегося попрыгунчика, провонявшего потом, мочой, никотином и перегаром. Все, что удавалось украсть, выпросить или заработать, Бурге тратил на табак и водку.

Работники линейной милиции трех республик, между которыми, как цветок в проруби, болтался в поездах от Ташкента до Оренбурга гражданин свободного Казахстана Арслан Кожахметов, он же Бурге, прекрасно знали его, но не имели ни одного надежного способа, который мог избавить их от регулярных появлений ханурика.

Когда Бурге проходил мимо одного из купе, оттуда вышел человек. Скосив глаза, Гордов узнал в нем Абджабара Хакимова — погонщика группы «мулов», перевозивших в Россию наркотики.

— Стой! — Абдужабар махнул рукой Бурге, поморщился, почувствовав смрадный запах, исходивший от Бурге, и тут же предупредил: — Ближе не подходи.

Бурге остановился. Он тут же угадал в Абдужабаре крутого и понял: возражать такому опасно. Только спросил:

— Не керек? Что надо?

— Есть небольшая работа.

— Если дело, возьмусь, — предупредил Бурге, — за работу — нет.

— Конечно, дело, — поправился Абдужабар.

— Тогда говори.

— Вот это, — Абдужабар заглянул в свое купе, взял с полки небольшой тючок, завернутый в газету. — Держи.

Бурге принял пакет, придвинул к нему нос и с громким свистом втянул в себя воздух. Закатил мечтательно глаза, зашелся гнусавым речитативом:

— Уй ты, мечта всей жизни! Терьяк, афьян, кукнар, хошхош, лолахосок, план, анаша! — Он знал, этот поганец, названия всех наркотиков и балдел от удовольствия, даже произнося их. — А ла! Прекрасно!

— Тихо ты, урод! Будешь болтать, оторву голову!

— Все, командыр. Что надо сделать?

— В третьем купе едет русский. Сейчас он ушел в ресторан. У него черная сумка с молнией. Надо это туда положить.

Бурге вошел в купе, в котором ехал Андрей. Сейчас все его пассажиры ушли в вагон-ресторан. Огляделся. Сумка русского лежала на нижней полке у окна. С такой беспечностью свои вещи в поезде мог бросить только человек, который не будет жалеть, если их «уведут» умелые ручки. В то же время опытный вор не схватит брошенную таким макаром сумку, даже если ее легко увести. Он поймет: будь внутри нечто ценное, хозяин постарался бы засунуть ее подальше от чужих глаз или носил с собой.

Бурге быстро раздернул молнию, вынул из-за пазухи пакет, сунул его в сумку, затем задернул молнию.

Отряхнув ладони, сунул руки в карманы и вышел из купе.

Андрей, вернувшись из ресторана, вошел в купе и потянул носом. Огляделся, не понимая, что здесь изменилось, пока он уходил завтракать. В купе, пропахшем запахами хлорки и табака, он уловил тонкий конопляный запах.

Дух анаши был прекрасно знаком Андрею. Среди рабочих на промысле нередко попадались «планакеши» — наркоманы, курившие «план» — наркотик из пыльцы канабиса — индийской конопли.

Откуда здесь мог ни с того ни с сего появиться этот запах? Андрей пытался понять, где расположен его источник, и вдруг догадался — тянет коноплей из его собственной сумки. Он осторожно раздернул молнию. Сверху лежал пакет, завернутый в газету. Андрей помял его. Внутри захрустело. Вот, суки, кто это ему сунул в сумку? Но заниматься выяснением не было времени. Андрей перегнулся через столик и потянул вниз поручень окна.

Пакет, завернутый в старую казахстанскую газету, полетел наружу.

Некоторое время спустя в дверях с обоих сторон коридора появились люди в форме с укороченными автоматами в руках. И сразу прозвучал приказ на узбекском и русском языках: «Всем занять свои места! Будет проверка».

И сразу коридор наполнился шумом. В вагон вошли три офицера. Один вел на поводке вислоухого сеттера.

Гордов очень быстро понял, что пришедшие имеют вполне и заранее определенную цель. Вся группа остановилась перед третьим купе. Песик замер возле открытой двери, помотал хвостиком и вопросительно посмотрел на хозяина.

— Ищи, Джеф, — сказал тот. — Ищи.

Песик покрутил головой, оглядываясь, и, потягивая носом застарелые вагонные запахи, двинулся внутрь купе. Обнюхал выставленные чемоданы пассажиров и вдруг, водрузив передние лапы на полку, уткнулся носом в спортивную сумку Андрея. Тявкнул довольно и закрутил хвостом.

— Ай, молодец! — похвалил пса хозяин. — Ай, Джеф, молодец!

И сразу, уже не умильным, а протокольным милицейским голосом спросил:

— Чья сумка?

— Моя, — выступил вперед Андрей.

— Понятые, подойдите! — приказал капитан. — Собака указала наличие наркотиков. Будет произведен досмотр вещей.

Понятые, одним из них оказался Бурге, вторым — Абдужабар Хакимов, остановились в дверях.

Капитан торжественно поднял сумку Андрея и высыпал содержимое на полку. Пошуровал рукой, раздвигая вещи, и приказал песику обнюхать каждую.

Собака, виновато виляя хвостом, отошла от полки. Она ничего не нашла.

— Где наркотики? — с холодной яростью спросил капитан. Выглядеть дураком, обмишурившимся на глазах сослуживцев и понятых, ему явно не хотелось.

Андрей пожал плечами:

— Не понимаю, о чем вы?

Капитан нагнулся к сумке, принюхался.

— Она у вас пахнет коноплей.

— И что из того? — спросил Андрей. — Существует запрет на то, чтобы вещи чем-то пахли?

Капитан одернул тужурку, яростно сверкнул глазами.

— Погоди, ты еще мне попадешься! — Он повернулся к своим. — Уходим. А вы, — это уже понятым, — свободны.

Колеса вагонов громко стучали на стыках. Поезд змеей перегибался на стрелке, сворачивая на главную магистраль. Андрей видел, как под тяжестью вагонов дышат бетонные шпалы. Когда локомотив притормаживал, вагоны набегали один на другой и металл автосцепок звенел и ухал.

— Казахстан! — Проводница объявляла эту торжественную новость, заглядывая поочередно в каждое купе. — Проверка документов!

Вскоре в вагоне появился представитель власти. Он

шел по проходу тяжелой походкой, суровый, массивный, уверенный в себе и своем праве действовать от имени и по поручению... Непроницаемое лицо каменного изваяния блестело от пота. Мятая несвежая форма с белыми соляными разводами под мышками, похоже, не знала стирального порошка и утюга. Он остановился у входа в купе, оперся обеими руками о косяки, навис мощной фигурой над пассажирами.

— Россия, — прозвучало не вопросом, а утверждением. — Все ездите и ездите?

Лысый взял со стола сложенные один на другой паспорта и протянул контролеру:

— Вот наши паспорта и вкладыши, раис.

Из корочек документов торчали вложенные в них казахские банкноты по пятьсот теньге, примерно равные российской сотне.

Не раскрывая паспортов, строгий начальник — раис — вытягивал из них деньги. Делал это степенно, не таясь, как то делают его европейские коллеги. Прежде чем сунуть купюру в карман, подносил ее к глазам и рассматривал на просвет, любуясь изображением арабского просветителя Аль Фараби.

Стараясь убедить власть в том, что банкноты не фальшивые, Лысый льстиво проговорил:

— Якши, раис. Якши.

Строгий представитель власти выдернул из паспорта последнюю купюру, небрежно бросил паспорта на столик и нравоучительно сказал:

— «Якши», это там у них, — он кивнул в сторону, откуда шел поезд. — У нас, в Казахстане, надо говорить «жаксы».

Подтвердив незыблемость государственного суверенитета в сферах правопорядка и языка, контролер двинулся дальше по коридору.

Гордов вернулся в купе. Подчеркнуто показывая свое любопытство соседям, сказал:

— Ни черта не понял, что тут у нас произошло.

Обычно в таких случаях находится кто-то все знающий и понимающий, ко всему охотно соглашающийся объяснить непонятливым суть дела. Таким оказался интеллигентный узбек в модных узких прямоугольных очках, лежавший на верхней полке и за время, как Городов сел в поезд, ни разу с нее не слезший.

— Обычное дело, — сказал он с глубокой убежденностью в своей правоте, свойственной диссидентам, осуждающим государственные порядки, — таможня — как это лучше сказать по-русски? — вышла потрясти лохов. Так?

— Наверное, — согласился Гордов. — Во всяком случае, я понял.

— Они выбирают человека, которого по виду можно угадать, что он денежный. Затем подбрасывают немного наркотиков и ловят. Кончается тем, что человека в Ташкенте снимают с поезда, ведут в свой отдел. Там обыскивают, денежки вытрясают. И милостиво отпускают. Если денег нет, просто выгоняют.

К открытой двери купе подошел и остановился, упершись в проем плечами, Абдужабар Хакимов.

— Салам, Усман, — сказал он, обращаясь к Рахимову, который сидел в углу и с благочестивым видом перебирал четки. Потом обратил взгляд на Гордова. — Здравствуйте. Вы из Ташкента?

— Из Бухары, — отозвался Гордов, старательно обсасывая куриную косточку из продуктового набора, приобретенного на базаре.

— Там живете?

— Нет.

— Где, если не секрет?

— Секрет, но живу в Москве.

— Своя квартира или как?

— Зачем «или как»? Своя.

— Чем занимались в нашей республике?

— Торговлей.

— Продавали или покупали?

— Заключал договора на поставку фруктов.

— Фрукты хорошо, — сказал Абдужабар, потирая руки. — Плохо другое — много не заработаешь. Есть другие товары.

— Есть, — согласился Гордов. — Сегодня сам видел.

Заработать можно много. Как говорят, от семи до пятнадцати лет.

Хакимов засмеялся. Он хохотал и хлопал себя ладонями по ляжкам.

— Усман, твой сосед шутник! Мне он нравится!

Всю дорогу Андрея обуревали томительные сомнения. То, что он больше не вернется в Узбекистан, было решено твердо, бесповоротно и окончательно. Но как поступить со знанием тайны экспедиции, которую Ширали-хан готовил в казахстанские степи с целью добыть ядерное устройство?

Первой мыслью было написать в госбезопасность. Кстати, как это ведомство теперь именовалось в России, Андрей не помнил. Письмо было бы лучшим выходом из положения. Но можно ли верить почтовому ведомству, которое на марках пишет крупными буквами слово «РОССИЯ», Андрей точно не знал. Из десяти писем, которые он послал сестре в Москву, до нее дошли только три. Вряд ли нынешние почтари испытывают к госбезопасности больше уважения, чем к простому человеку. Письмо могло пропасть. Надо было что-то делать, но что и как?

Гордов, который внимательно наблюдал за всем, что происходило в поезде, поначалу не удивился, когда собака указала на присутствие наркоты в багаже русского. Того, что он сам видел в Бухаре в компании наркодилеров. Происходившее вполне укладывалось в две версии. По одной — русский мог решить заработать легкие деньги и на свой страх и риск закупил снадобье, чтобы провезти его в Россию. По другой — русский это вьючный верблюд в большом караване, которого погонщик решил сдать властям, чтобы откупиться от широкой проверки и спасти остальные вьюки.

Но то, что опытная собака обманулась, сломало схему Гордова.

После долгих размышлений на ум пришло иное решение. Скорее всего, русский случайно оказался в составе контрабандного каравана. Он был знаком с кем-то из наркоторговцев, те знали, что он собирается в Россию и решили втемную использовать его как наживку для милиции.

Кто-то подсунул немного наркоты в его багаж, и все стали ждать, как развернутся события. Однако русский каким-то образом обнаружил закладку и избавился от нее. Милиция ничего не нашла, а вот тому, кто придумал и осуществил такой трюк, не позавидуешь. Во-первых, не сработала ловушка, и поисковики остались ни с чем. Во-вторых, пропал зазря наркотик, стоивший определенные деньги. Поскольку его цена вошла в общую сумму, за которую вожатый каравана обязан будет отчитаться перед хозяевами, неизбежно будут разборки. Русскому может угрожать опасность.

Гордову сразу захотелось поближе сойтись с русским и постараться узнать, кто он на самом деле и какая нужда заставила его путешествовать по столь неудобным для путешествия местам в столь неудобное время.

Когда Андрей стоял у окна в коридоре, Гордов подошел к нему и с непосредственностью, которая входит в правила общения пассажиров поездов дальнего следования, спросил:

— В Москву?

— Туда.

— Значит, земляк?

— Нет.

— Значит, соотечественник.

— Нет, — ответил Андрей.

— Вы что, не русский?

— Русский, однако не соотечественник. Я подданный эмира Туркмении Супернияза Великолепного.

— Ага, — понимающе протянул Гордов. — В конце концов, разница небольшая.

— Как сказать, — возразил Андрей и посмотрел на Гордова с ехидным прищуром.

Гордов смешался.

— Вы поезжайте туда, — сказал Андрей насмешливо. — Я научу вас, как произносить ежедневную клятву верности эмиру.

— Простите, — извинился Гордов. — Этого я не учел.

— О чем вы? — Андрей улыбнулся. — Этого никто не учитывает.

— Вы в Россию насовсем?

— Вы знаете тех, кому я там нужен?

— Ладно, сдаюсь, — Гордов признал поражение и сменил тему. — Лучше расскажите, что тут у вас случилось. Все в вагоне говорят, а я мало им верю.

— Да так... — Андрей не хотел вспоминать о случившемся.

— Собачка ошиблась адресом? — не уступал Гордов.

— Почему ошиблась? — В конце концов, решил Андрей, почему не рассказать? Может, его опыт поможет кому-то стать умнее. — Адрес она угадала. По запаху.

— По запаху? Простите, не совсем понял.

— Я тоже. Был на завтраке. Сумку оставил в купе. В ней у меня ничего ценного нет. Думал, утащат, мне будет только легче. Не утащили, даже нагрузили лишнее. Вошел в купе — пахнет конопелькой. У меня ее отродясь не бывало. Полез в сумку — там пакет. Понюхал — она, незабвенная. Я и шуранул ее за окно.

Гордов засмеялся. Не верить у него не было причин, и его предположение о том, что кто-то собирался круто подставить русского, оправдывалось.

— Вы молодец, — сказал Гордов, протянул руку Андрею и представился. — Гордов.

— Назаров, — Андрей пожал поданную ему руку. — Русский иностранец.

— Тогда с возвращением. Думаете найти работу?

— Почему думаю? Найду обязательно. Мотнусь на Север. Там промыслы.

— Вы институт кончали в Москве?

— Да, «керосинку».

— Тогда у вас должны быть знакомые в министерстве.

— Министерство?! Я об этом даже и не подумал!

Слово «министерство» оказалось для Андрея ключом к избавлению от давивших на него забот. Конечно, не в ФСБ и уж тем более не в МВД надо сообщать о возможной диверсии в Казахстане. Есть же кто-то плотно занимающийся атомными проблемами. Только вспомнить, как такое ведомство называется. В Советском Союзе, когда все секретилось на корню, Министерство тяжелого машиностроения клепало для страны трактора и танки, общего машиностроения — лепило ракеты, среднего — ядерные устройства. А сейчас это Минатом. Точно!

— Конечно, — Андрей сразу ожил. — Так я и сделаю: пойду сперва в министерство...

Абдужабар Хакимов изнывал от ярости, которую никак не мог унять. Потеря упаковки наркотика всерьез вывела его из равновесия. Погоняла и надсмотрщик над караванами вьючных верблюдов, которые в поездах везут в Россию наркотики, был подлинным азиатом — крутым и безжалостным. Он не марал руки о белый порошок героина, не млел, почуяв пряный запах анаши, но не из соображений морали. Он всего лишь строго соблюдал правила личной безопасности, которые сам для себя определил. В то же время он не раз и не два брал в руки нож, чтобы пустить кровь неудачливым «мулам» своего каравана, которые теряли осторожность и тем приносили делу Хакимова денежные убытки.

Когда таможенник Карабаев, даже не предложил, а просто приказал ему подложить наркотик в багаж пассажира из третьего купе Андрея Назарова, Абдужабар не увидел в операции особой опасности. Таможенники были людьми Карабаева, они знали правила игры и, изловив Назарова, поступили бы с ним так, как им велено, а пакет зелья вернулся бы Хакимову.

Но этот ушлый русак повел игру не по правилам, которые для него сочинили другие, и ценный груз, исчезнув, пробил в финансах Абдужабара большую дыру. За такое стоило наказать. Вопрос стоял: кого именно?

Если человек больно спотыкается о камень, он не бьет ногой по нему второй раз — будет еще больнее. Он ищет бездомного пса, чтобы от души врезать ему по ребрам. И дело сделано: чужая боль облегчает страдания жестокой души.

Абдужабар решил наказать Назарова. Позвав к себе в

купе сообщников — Алима и Усмана, он сперва разразился бранью, а потом дал задание:

— Надо этого фраера из третьего купе посадить на перо.

В добрые советские времена Абдужабар прошел выучку в исправительно-трудовой колонии строгого режима и прекрасно владел русской уголовной лексикой.

Усман Рахимов положил тяжелую руку на плечо Абдужабара.

— Оставь его. Забудь. Мутный тип. Свяжешься — наживешь грыжу.

Абдужабар упрямо мотнул головой. Хмель ярости буйно бродил в нем, накаляя чувства, разжигая злость и укрепляя мстительность.

— Ты знаешь, насколько он меня выставил? Нет? Ну и не надо.

— Джабар, я сказал, не заводись. Все игралось втемную. Ты его век не знал, он тебя тоже. Мне кажется, это тебя таможенник кинул. С него и потребуй возврат.

— Я с ним толковал. Он обещал возврат товара, если менты найдут его у фраера. Но товара у того не оказалось. Этот Карабаев говорит: «Может, ты ему товар и не подкладывал, откуда я знаю?» Получается, что не он меня, а я его кинул.

— Ладно, спорить не будем: хозяин — барин. Только предупреждаю: наживешь грыжу, кто тебя тащить за уши наверх будет? Теперь Россия — это Россия. Они с нами не чикаются. Короче, Джабар, предупреждение тебе сделано, и весь риск на тебе.

— Пойдет. Ваше дело найти людей, чтобы сделали все как надо.

— Найдем, — пообещал Алим. — Кончить с ним сразу?

— А ты немного подумай. Какую цель мы ставим? Сразу погореть или сделать дело? Пусть он приведет вас к дому. Ты там хоть раз был? Знаешь, где это? Нет, а хочешь сразу. Сперва твои люди должны все хорошо высмотреть, рассчитать...

— Я понял.

— Так вот, пусть доведут до места, где он живет. Присмотрятся. Потом уже перо в бок.

— Сделаем, — сказал Алим. — Разве это проблема?

Заказ на Андрея был сделан, и Абдужабар стал успокаиваться. Месть лечит приступы гнева.

Двенадцатиэтажный домина, кирпичный огромный куб, был втиснут в пространство между Большой Ордынкой, Старомонетным, Большим Толмачевским и Пыжевским переулками, оттяпав у Замоскворечья целый квартал. Построенное без особых архитектурных изысков — камень на камень, кирпич на кирпич, — по замыслу создателей, здание должно было олицетворять идею незыблемости власти, опирающейся на расщепленный атом. Огромные колонны, расчерченные желобками каннелюр, мощные карнизы являли взорам людей воплощенную в камне вечность силы.

Долгие годы мрачное здание пугало жителей Замоскворечья своей таинственностью и анонимностью. Опытные глаза обывателей легко улавливали ореол опасности, исходящий от здания, и скользили мимо него, не поднимая глаз.

Время, сменяя эпохи, делало свое дело. Здание потеряло анонимность. У парадного входа появилась доска со словами «МИНИСТЕРСТВО РОССИЙСКОЙ ФЕДЕРАЦИИ ПО АТОМНОЙ ЭНЕРГИИ. МИНАТОМ».

Само здание, все еще оставаясь организующим центром квартала, походило на орденский монастырь, монахи которого уже потеряли свое влияние на окружающий мир и неумолимо разоряются. Сквер, окружавший фасад Минатома, отделенный от улицы тяжелой чугунной решеткой, был вытоптан до черноты, усыпан пивными пробками, окурками, обрывками бумаг, пустыми сигаретными пачками и походил на загон для скота в разоренном колхозе. Снаружи на стенах твердыни, демонстрируя разрыв между амбициями и финансовыми возможностями хозяев, было навешено множество сплитсистем локального кондиционирования. Андрей насчитал их несколько десятков, причем обратил внимание, что все они были явно не высшего класса, принадлежали разным производителям — японским, южнокорейским, европейским и, должно быть, приобретались в разное время.

Державной тяжестью Минатом многие десятилетия давил не только улицу. Своей угрюмостью он угнетал и тех, кто отдал жизнь служению науке элементарных частиц, и клерков, следивших за сохранением режимности учреждения. Дефицит нормального человеческого общения в коллективе, боязнь сказать что-либо лишнее, постоянное ощущение дамоклова меча секретности над головами ломало, калечило характеры и судьбы людей...

Стены мрачного дома многое помнят, но вряд ли когда-то обо всем этом расскажут. Тем не менее от людских глаз не спрячешься. Чужие глаза наблюдательны. И они видели, что даже куратор ядерных разработок кровавый менгрел Лаврентий Берия часто не мог скрыть своего страха, когда дело касалось атомного проекта. Глаза под холодными стекляшками пенсне таили в себе глубоко затаенный испуг.

Особо это обозначилось в августе сорок девятого года, когда на Семипалатинском ядерном полигоне шел отсчет времени перед первым советским атомным взрывом.

В бункере командного пункта, подобрав тяжелое пузо, Берия стоял за спиной академика Курчатова и дышал ему в ухо. Руки менгрела дрожали. Он тяжело переминался с ноги на ногу и все время недовольно бурчал:

— Ничего у вас не получится... Ничего...

Все, кто были в бункере, заметили, что ответственный перед Сталиным за проект высокий партийный чиновник говорил «не у нас», а «у вас», словно заранее готовился свалить вину на других.

За три минуты до взрыва, предвещая нарастание цепной реакции, фон нейтронов удвоился. Физика работала по своим законам, не боясь гнева шефа госбезопасности. А тот ходил по бункеру, как лев по клетке.

— Нет, я знаю, у вас ничего не получится! Ничего!

Кто знает, может, он даже догадывался, кто потащит

его самого в лубянский подвал, чтобы выяснить, почему не пошла реакция. Кто знает...

— Не получится!

А оно получилось! Курчатов выскочил из бункера и глядел вдаль, где светилось зарево взрыва.

— Она! Она! Все сработало!

Только страшный Лаврентий Павлович все еще не мог отойти от страха и спрашивал:

— Скажите, это точно, как у американцев? Точно? Не втирает нам очки Курчатов? Можно докладывать товарищу Сталину об успехе?

Андрей поднялся по ступеням парадного крыльца, вошел внутрь здания и сразу понял — редут, преграждавший демократический путь к министру, сразу одолеть не удастся.

Охранник в форме бросил взгляд на Андрея, будто сфотографировал, и тут же безошибочно определил: человек посторонний, залетный и вошел внутрь случайно.

Кивнув напарнику, чтобы тот был готов при случае оказать силовую поддержку, охранник спросил:

— Вы к кому?

— К министру, — ответил Андрей, — мне нужно с ним поговорить.

Посетитель не походил на пьяного, значит, что-то неладно было у него с головой. Разве может нормальный гражданин демократического общества ни с того ни с сего воспылать желанием встречи с министром?

Охранник видел такого всего один раз за десять лет беспорочной службы у врат министерства, да и того тогда сразу увезли в дурдом с диагнозом параноическая психопатия. Диагноз охранник хорошо запомнил, потому что, пока бригада врачей возилась с психом, он закадрил пухленькую медсестру и назначил ей встречу. А уж вечером в минуту расслабляющей близости она рассказала, что параноические психопаты — это тупоголовые борцы за правду и не столь опасны обществу, сколь государственному начальству. Обществу опасны психопаты сексуального круга. Вот кого стоит остерегаться, особенно женщинам.

— Вы записаны на прием? — спросил охранник.

— Нет, потому что необходимость встречи возникла случайно.

Второй охранник приблизился к напарнику, на всякий случай прикидывая, каким приемом будет удобнее всего нейтрализовать посетителя.

— Я понимаю, — сказал первый охранник. — Такого рода необходимость возникает у многих. Но министр у нас один. Поэтому с посетителями работают в приемной. Если там сочтут, что вопрос способен решить только министр, вам организуют с ним встречу.

— Ребята, — Андрей без труда разобрался в позиции, которую заняли охранники. — Вы ведь люди опытные. И, похоже, знаете, что такое секретность. Так вот у меня к министру вопрос государственной важности. Не для приемной.

— Зря вы так, господин..?

— Назаров.

— Зря вы так, господин Назаров. В приемной работают люди, допущенные к военной и государственной тайне. И вообще у нас в министерстве, извините, даже в сортир не пускают без специального допуска к секретам.

Охранник мог бы сказать, что псих, которого они канализировали в дурдом, пришел изложить министру секретную формулу детонации азота. Один импульс — и финита ля комедия: весь азот атмосферы взорвется, очистив Землю от скверны... Но говорить не стал.

— Я понимаю, — согласился с убедительными доводами охранника Андрей. — Скажите, а можно вызвать вашего начальника?

Идея пришлась охраннику по душе. Пусть шеф лично убедится, с какими типами здесь на вахте имеют дело его подчиненные.

— Что вам? — спросил начальник охраны, плотный грибок-боровичок с лицом профессионального поддавалы.

— Хочу попасть на встречу с министром, — сказал Андрей, уже по виду начальника понявший, что его скорее удастся сблатовать на распитие пузырька, чем добиться разрешения на пропуск внутрь министерской святыни.

— Исключено, — сказал боровичок и вздохнул. Должно быть, нелегкой была его служба.

— Слушайте вы, стражи ворот, — Андрей вдруг почувствовал прилив буйных желаний и неукротимую злость. — Я сейчас отсюда уйду и из первого автомата позвоню вам, что в здании заложена бомба. Мешок гексогена. Уверен, вы забегаете как зайцы. Так какого ж... извините, вы ставите меня, живого, ниже телефонного звонка?

— Я сейчас вызову милицию, — Боровичок знал, как вести разговоры с нахалами. — Ты этого добиваешься?

— Ну, народ! — Андрей апеллировал к двум интеллигентного вида мужчинам, которые, решив свои дела в ведомстве, направлялись к выходу. — С ними как с людьми, а они...

Два лощеных московских чиновника не обратили на реплику Андрея ровным счетом никакого внимания. Для того и существует охрана, чтобы не пущать и вести разговоры с народом на понятном ему языке базара.

— Хорошо, — сказал Андрей громко. — Оставайтесь. Я все понял. Придется обратиться в прессу. И, скорее всего, в иностранную...

Тут оба чиновника разом напряглись и навострили уши. В вестибюле прозвучало магическое слово «пресса», которое в министерстве у всех мгновенно вызывало стойкую аллергию, может быть, не касавшуюся только лифтеров и уборщиц. При слове «пресса» даже министр менялся в лице.

Не так давно ушлые газетчики и телерепортеры устроили свистопляску вокруг Минатома в связи со сделкой, заключенной с иностранцами. Минатом подряжался ввозить в Россию отработанное ядерное топливо, регенерировать его и с выгодой продавать на международном рынке. Не вникая, а может быть, попросту не желая вникать в суть дела, журналисты раздули скандал, напугали обывателей, заставили потеть и оправдываться перед обществом не только министра, но и председателя правительства.

Один из чиновников, на счастье Андрея, оказался помощником министра Катениным.

Быстро попрощавшись с собеседником, он подошел к охране.

— У вас с товарищем какие-то проблемы?

Начальник охраны доложил, что человек с улицы домогается встречи с министром, но о чем собирается говорить, сообщать не хочет.

— Я помощник министра, — сказал Катенин, подойдя к Андрею, и с удивительной смелостью протянул ему руку. — Может быть, вы изложите вашу проблему мне? Мы пройдем в кабинет к офицеру безопасности, и вы там все расскажете.

— Спасибо, господин Катенин. Но меня не устроят ни замы, ни помы, ни офицеры безопасности. Только министр. Лично. Вы можете позволить мне сказать ему всего два слова по телефону? И не по городскому, а по закрытой связи. Можете?

Виктор Альбертович Катенин окончил физико-технический институт с красным дипломом и после длительной и тщательной проверки на благонадежность попал в систему Минатома. Вскоре молодого специалиста приметил начальник технического комитета и взял к себе консультантом. Шеф обнаружил в Катенине способность быстро угадывать слабые места и выявлять технические недоработки в проектах, а затем с особой страстностью писать разгромные рецензии. Катенин дробил чужие работы с вдохновением, делая так, что любой маломальский просчет при желании мог стать похоронкой для блестящей идеи.

Открыв это качество в Катенине, начальник стал передавать ему на экспертизу разработки, которые по каким-либо соображениям, далеко не всегда техническим, следовало завалить. Катенин упивался своей тайной властью, а число его недоброжелателей быстро множилось.

И когда случилось, что при сокращении кадров Катенин остался за штатом, никто из тех, кому он попортил немало крови разгромными оценками их трудов, не взял его к себе. Кто-то из начальников предложил дипломированному специалисту должность техника, но Катенин пойти на нее не согласился.

Ему помог счастливый случай. Министр Алексей Адамович Аркатов как-то со смехом рассказал жене о злоключениях Катенина, и та вдруг воспылала к нему сочувствием.

Екатерина Васильевна Аркатова, доктор филологии, больше всего боялась, как бы ее муж не попал под влияние длинноногих секретарш, которые в изобилии водятся на этажах государственных учреждений и заселяют министерские приемные.

Когда ее благоверного, мужчину в самом соку и при других несомненных достоинствах, назначили министром, она сразу попыталась взять подбор его помощников в свои руки.

Поздним вечером первого дня, когда супруг впервые ощутил всю тяжесть груза, взваленного на его плечи, Екатерина Васильевна встретила его у двери и всплеснула руками:

— Боже, на кого ты похож! И это за один день! Так тебя и на полгода не хватит!

Она знала, как Аркатов дорожит своей внешностью, сколько внимания и сил уделяет ее поддержанию в форме.

За вечерним чаем она спросила супруга:

— Скажи, Леша, ты знаешь истинный смысл слова «канцелярия»?

Понимая, что доктор филологии наверняка не имеет в виду банальных истин, Аркатов сразу предложил:

— Рассказывай.

— В древности римляне словом «кан» обозначали собаку. Целла — это клетка, келья, замкнутое пространство. Следовательно, канцелярия — всего лишь собака, запертая в прихожей хозяина, важного человека. Вера простых людей в доброту и справедливость начальства легко бы погибла, не будь канцелярий — злых и занудных собак за столами в приемных. Если хочешь работать спокойно, найди себе такого пса.

Найти его Аркатову долго не удавалось, пока он не рассказал супруге историю Катенина. И та с женской проницательностью поняла, что наконец-то пес нашелся. Правда, Аркатов сперва посопротивлялся.

— Кэт, — возразил он жене. — Он же невыносимый зануда и садист.

— Леша, с тобой он будет держать себя как надо. А с другими... Пусть уж они сами налаживают с ним отношения.

Обреченный на вылет из министерства, Катенин, к удивлению и ужасу всех его знавших, стал помощником добрейшего и умнейшего министра.

Вступив в разговор с Андреем, Катенин больше всего желал сплавить типа, который действительно мог обратиться в прессу. Было у него что-то за душой, опасное для министерства или нет — дело другое. Но предупредить попытку стоило.

— Вы чего-то не понимаете, господин Назаров. Я правильно вас назвал?

В эту среду у Катенина горящих дел не было, и он решил просветить наивного провинциала, верившего в мудрость демократии и в то, что государственные учреждения призваны служить обществу и человеку. Поэтому говорил он ровным, полным доброжелательности голосом, зная наперед, что именно после такого проникновенного разговора по душам отказ особенно сильно ломает самого сильного человека.

Резкий тон, суровая отповедь с первых слов готовят к неприятному, а доброта вселяет надежду, рождает ощущение того, что беседующий сочувствует и старается чем-то помочь.

— Даже я не распоряжаюсь временем министра и не могу ему сказать о вашем желании произнести два слова. Вы понимаете? — сказал Катенин и, сбавив голос, добавил: — Я понимаю, это бюрократия. Мне многое самому не нравится. Увы...

Андрей почтительно склонил голову.

— Вы мне очень популярно все объяснили, Виктор Альбертович. Очень. Я видел вашу контору снаружи. Впечатляет. Оказывается, изнутри она еще более могущественна. Сейчас я уйду. Не беспокойтесь, охрану вызывать не потребуется. Уйду и поеду в американское информационное агентство. Почему именно туда? Да по простой причине. Я думаю, там будет меньше бюрократии. А наши средства массовой информации, к сожалению, до вершины вашего бастиона доплюнуть не сумеют. Американцам я расскажу, что готовится второй Чернобыль. Это слово понятно без перевода, верно? Поэтому реакции долго ждать не придется. И знаете, что мне в этом деле будет интересней всего увидеть? Как вас повезут в Лефортово.

— Вы... вы, — Катенин захлебывался от ярости. Старательный ученик, мальчик из семьи рафинированных интеллигентов-гуманитариев, он теоретически знал все слова русского бранного лексикона, но сам выговаривать их с нужной экспрессией и доходчивостью не умел. А если что-то и произносил, это звучало неуверенно и неумело. — Вы мне угрожаете?

— Нет, прогнозирую.

Упоминание о Чернобыле все же пробилось через охваченную жаром гнева подкорку Катенина и заставило его изменить тон. Понизив голос, он спросил:

— О Чернобыле вы всерьез?

— Все время, пока я торчу здесь, говорил о серьезном.

Катенин не мог совладать с собой: в нем все так и кипело от ярости. С момента, как он стал помощником министра, никто с ним не говорил в таком тоне. И вот тип с улицы...

В Конституции, наделившей нас равными правами, и чиновник за столом солидного офиса, канцелярист, «пес на привязи», и проситель, попавший в учреждение с улицы, в одинаковой степени граждане. Но жизнь никогда не ориентируется на такие мелочи, как равноправие. Любой мент может задержать на улице плохо выбритого человека, сочтя это признаком кавказской национальности, и потребовать предъявить документы. Чиновник, получающий денежное вознаграждение из налоговых отчислений населения, искренне уверен, что зарабатывает эти деньги сам. И потому любые проявления самостоятельности просителя, отсвет самоуважения в его глазах рождают в душе злобное желание оскорбить, унизить, поставить на подобающее место. Если приходишь просить, то должен гнуться. А поставить на место, значит показать, кто есть кто в этом мире, где вес человека и его значение зависят от его права что-то запрещать или разрешать.

Тем не менее казалось, человек с улицы победил.

— Хорошо, пройдемте со мной. Я помогу вам увидеть министра.

Ворота-металлоискатель, когда Андрей проходил через них, даже не пикнули.

Они двигались втроем: впереди Катенин, за ним Андрей, а замыкал шествие начальник охраны.

Электронные часы стояли на столе министра, но он, чтобы сделать свое заключение более осязаемым и убедительным, приподнял левую руку и бросил взгляд на дорогие наручные часы.

— У меня только одна минута. Постарайтесь уложиться.

Министр поднялся с места и стал собирать бумаги, лежавшие перед ним.

Андрей понимающе качнул головой:

— Благодарю вас, господин министр, за доброту и внимание. Я ухожу. Но предупреждаю, что потом, когда жареный петух клюнет ваше ведомство в задницу и вам месяцами придется заглаживать последствия по одной только причине, что у вас не нашлось времени выслушать меня, вы вспомните эти минуты. Прощайте!

Андрей развернулся и по ковровой красной дорожке пошел к выходу.

С министром уже давно никто не позволял себе говорить в таком тоне. Он привык, что даже ученые, обогретые заботами государства, чьи имена можно найти в любой энциклопедии, люди, украшенные государственными орденами, обремененные академическими степенями и лауреатскими званиями, никогда не становились в позу, если министр говорил, что в данные момент не располагает возможностью для встреч и бесед, и единственное, о чем просили, — зарезервировать для них десять—пятнадцать минут в удобное для министра время, в день, удобный для них обоих.

Такое время, конечно же, находилось к взаимному удовлетворению сторон. Министр демонстрировал свою занятость государственными делами, от которых нельзя отщипнуть ни одной свободной минуты. Просители испытывали приятное ощущение собственной значимости, с которой пусть и не всегда охотно, но все же должен считаться высокопоставленный государственный муж.

Сказать, что министр жил и работал в режиме спокойного плавания, было бы большим обманом. Ядерная отрасль индустрии во все времена оставалась беспокойным хозяйством. Ежедневно в центр приходили сообщения с мест о неполадках ядерных реакторов электростанций, кораблей и подводных лодок, о нештатных ситуациях с оружием, содержащим ядерные компоненты. Беспокоили финансовые и технические проблемы, внезапные отключения электроснабжения на закрытых объектах, на предприятиях, добывающих расщепляющиеся материалы, обогащающие их и готовящие к промышленному использованию. Такого рода события порождали нервотрепку, привлекали внимание правительства и прессы, провоцировали запросы международных организаций и требовали от министра быстрых и точных решений.

И вдруг случайный гость с улицы, человек, которого в иные времена не пустили бы даже на высокие ступени здания Минатома, ведет себя с ним, членом правительства России, с недопустимым хамством, пытаясь навязать ему свои условия. Так и хотелось сказать: «Распустила вас демократия, уважаемый!», но что-то в тоне посетителя подсказывало, что им движет крайняя озабоченность и понять, в чем именно она заключается, просто необходимо.

— Хорошо, я вас слушаю.

— Не буду тянуть время. Начну с вопроса. Вам о чем-нибудь говорит название Ульген-Сай?

Министр бросил на Андрея пристальный взгляд, молча взял со стола пачку сигарет, сунул одну в рот, щелкнул зажигалкой, выпустил клуб дыма.

Андрей спокойно ждал ответа. Но дождался вопроса:

— У вас есть какие-то сведения из этого района?

— Есть. И не очень приятные.

— Садитесь. — Министр жестом показал на кресло. Сам нажал на клавишу интерфона. — Виктор Альбертович, отмените сбор начальников управлений. У меня срочное дело.

Слово Ульген-Сай, произнесенное Назаровым, заставило Аркатова на мгновение замереть в стойке охотника, услыхавшего шум приближения дичи.

— Откуда вам известно это название?

— Какая разница? — устало ответил Андрей. Его раздражало, что министр задает вопросы не по существу. Вместо того чтобы попытаться выяснить суть дела, он старается понять, каким образом человек приобрел свои географические познания.

— Вы из нашей системы?

— Что, похож на дурака? — Андрей сказал это нагло, не скрывая намерения задеть министра, обидеть его или хотя бы разозлить. И тот это понял. Но не вспыхнул раздражением, не завелся, а весело рассмеялся:

— Кажется, я вас допек. Ладно, садитесь. Будем говорить.

Министр родился за четыре года до первого ядерного взрыва, произведенного на Семипалатинском полигоне. Он пришел в атомную промышленность со студенческой скамьи, спустя более чем десять лет после смерти шефа НКВД Лаврентия Берии. Однако порядки и жесткие нормы секретности, заведенные прежним шефом, здесь продолжали жить в полной мере. Даже старые приятели, работавшие с Аркатовым в одном институте, но в разных лабораториях, боялись обмениваться своими впечатлениями. Здесь продукцию именовали «изделиями», промышленные и научные предприятия «объектами», сферы исследований — «тематическими направлениями», испытания «изделий» — «сессиями», крупным ученым придумывали псевдонимы или называли по инициалам: знающим было понятно, остальным знать было незачем.

Произнеси в этом кабинете слова Ульген-Сай кто-нибудь из своих, министр не проявил бы беспокойства. Но они прозвучали из уст человека с улицы, который по положению не должен был ничего знать ни об этом месте, ни о его расположении и назначении. А у Назарова это название прозвучало буднично, как нечто само собой разумеющееся, вроде Йошкар-Олы или Урюпинска, без флера таинственности и уважительного придыхания. И вся воспитанная суровыми временами приверженность министра к строгому соблюдению тайны приняла боевую стойку.

В системе атомной индустрии существовали десятки табу, которые соблюдались с поистине языческой строгостью. Только в узком кругу посвященные могли вслух называть места своих объектов, открыто обозначенные на географических картах: Желтые Воды, Хош-Тегерме, Приаргунск... Но даже среди своих никто не упоминал подлинные названия мест, вроде Кыштыма, помеченных радиационной проказой аварий. К числу запрещенных к упоминанию относился и Ульген-Сай, объект, где предполагалось провести необычную «сессию», настолько важную и чрезвычайно секретную, что даже в процессе подготовки ее именовали словом «портфель».

Ульген-Сай — Мертвый Лог — урочище в пустынных степях Казахстана — поражал воображение своими размерами и дикостью. Если Великий каньон в Америке стал результатом многовековых трудов реки Колорадо, то появление на ровных, как стол, просторах казахстанской степи рваной раны протяженностью в двадцать пять километров и глубиной в сотню метров даже среди ученых вызывало споры. Одни считали, что это след, оставленный космическим телом, которое ворвалось в атмосферу несколько миллионов лет назад. Другие доказывали, что провал образовался в результате тектонического разлома, безжалостно распоровшего тело земли.

Местные жители, кочевники-степняки, имели свое объяснение. Поскольку каньон создавал препятствие на пути перегона отар при кочевке, зловредное его значение относили к проделкам черта, который, на зло людям, разорвал землю когтями. Старики так и называли разлом — «Шайтан тырнак», что означало «Коготь черта».

Ульген-Сай был выбран для проведения подземных испытаний портативных ядерных зарядов, которые значительно позже с легкой руки болтливого российского генерала получили название «ядерные чемоданчики».

Объект для проведения «сессии» готовили капитально. Выбрали удаленное от троп цивилизации место. Ограничили до предела круг лиц, допущенных в зону. Затем проходчики специального горнопроходческого отряда пробили в скальной стенке каньона штольню, от которой в глубинах массива под прямыми углами проложили два штрека. В одном из них в специальной камере поместили устройство портативного ядерного заряда. Во втором штреке расположили контрольно-измерительные приборы. Им предстояло зафиксировать поведение боевого заряда от момента взрыва до разрушения всех устройств, фиксировавших физические процессы в ядерном заряде. Потом штольню забутили и заделали прочной железобетонной пробкой. К испытаниям все было готово, оставалось только получить команду из Москвы. Но ее не последовало.

Президент Советского Союза Горбачев, находясь в зарубежной поездке, в болезненном приступе горячки «нового мышления» пообещал миру навсегда покончить с ядерными испытаниями. Мгновенно из Москвы во все точки, где готовились эксперименты, полетели грозные команды — проведение взрывов прекратить.

Испытания свернули, финансирование их прекратилось, и заряд остался в глубине скал Ульген-Сая.

Все это Аркатов прекрасно знал: в те времена он был простым начальником отдела министерства, за испытания не отвечал и то, что произошло, его не касалось. И вот теперь проблема грозила упасть на него всей своей тяжестью, и еще неизвестно, чем могла кончиться министерская карьера, если не принять срочных и действенных мер. Но каких? Казахстан — суверенное государство, и подступаться к проблеме без совета с министром иностранных дел значило опасно себя подставлять.

К счастью, чиновничий аппарат выработал немало уловок, позволявших смягчать степень своей вины, а порой вообще перекладывать тяжесть решений на других. Надо только доложить президенту о том, что может случиться...

Однако и такое решение принять не просто. Начальство всегда запоминает тех, кто приносит ему плохие вести. Раньше за них гонцам рубили головы, теперь кара бывает другой, но избежать ее порой все равно нельзя.

Аркатов стоял перед трудным выбором. Не сдержался и позволил себе сорваться: хотелось, чтобы хоть кто-то прочувствовал его тяжелое положение.

— Вы понимаете, с чем пришли ко мне? — спросил он Андрея.

— Понимаю.

— Ни хера ты не понимаешь, Назаров! Ровным счетом ни хера. — Министр неожиданно перешел на «ты». Голос его стал нервным, занудливым. — Вот скажи, что мне теперь делать? Ты с себя груз сбросил, патриот херов. Видите ли, он честен и чист, а вы теперь расхлебывайте сами. Так?

Андрей такого тона в разговорах с начальниками, даже со своими непосредственными, не терпел никогда. Ко всему министр не кутакбаши туркменских песков, и он ему присяги верности не приносил. Права говорить так с посторонним человеком у министра не было, а позволять ему продолжать разговор в том же духе означало такое право дать. Андрей встал. Свирепо воткнул окурок сигареты в хрустальную пепельницу и оттолкнул ее от себя. Оперся руками о стол.

— Ни хера ты сам не понял, начальник. Расхлебывать все это вы должны по положению. И не потому, что об

этом стало известно от меня. Кашу заваривали здесь, в
этом доме, в этом кабинете. Разве не так? И хером пого-
нять будут не меня. И потом даже министр к незнакомо-
му человеку должен обращаться на «вы».

Аркатов не скрыл раздражения:

— Ты что такой чувствительный? Я к тебе на «ты» как
к коллеге...

— Хорошо, тогда взаимно. Не знаю, как тебе это понравится.

— Переживу, — усмехнулся Аркатов, хотя к разговору
в таком тоне не был готов. Он давно привык обращаться
к своим сотрудникам на «ты», а тем перейти на ту же сту-
пень общения не позволяло ни воспитание, ни служебное положение.

— А теперь ответь, почему тебя принесло сюда, почему не пошел в ФСБ?

— А ты подумай сам, Аркатов. Подумай. На кого по-
катят бочку, если Ульген-Сай растрясут, достанут оттуда
портфельчик и рванут его где-нибудь в Европе или, скорее, в Израиле. Может такое случиться? — Андрей не
стал ждать ответа. — Может, и еще как. Тогда с кого будет
спрос? С тебя, господин коллега. И спрашивать будут
именно дяди из ФСБ и прокуратуры. «Доложите нам,
гражданин бывший министр, как такое могло случиться?»

— Ладно, заткнись. Я все это и без тебя знаю. А теперь скажу, чего не знаешь ты. Гражданин Назаров пришел ко мне в уверенности, что министр — пуп земли.
Махнет рукой, и все вокруг забегают, проблемы начнут
решаться сами собой. Так?

— Ну, не совсем так, но решаться будут.

Аркатов раздраженно шагнул к окну. Остановился,
глядя в него и заложив руки за спину.

— Как ты думаешь, почему у моей шляпы такие широкие поля? Мода?

— Должно быть, и так.

— А вот хрен тебе! Большие поля, чтобы я поменьше
глядел вверх, а если подниму глаза, то видел бы не больше, чем мне дозволено. Вот, — Аркатов показал на два

телефонных аппарата, стоявших на отдельной тумбочке возле его письменного стола. — Это трубка премьера, а это — президента. Услышу звонок, знаю сразу, кто говорит. Но если мне припечет задницу и я сниму трубку, то ответит не сам, а помощник. Сам трубку не берет. Не царское это дело.

— Но секретарь, если надо, сразу передаст трубку шефу. Разве не так?

— Передаст. Только я ему должен буду изложить вкратце суть дела. Иначе начальство тревожить не позволено.

— Круто, — согласился Андрей.

— Теперь попробуй, позвони премьеру. Думаешь, он на себя мой крест взвалит? На хрен ему эта собачья радость! Много ты знаешь дураков, которые готовы расхлебывать чужие проблемы?

— Имеешь в виду меня? — Андрей сразу понял недоговоренное.

— А почему нет? Тебя тоже. Правда, ты в этом деле шестерка, ко всему удобно подстраховался. Короче, расхлебывать должен Аркатов.

— Поставь в известность ФСБ сам.

— Все-то ты знаешь, Назаров. — Аркатов усмехнулся. — Тебе в телевизионные игры идти играть. Вопрос — ответ, и деньги в сумку.

— Почему ФСБ не подходит?

— По положению. О таких случаях я в первую очередь обязан информировать президента. А уж он потом сам решит, кому и в каком объеме нужно знать подробности. Ладно, кончили, я звоню.

В приемной президента раздался чуть приглушенный переливчатый сигнал спецтелефона. Впрочем, среди множества аппаратов правительственной связи нельзя было назвать ни одного, который не был бы спецтелефоном. Но этот со своим особым голосом и, как заверяли специалисты, с абсолютной защищенностью от любого подслушивания, предназначался для связи с президентом только строго ограниченного круга лиц, да и те пользовались им только в особых случаях.

Отработанным, почти благословляющим движением руки, каким патриарх подает ее для целования, дежурный секретарь президента снял трубку мягкого салатного цвета.

— Приемная. У аппарата полковник Краснов.

Для тех, кто пользуется особо закрытой аппаратурой связи, достаточно было одной фамилии — секретарей президента знали все члены правительства, — но инструкция требовала именно такого ответа, и нарвись секретарь на начальственный контроль, он мог бы заработать нелестное и ненужное ему внушение.

— Роман Андреевич, здравствуйте. Это Аркатов. Мне нужно срочно поговорить с президентом.

— Здравствуйте, Алексей Адамович, — секретарь прекрасно знал министра. Тот, как руководитель одного из стратегических государственных ведомств, был включен в список абонентов спецтелефона под десятым номером и за долгое время почти не пользовался своей привилегией. — К сожалению, в данный момент это вряд ли возможно. Президент беседует с представителем Международного валютного фонда. Там же премьер и министр финансов. После беседы у него встреча с председателем Центробанка.

— Роман Андреевич, Центробанк со всеми его валютными резервами может подождать. Дело чрезвычайное, и президент должен меня принять. Надеюсь, вы понимаете.

— Алексей Адамович, прошу прощения, — чувствовалось, что секретарь искренне опасается ломать расписание президента, всеми силами стараясь этого избежать. — Может быть, я могу доложить президенту ваш вопрос? Это займет несколько минут. Потом он сам назначит вам встречу.

— Роман Андреевич, я выезжаю. Чтобы не подставить Владимира Васильевича, сделайте все, чтобы он меня принял. И предупредите службу охраны, что я к президенту.

Аркатов положил трубку и молча посмотрел на Андрея, словно хотел сказать: «Теперь видишь, как такое бывает?» Но сказал другое:

— Ты тут у нас побудь. Я вернусь, договорим. И не обижайся.

Выйдя в приемную, Аркатов подозвал Катенина.

— Виктор, — министр заметно нервничал, — Назарова накормите обедом. За мой счет. Дайте возможность отдохнуть. Надеюсь, меня надолго не задержат.

Аркатов еще не выбрался из потока машин на улицах Замоскворечья, как зазвонил радиотелефон. Говорил президент.

— Алексей Адамович? Я слушаю, — по нескольким словам было непросто определить настроение звонившего, но Аркатову показалось, что президент слегка раздражен, хотя понимает, что по пустякам такой вышколенный государственный деятель, как Аркатов, беспокоить его не станет. — Что у вас?

Президент хотел сказать «у тебя», чтобы подчеркнуть расположение, но Аркатов академик и лучше всего выказать ему свое отношение в форме особой вежливости.

Аркатов заранее продумал форму и стиль сообщения президенту о происшествии. Сделать это следовало так, чтобы не показаться паникером, но, с другой стороны, не позволить отложить встречу и разговор ни на один час и уж тем более на день. Обстоятельства не позволяли делать затяжку.

— Возникла ситуация... нечто вроде Чернобыля.

Вообще-то в разных странах для чрезвычайных ситуаций приняты к употреблению условные слова и фразы, описывающие суть происшествия. Американские летчики, попадая в аварийную ситуацию, бросают в эфир фразу «Мэй дэй!», которая означает беду в воздухе. Наши военные авиаторы в подобных обстоятельствах говорили «Прибой!». Неприятности, возникшие с ядерным оружием на борту самолетов и кораблей, американцы обозначают словами «Броукн эрроу» — «Сломанная стрела». Специальной договоренности на такой случай у Аркатова с президентом не было, поэтому он, чтобы подчеркнуть важность сообщения, сказал «Чернобыль».

И президент понял:

— Поторопись, я жду.

Президент ревностно следил за состоянием ракетно-ядерного потенциала страны. Он знал и понимал силу этого вида оружия в обеспечении мирового равновесия сил и в то же время постоянно ощущал беспокойство из-за возможности возникновения техногенных катастроф, связанных с недостатками обращения и порядком хранения ядерных зарядов.

Всего несколько дней назад президенту показали выжимку из публикации влиятельного американского еженедельника. Автор эмоционально, но не всегда доказательно, утверждал, что существует возможность утраты Россией части своих ядерных боеголовок, находящихся в специальных хранилищах. Уже на следующий день президент потребовал от главнокомандующего ракетными войсками подробного доклада, а специальные группы Федеральной службы безопасности проверили режим охраны и соблюдение технологии хранения ядерных боеприпасов на некоторых базах. Панические писания американца не подтвердились. И вот звонок министра...

Аркатов вошел в приемную. Удобно расположившись в кресле, держа на коленях папку, сидел председатель Центробанка Ащенко, человек, умевший сохранять собственное достоинство, легко разгадывавший хитрые интриги завистников и не проигрывавший аппаратных игр. Президент не всегда бывал доволен поведением банкира, но верил, что тот блюдет государственные интересы как свои собственные, а потому прислушивался к его советам.

Увидев Аркатова, уверенно прошагавшего через приемную к президентской двери, Ащенко привстал:

— Алексей Адамович ...

— Прошу прощения, Георгий Кузьмич, — с места поднялся Краснов, — Алексея Адамовича срочно вызвал Владимир Васильевич. У него спешное дело. Что-то международное.

Банкир тяжело опустился в кресло, бросил взгляд на часы, сокрушенно вздохнул:

— У меня тоже нечто международное. Кажется, даже связано с долларами.

Краснов вежливо улыбнулся, принимая шутку Ащенко. Он хорошо понимал, что чувствует банкир, график которого не менее плотен, чем у президента.

Президент, заведенный непростым разговором о кредитах с представителями Международного валютного фонда, заметно нервничал. Быстрые движения, скользящее рукопожатие, и первый вопрос:

— Это серьезно?

Сжато министр изложил ситуацию с «изделием», оставшимся на чужой территории, которым сейчас пытаются завладеть добытчики ядерного оружия.

— Каково состояние изделия? — спросил президент озабоченно. — У вас есть телеметрический контроль?

— Владимир Васильевич... Это Казахстан...

— Все ясно. Там могут проходить неконтролируемые физические процессы. Так?

— В принципе — да. Надежда на то, что климатические условия и температура в каверне остаются стабильными. Пещера герметически изолирована от атмосферы. Первое время мы следили за гидрологическим режимом. Теперь такой возможности нет.

— Возможна коррозия конструкции?

Аркатов отвел взгляд.

— Мы можем только предполагать.

— Вот и предполагайте. Например, к чему может привести вторжение посторонних лиц в камеру? Какие варианты?

— Самые разные. Свести к нескольким основным трудно. Может произойти несанкционированный взрыв ядерного устройства. Это самое неприятное из возможного. Затем может произойти разрушение устройства из-за неосторожного обращения. Произойдет радиационное заражение территории...

Президент нервно прошелся по кабинету, размышляя. Принял решение. Протянул Аркатову руку:

— Спасибо, Алексей Адамович. Мы создадим комиссию, продумаем меры. Если у вас возникнут предложения, немедленно сообщайте. А сейчас до свидания.

Проводив министра, президент тут же пригласил помощника.

— Роман Андреевич, с этого момента вы подключаетесь к операции, которая замыкается на меня. Вызовите срочно себе замену в приемную, переселяйтесь в мой оперативный кабинет и отключите мой аппарат от приемной.

— Есть, — полковник Краснов уже понял, что произошли события, сбившие налаженный ритм работы президента.

— Дальше. Вы не имеете права вести с кем-либо разговоры по вопросам, которыми нам придется заниматься. Вы будете знать всех, кто подключен к операции. Поскольку исполнители замкнуты на конкретные вопросы, вы не должны в какой-либо форме информировать их о задачах, которые решают другие члены команды. Учтите, в силу обстоятельств у вас не будет смены до конца операции. Обустраивайтесь в комнате отдыха оперативной группы.

— Есть. Я понял, Владимир Васильевич.

— Теперь извинитесь перед Ащенко. Скажите, что я знаю важность проблем, которые он хотел обсудить, и все же вынужден перенести разговор, чтобы его не комкать. На всякий случай предупредите тех, с кем назначены встречи на завтра о возможности их переноса и даже отмены. Да, еще. Дайте указания пресс-службам, моей и правительства, службам по связям с общественностью Минатома немедленно информировать вас о тех, кто проявит интерес к получению сведений о разработке и существовании портативных взрывных ядерных устройств. В качестве обоснования такого интереса могут быть использованы известные высказывания хасавюртовского генерала о ядерных чемоданчиках. Есть вопросы?

— Да. В какой мере можно информировать руководство вашей администрации? Конечно, если у них возникнут вопросы.

— Ни в какой. Это их не касается. У вас все?

— Так точно.

— Тогда сразу и приступайте. Пригласите ко мне Петрова. Срочно. Пусть бросит все другие дела.

Виктор Катенин вернулся в кабинет. Сел за стол. Ослабил узел галстука. Посидел, подумал. Надавил кнопку переговорника:

— Рита, будьте добры, стаканчик чаю.

Когда через пять минут миниатюрная дамочка строгого преподавательского вида со скромной прической и в узких прямоугольных очках пришла и поставила чай, Катенин ловким, хорошо отработанным движением обхватил ее за ягодицы, туго обтянутые черной юбкой, и привлек к себе.

Бледные щеки секретарши мгновенно порозовели, за стеклами очков вспыхнули голубыми искрами округлившиеся глаза.

— Вик, ну не сейчас же, — шепнула она томно, хотя на всякий случай тут же прижалась животом к его бедру.

Катенин ласково шлепнул ее ниже спины.

— Хорошо, иди!

Когда Рита вышла, он взял с блюдца стакан, отпил глоток горячего чаю. Отставил стакан. Подумал, поглаживая лоб. Снял трубку.

— Вячеслав Маркович? Ты занят?

Он звонил офицеру Федеральной службы безопасности Карцеву, с которым сотрудничал в качестве добровольного помощника, то есть был, как говорят в среде неблагодарного народа, его тайным осведомителем.

Сведения, которые сообщил Карцеву помощник министра, тот сразу же доложил начальнику управления генерал-лейтенанту Травину.

Секретарь Совета безопасности Сергей Ильич Петров вошел в кабинет президента с видом встревоженным и озабоченным. Президент кивнул ему, показывая глазами, чтобы тот сел, а сам продолжал ходить по кабинету.

— Сергей, отложи на время абсолютно все. В первоочередном порядке займись новым делом. Вот на столе мой диктофон. Прослушай запись. Это беседа с Аркато-вым. Сразу дай задания службам. Внешней разведке под-готовить справку по боевой исламской организации «Пламя джихада». ФСБ собрать сведения о Назарове, который сообщил Аркатову о планах исламистов. Само-го Назарова возьмите под наблюдение. Придется его по-беречь. Не раскрывая существа вопроса, дай задание в Генштаб Кашлеву прикинуть план армейской диверси-онной операции в районе Мертвого Лога. Вчерне изло-жи ситуацию. Места операции не называй. Дай ввод-ную, что действия будут проходить в пустынно-степной местности. Нужно как можно меньше шансов оставить для утечек. Попроси министра иностранных дел Орлова, чтобы лично просчитал, какие международные ослож-нения возможны в случае неудачи военной операции. И еще, прослушав пленку, реши, что я упустил.

— Когда это нужно?

— Еще вчера, но придется подождать, когда ты про-слушаешь пленку.

— Понял.

Приехав в Москву, Кашкарбай с вокзала отправился на Ленинградский рынок. Походил по рядам крытого павильона, полюбовался развалами разноцветных фрук-тов, искусно выложенных в икебаны продавцами, ос-мотрелся и подошел к молодому азербайджанцу, кото-рый, похоже, ничем не торговал, но то и дело давал ука-зания другим торговцам.

— Здравствуйте, уважаемый! Мне нужен Максуд.

Азербайджанец напрягся, лицо словно окаменело.

— Какое у вас дело? — спросил он, подозрительно ог-лядывая узбека.

— Аллах расписал все наши дела наперед, — ответил Кашкарбай. — Должно быть, одно из них.

Максуд — молчаливый, хорошо сложенный и по-горски красивый чеченец, подошел к Кашкарбаю с ви-дом недовольным и хмурым.

— Салам, — сказал Кашкарбай. — Если вы Максуд,

вам большой привет от Багаутдина. Очень большой привет.

Напряженность исчезла с лица чеченца. Он почтительно склонил голову:

— Рахмат, уважаемый. Спасибо.

Багаутдин — полковник пакистанской армии — был начальником учебного центра под Хостом в Афганистане, где Максуд постигал искусство войны в горах.

— У меня к вам дело, Максуд.

Они вышли с рынка и медленно двинулись по Часовой улице: старые знакомые, решившие поболтать.

Кашкарбай достал из кармана три сотенные бумажки американского резервного банка и передал Максуду.

— Нужны два быстрых парня.

Перехватил напряженный взгляд собеседника. Покачал отрицательно головой:

— Нет, ни ножей, ни пистолетов. Надо просто двое суток походить за человеком. Это доверенное лицо Багаутдина. Русский. Важно уловить, не ведется ли за ним в Москве слежка. Если ее ведут, то кто. Если это ФСБ — отвалить. Если кто-то из наших, азиатских, объяснить, чтобы отстали. Пусть скажут: так приказал Джумабой Намангани.

С рынка Кашкарбай проехал на Старый Арбат. Прошелся, остановился возле художников, рисовавших моментальные портреты с натуры. Лохматый парень быстрыми движениями карандаша воспроизводил на листе ватмана черты немолодой женщины. Судя по тому, что видел Кашкарбай, портрет получится намного лучше и красивее оригинала. Лицо у женщины выглядело усталым, бесцветным, в уголках глаз лежали предательские морщинки, а на портрете под карандашом мастера все это исчезало, годы, наложившие печать на живого человека, теряли свое влияние, и утраченная красота возвращалась из прошлого.

Должно быть, люди так любят свои фотографии и рисованные портреты именно потому, что они позволяют остановить мгновение, которое другими способами задержать нельзя.

Делая вид, что увлечен работой художника, Кашкарбай краем глаза все же внимательно оглядывал редких прохожих, мысленно выделяя в их облике, в одежде, в манере движения черты, с помощью которых при следующей встрече мог бы узнать тех, с кем уже встречался.

Постояв некоторое время, он медленно двинулся дальше. Прошел мимо ресторана «Прага», по подземному переходу перешел на противоположную сторону транспортного туннеля и направился к ротонде станции метро «Арбатская». Он неторопливо вошел внутрь и, делая вид, что собирается говорить по телефону, несколько минут простоял у стеклянных дверей, наблюдая за входившими и выходившими наружу людьми. Ни один из них не был похож на тех, кого он успел запомнить, прохаживаясь по Арбату.

Во всем чувствовалось, что Кашкарбай до этого не раз бывал в Москве и ориентируется в ней не хуже старожила.

Он спустился в метро, доехал до «Александровского сада» — конечной голубой линии, с видом человека, приехавшего не туда куда надо, перешел на другую платформу и поехал в обратную сторону, к Киевскому вокзалу.

По системе подземных переходов Кашкарбай перебрался на Кольцевую линию и остановился на платформе поездов, шедших в сторону «Краснопресненской».

На привокзальных станциях пассажиры собираются быстро. В толпе, ожидавшей поезда, к Кашкарбаю протиснулся невысокий черноволосый мужчина. Неосторожно толкнув узбека плечом, он сказал «Извините». — «Все нормально», — успокоил его Кашкарбай.

Когда они втискивались плечом к плечу в вагон, черноволосый положил в руку Кашкарбая алюминиевый цилиндрик. Тот сжал его в кулаке.

В вагоне они разошлись в разные концы.

Кашкарбай опустил посылку в карман и поехал в гостиницу.

Получив сигнал о появлении в Минатоме странного посетителя, приняв которого министр сразу попытался связаться с президентом, а потом уехал к нему, начальник одного из управлений ФСБ генерал-лейтенант Травин выяснил все, что узнал Карцев, и немедленно отправился к своему шефу — директору Федеральной службы безопасности генерал-полковнику Барышеву. На то имелось несколько причин. Прежде всего, стоило предупредить, что президенту может стать известно нечто такое, чем придется заниматься их службе. Но было и желание показать: вот, мол, какие мы, не утратили хватки и узнаем кое о чем наперед.

Барышев выслушал доклад со вниманием, попутно, делал какие-то заметки в рабочей тетради. Травин еще не закончил, когда Барышев вдруг его прервал:

— Спасибо, Иван Артемьевич, как я полагаю, вы имеете в виду гражданина Назарова Андрея Ивановича? Очень оперативно.

Травин, скрывая смущение, проговорил удрученно:

— Что, опоздали?

— Все нормально, — успокоил Барышев. — Но раз вы на него вышли сами, то доводите дело до конца. Требуется справка о Назарове. Для президента.

— Как скоро?

— У тебя уйма времени. Два дня. Послезавтра к вечеру кладешь сюда, — Барышев показал на стол.

— Алексей Федорович, это нереально.

— А у нас когда-то было реальное время на наши задачи?

Вернувшись к себе, Травин вызвал полковника Федорчука.

— Есть две новости. Обе хорошие. Надо взять в разработку некоего гражданина Назарова. Он сейчас в Минатоме. Это ты сумеешь. Несколько труднее другое. Потребуется справка о нем. И тут хорошая новость. Можешь не торопиться. Бумажка потребуется мне не сегодня, а послезавтра к утру.

— Иван Артемьевич! — Федорчук взмолился. — Это же нереально.

— Яков Алексеевич, дорогой, если бы мне ставили реальные задачи, их бы я поручал молодым и ранним, а тебя отпустил на заслуженный отдых.

Намек оказался настолько крутым и понятным, что Федорчук лишь обиженно засопел, поднялся с места, сказал: «Есть!» — и, подволакивая левую ногу, схлопотавшую осколок в Чечне, вышел из кабинета.

Через минуту перед Федорчуком уже стоял один из лучших его оперативников капитан Грызлов. Получив задание, он растерянно посмотрел на шефа:

— Это же нереально, Яков Алексеевич. У нас только фамилия человека и фото. Даже откуда он, мы не знаем.

— Вот и надо узнать.

— Может, я его задержу? Будь он у меня в руках, я из него через полчаса вытряс бы все, начиная с количества его любовниц и кончая излеченной гонореей.

— Это я знаю, но трогать мужика нам не позволили. Глядеть со стороны можно. Судя по некоторым сведениям, он приезжий из Узбекистана. Вот и начни с аэропортов. Куда прилетают из Ташкента? Проверь списки. Не найдешь там, давай вокзалы. На южном направлении в поездах всегда работают опера. Они знают в лицо даже вагонных тараканов. Бери и тряси всех.

— Он что, проходит по наркотикам?

— Ты воще, Грызлов! Запрос делает директор. Справка пойдет в Кремль. Какие, к черту, наркотики? Этот Назаров, по меньшей мере, резидент Карабаса-Барабаса. Иначе откуда к нему такое внимание? И давай так. Чуть что узнал интересного — немедленно звони. В любое время дня и ночи.

Час спустя Грызлов уже добрался до Гордова, который приехал поездом из Ташкента в один день с Назаровым.

— Взгляните на фото. Это лицо вам знакомо?

Грызлов шлепнул на стол фотографию Назарова, сделанную при его выходе из Минатома.

Гордов бросил на нее быстрый взгляд, потом посмотрел на Грызлова.

— Давайте без спринтерской гонки. Прежде всего вопрос: фото предъявляется мне для опознания? Тогда, по закону, карточек должно быть не менее трех, с изображениями других, сходных с основным персонажем лиц. — Он взял снимок, перевернул его изображением вниз. Постукал пальцем по чистой поверхности бумаги. — А здесь, извините, положено ставить печать, удостоверяющую официальность снимка.

— Кончайте, Гордов, — Грызлов занервничал. — Я знаю, у вас диплом юриста. Повторяю вопрос: это лицо знакомо?

Гордов пожал плечами:

— Я, конечно, могу ответить, если вас так припекает. Но учтите, коли дело дойдет до суда, то сообщу, что опознание проводилось с нарушением закона и без понятых.

— Да не дойдет дело до суда! — чуть не сорвался на крик Грызлов. — Мне важно знать, тот ли он человек, за кого себя выдает.

— А если он выдает себя за другого, как я могу сказать, кто он?

— Это мы установим сами. Главное: знакомо вам это лицо?

— В какой-то мере.

Грызлов вдруг изменил тон и неожиданно перешел на «ты».

— Послушай, Гордов. Ты же хороший оперативник. Так чего так сразу вздулся? Я на тебя попер, да?

— А ты сам как думаешь?

— Конечно, надо бы по-иному, но меня поджимают обстоятельства.

— Что с этим Назаровым? — Гордов почувствовал, что получил право спрашивать.

— Вот чего не знаю, так этого. С бугра на нас скатили команду собрать о нем все, что можно. Так тебе знакомо его лицо?

— Знакомо. Мы ехали в одном поезде из Средней Азии. Он тогда назывался Андреем Назаровым.

— Вы с ним знакомились?

— Специально нет. Я вел группу наркокурьеров.

— Он в нее входил?

— Нет, но такое предположение поначалу было.

Впервые я увидел его в Бухаре, в чайхане, где местные оперативники показали мне фигурантов. Были сделаны фотоснимки. Потом для меня выяснили, что к наркотикам Назаров отношения не имеет. Он инженер-нефтяник из Туркмении и в чайхане оказался случайно...

— Ты уверен, что он с ними не связан?

— Кто сейчас в чем может быть уверен? Но если за ним что-то есть, то другое.

— Почему так считаешь?

— В поезде его пытались крупно подставить. Именно мои подопечные. В багаж ему вложили пакет наркоты.

— Может, для отвода глаз? Чтобы отвлечь внимание от чего-то другого?

— В этом не было никакой нужды. В бригаде, которая проводила досмотр поезда, имелись их люди.

— Чем все окончилось?

— Вот в этом и фокус. Назаров тут же просек, что в его вещах закладка. Не стал раздумывать и избавился от нее. Собака вышла на запах, но обыск ничего не дал. Искавшие потянули пустышку.

— Значит, Назаров держался осторожно?

— Я бы сказал настороженно. Похоже, что он все время чего-то опасался.

— Ты не заметил, Назарову что-то угрожало?

— Раз ваша артель села ему на хвост, значит, и сейчас угрожает.

— Гордов, брось эти шуточки. Я серьезно.

— Если серьезно, он чего-то опасался. Надо иметь в виду и пропавший пакет с наркотой. Там, судя по его словам, товара было не меньше, чем на один кэгэ. Это деньги. Думаю, у тех, кто делал закладку, образовалась в кармане брешь.

— Тогда зачем закладывали?

— Думали, что Назарова застопорят, а товар свои люди вернут. И потом у них есть надежда, что он пакет не выкинул, а перепрятал. Ради этого его могут пощупать.

— Случаем не знаешь, где он поселился?

— Случаем знаю. Если он говорил правду, то в Акуловке.

— Где это?

— Классиков читать надо, — Гордов усмехнулся. — «Поселок Пушкино горбил Акуловой горою, а низ горы деревней был, кривился крыш корою...»

— Это там, где за деревнею дыра, куда уходит солнце? Тогда знаю. Я могу воспользоваться твоим телефоном?

— Как своим.

Грызлов набрал номер.

— Яков Алексеевич? Я с раскопок. Есть причина позаботиться о сохранности экспоната. Поселился он в Акуловке. Ярославская жэдэ. Станция Мамонтовка. Как бы его там неосторожно не повредили. Друзья из Азии. Вы меня поняли? Об остальном по приезде.

Два сотрудника ФСБ — капитан Лысенко и лейтенант Черных — приехали в Мамонтовку к полудню следующего дня. Отправляя их на задание, полковник Федорчук приказал как можно точнее определить, что представляет собой сестра Назарова, как долго она проживает в Московской области, где работает, на какие средства живет. Предстояло выяснить также, нет ли за Назаровым слежки. Для уточнения обстановки Федорчук повторил слова Грызлова: «Им могут интересоваться друзья из Азии». И уточнил:

— Нельзя допустить, чтобы с Назаровым что-то случилось.

Оперативники нашли дом, где жила сестра Назарова, зашли во двор. Поинтересовались, нельзя ли здесь снять дачу на лето. Оказалось, уже пять лет к хозяйке приезжает одна и та же семья, и ломать договора она не станет.

Попив воды, которую, как объяснила хозяйка, они приносят от родника, сотрудники вышли на улицу. Прошли ее от начала до конца.

Асфальтовая узкая лента была зажата между высоких дачных заборов. Самым удобным местом для засады на пути Назарова мог стать узкий, заросший травой аппендикс, сбегавший по склону к реке.

«Тулупов тупик» прочитал Лысенко надпись на металлической табличке.

Вскоре в поселке появились два таджика. Первым на них обратил внимание Черных, подтолкнул напарника локтем.

Таджики прошлись по дороге почти тем же маршрутом, что и оперативники, постояли возле дверей дома сестры Назарова, заглянули в Тулупов тупик.

— Что-то они мне не нравятся, — сказал Лысенко.

Когда таджики зашли в магазин, Черных потерся возле них, небрежно помахивая черной коробкой плейера. Портативный металлоискатель, заложенный в нее, выдал в наушники звуковые сигналы. Два ножа, два пистолета — так, руководствуясь опытом, определил вооруженность таджиков Черных.

— Пощупаем? — спросил Черных.

— Выждем, — сказал Лысенко. — Пусть проявятся.

Однако события развернулись иначе. Проявиться таджикам не удалось, хотя, что именно случилось, оперативным работникам проследить не удалось: они в это время находились в другой стороне, ожидали приезда Назарова из Москвы.

В сумерках оба таджика прошли в тупик, намереваясь там дождаться темноты и возвращения Назарова, который должен был обязательно пройти мимо. Вдруг послышался шум голосов. Таджики заволновались. Люди появились, откуда их не ждали: со стороны речки Учи. Там имелась тропинка, но тянулась она по склону и была неудобной. Без особой нужды, да еще в сумерки, по ней не ходили.

Сделав вид, будто остановились в тупичке справить нужду, таджики хотели пропустить двух парней, шедших снизу. Но все пошло по иному сценарию.

Первым к таджикам приблизился высокий рыжий качок.

— Слушайте, тюбетейки, — он вынул из кармана маленький черный револьвер, сунул указательный палец в скобу спускового крючка и пару раз прокрутил оружие, как вертушку. — Знаете, что это такое?

— Э, — сказал тот, что был постарше и повыше, — нам здесь теперь ходить нельзя, да?

— Ходить можно, но не вам двум.

Рыжий вдруг сжал крюк рукоятки револьвера в кулаке и направил ствол в грудь Высокого.

— Колян, обыщи его.

Улов оказался красноречивым: нож с узким, слегка искривленным лезвием и наборной костяной рукояткой, стрелялка одноразового действия, замаскированная под авторучку, и два запасных малокалиберных патрона к ней.

— Значит, гуляем? — спросил Рыжий язвительно. — Кто тебе это место для прогулок выбрал? Джабар?

Абдували понял, что русские пристали к ним не случайно, значит, изображать невинность нет смысла и лучше вести дело к мировой.

Напарник Абдували, Исломи Сурхабов, сдал оружие сам. У него в кармане оказался «макарыч», в другом — электрошокер.

Николай собрал оружие и бросил его в черный полиэтиленовый пакет. Рыжий, отступив от Абдували на два шага, убрал револьвер в карман.

— Мы не менты, — сказал он, — и положить вас здесь нам заказа не делали. Потому гуляйте дальше. Но только отсюда по дороге к станции. И гуляйте плавно, без резких движений. Я с первого раза не стреляю. А вот увижу во второй раз... Вы оба поняли?

— Совсем, — ответил Абдували.

Таджики, понурив головы, двинулись по дороге к железнодорожной станции.

Оперативники, ждавшие приезда Назарова, увидели таджиков на шоссе.

— Проверим? — спросил Черных.

— Стоит, — согласился Лысенко. Достал из кармана удостоверение. — Милиция. Прошу предъявить документы.

Они отвели задержанных в сторону от дороги. Обоих обыскали, ощупав каждый шов, вывернув все карманы. Оружия, даже перочинного ножа, у таджиков с собой не было.

— Как же ты так махнул? — спросил Лысенко у Черныха. — Говорил, они набиты металлом.

— У меня в наушниках так и пело...

— Ладно, — оборвал его Лысенко: прокол был явно виден. — Кончай спорить. У них, должно быть, яйца железные.

Он обернулся к таджикам:

— Что вы делали в Акуловке?

— Гуляли, гражданин начальник.

— Ночью?

— Днем гулять времени нет. Всегда ночью гуляем.

— Ладно, кончай лапшу на уши вешать. Вы кого поджидали?

— Никого. Уже уходить собирались, на нас налетели. Трам-тарарам. Прямо испугались очень.

— Смотрю, до сих пор дрожишь. Выходит, вы жертвы?

— Мы жертвы.

Лысенко прекрасно представлял бессмысленность разговора, который ему приходилось вести с задержанными таджиками. Если и вправду их кто-то подрядил заделать Назарова, то они подготовились к делу серьезно. При всем старании суду не докажешь, что появление ночью в подмосковном поселке людей, не живущих там, — преступление. Тем более у обоих задержанных есть справки о регистрации в Москве.

— Значит так, гражданин Рахимов. Признаваться вы не намерены?

— Ничего не совершал, — сказал таджик. — Аллах свидетель.

— Это серьезно, — согласился Лысенко. — И вот что, ребята, считайте — вам повезло. Я сегодня добрый. Вы знаете, что здесь рядом запретная зона водоканала? Нет? Очень плохо. Теперь считайте, что я вас предупредил. Понятно?

— Понятно, начальник.

— Если понятно, скажи, что лучше калым или Колыма?

— Начальник, у нас молодому мужику плохо и то и другое.

— Может быть, но Колыма все равно хуже. Теперь валите.

Сотрудники службы наружного наблюдения ФСБ начали следить за Андреем, едва тот вышел из здания министерства.

Он лишь на мгновение задержался на крыльце, быстро огляделся и через боковой проход в ограде вышел из сквера в Пыжевский переулок. Пройдя его, свернул налево на Старомонетный и дошел до станции метро «Полянка».

Шел спокойно, деловито, не осматривался, и вести его было нетрудно.

Доехав до «Боровицкой», Андрей перешел на «красную линию» и вышел на Ярославском вокзале. В кассе пригородных поездов взял билет до Пушкино. Сел в электричку, шедшую до Александрова.

Сопровождавшие, соблюдая дистанцию, последовали за ним.

Андрей вошел в вагон и огляделся. За грязными окнами тускло светились желтые огни вокзала. В электричке пахло мочой и кислой капустой. В проходе валялись блестящие обертки от мороженого, фантики от жвачек, под скамейкой лежала нестандартная бутылка из-под пива.

Выбрав скамейку почище, Андрей сел и огляделся. Народу было немного.

Динамик внутрипоездной связи захрипел и пробурчал нечто непонятное на особом железнодорожном языке. Единственное, что понял Андрей, были слова «Следующая станция...». Не назвав ее, динамик перестал хрипеть.

Электричка тронулась. Колеса застучали на стрелках, вагон замотало из стороны в сторону. Пивная бутылка выкатилась из-под скамейки и с грохотом покатилась по проходу.

Загремели тамбурные двери. В вагон вошли два парня, огляделись и сели на скамейках у самой двери, один лицом к Андрею, другой к нему спиной.

Электричка набрала скорость, ее мотало, вагон гремел так, будто собирался развалиться.

Андрей встал и вышел в тамбур. Он заметил, как тут же встали и направились к другому выходу двое парней. Что-то в этом не понравилось Андрею, но он отогнал сомнения, убеждая себя, что ночью идти все же лучше, если где-то рядом идут другие люди. Но особенно его успокоила мысль, что тот, кто собирается пощипать запоздавшего пассажира, наверняка будет встречать его на дороге, а не тянуться за ним в электричке.

Выйдя на станции из вагона, он прошел к торцу платформы, соскочил на землю, пересек два ряда рельсов и вышел на дорогу, которая вела в поселок.

Рядом со шлагбаумом он заметил «жигуленок», который стоял с работающим двигателем, но выключенными огнями. Когда Андрей поровнялся с машиной, она вдруг осветила дорогу фарами, сорвалась с места и понеслась в сторону Акуловки.

Андрей прошел к автобусной остановке, решив посмотреть расписание. В это время из-за кустов вышли двое. Темнота не позволяла разглядеть лиц, но, судя по фигурам, это были ребята крепкие.

Сердце тревожно сжалось.

— Мужик, закурить есть?

Типовая форма вопроса, позволяющего грабителям начать нападение при любом ответе, невзирая на то, вынет ли сигареты испуганный лох или откажет, сказав, что не курит.

Андрей легко прижался спиной к забору, вдоль которого шел. Отвел руку назад, пощупал штакетину, покачал. Нет, черт возьми, такую не оторвешь: старательный хозяин прибил планку гвоздями на совесть.

— Не курю.

Ответил и сам понял: от предчувствия опасности голос сел.

Мужики подходили к Андрею с двух сторон.

Так, решил Андрей, правого достану ногой под живот, руками за забор и перекидом на ту сторону. Ребра поцарапаю, но это позволит кое-что выиграть. Такого от него они явно не ожидают.

Тут один из поошедших зажег карманный фонарик.

Луч света мазнул по лицу Андрея, ослепил, заставил зажмуриться.

— Колян! Да это же брат Галины! Назаров.

— Точно, он. Андрей Иванович, да мы же утром к вам заходили. Соседи.

Мышцы ноги, готовившейся к удару, ослабели. Нервное напряжение спало.

— Что так поздно, ребята?

— Гуляли, у кореша в Пушкине. Поддали, а курева нет. Вы домой?

Они пошли вместе. Расстались у калитки дома Назаровой.

— Бывайте! — протянул Андрею руку Рыжий.

— Привет, — сказал Колян.

Когда калитка захлопнулась, Рыжий довольно хрюкнул:

— Порядок! По полсотни в карман мы положили.

Максуд сумел выполнить просьбу Кашкарбая.

Утром следующего дня полковник Федорчук подвел итоги наружного наблюдения за гражданином Узбекистана Назаровым. Он выслушал доклад старшего группы Лысенко, работавшего в Акуловке, и сообщение сотрудников, провожавших фигуранта в его путешествии по Москве и железной дороге. Слушая, делал заметки в рабочей тетради, помеченной грифом «Секретно» и хранившейся в сейфе без права выноса из стен управления.

Когда доклады были окончены, Федорчук заговорил сам:

— Итак, что мы имеем? Прежде всего выяснили, что Назаров именно тот, за кого себя выдает. Второе. Можно считать установленным, что таджики выхаживали именно его. А вот для чего, нам пока не ясно. И почему они вдруг разом все бросили, включая оружие и тут же ушли. Подать команду им никто не мог. У них не имелось ни рации, ни мобильника. Здесь что-то не вяжется...

— Может, у них оружия и не было? — спросил Грызлов, тихо сидевший в углу и ожидавший очереди для доклада.

— Вы меня совсем ни во что не ставите, — обиделся Черных.

— Ошибки у всех случаются, — смягчил формулировку Грызлов.

— Я не ошибался. Оружие у них было, — Черных стоял на своем упрямо.

— Все, кончили спорить, — сказал Федорчук. — Примем за основу. Оружие было. Тогда выйдет, что они заметили сопровождение.

— Нет, — возразил Лысенко. — Дело в чем-то другом.

— Не станем гадать, — поставил Федорчук точку в дискуссии. — Ясно одно, Назарова надо подстраховать.

Новая пара наружников — прапорщики Никонов и Сурков — приняли Назарова, когда он садился в электричку на станции Мамонтовка. То, что за их подопечным следят, они заметили уже в метро.

— Заметил? — спросил Сурков напарника по рации.

— Да, — сказал Никонов. — Он тянется за нашим фигурантом от электрички.

Сурков подошел к схеме метро и, делая вид, будто пытается в ней разобраться, стал разглядывать человека, стоявшего возле аптечного киоска.

Азиатская внешность. Скорее всего узбек. Мужественное энергичное лицо. Красивый профиль. Между сорока и сорока пятью годами. Спортивное телосложение. Рост около метра восьмидесяти. Костюм европейский, из хорошей серой ткани. Рубашка белая без галстука, ворот расстегнут. Волосы черные, стрижка короткая. Дорогие ботинки на тонкой кожаной подошве. Глаза спрятаны за черными очками...

Хвост отвязался от Назарова, когда тот вошел в Минатом.

— Срисовал? — спросил Никонов через плечо Суркова.

— Будет возможность, сделай снимок. Надо проверить по фототеке и показать шефу.

— Понял. Теперь веди его, — Никонов подтолкнул коллегу.

Помахивая свернутой в трубку газетой, Сурков неторопливо двинулся вслед за узбеком.

Тот шел, не осматриваясь, не проявляя ни беспокойства, ни торопливости. Его фигура, выделявшаяся в толпе спешащих москвичей, излучала уверенность и спокойствие.

Войдя в вагон, двигавшийся в сторону Центра, узбек отошел от двери, взялся за поручень и, не вступая ни с кем в контакт, доехал до «Театральной», перешел на станцию «Охотный ряд». Причем двинулся не по подземному коридору, по которому проходит большинство пассажиров, а по эскалатору, ведущему к выходу на Большую Дмитровку. Так перейти со станции на станцию мог только человек, отлично знавший Москву.

На «Чистых прудах» узбек вышел в город. Перейдя улицу, вошел в офис агентства «Эйр Казахстан».

Сурков остался на противоположной стороне, купил мороженое и, встав за стеной торгового павильона, взял под наблюдение вход в агентство.

Узбек провел там ровно десять минут. Выйдя из здания, повернул налево и пошел по тротуару.

Сурков, хорошо знавший Чистые пруды, двинулся по левой стороне бульвара.

Узбек дошел до гостиницы посольства Казахстана. Постоял у щита с обменными курсами доллара, казахского теньге на рубли, потом решительно вошел в подъезд и скрылся в нем.

Сурков немного подождал, затем пересек трамвайные пути и вошел в гостиницу. Огляделся, подошел к обменному пункту, расположенному в глубокой нише. Два казаха стояли у окна, обменивая теньге на рубли.

В вестибюле узбека не было. Он либо проживал в гостинице, либо зашел к кому-то в гости.

Сурков вернулся на бульвар и стал ждать. Через час его сменил Никонов.

Узбек вышел из гостиницы в половине пятого. Спустился в метро и проехал до «Третьяковской», двинулся пешком по Большой Ордынке в сторону Садового кольца, свернул в Погорельский переулок. Никонов проводил его до самых дверей посольства Узбекистана.

Через полчаса объект вышел оттуда вместе с высоким, элегантно одетым соотечественником. По фотографии его спутника-узбека опознали как первого секретаря посольства. Они сели в машину и уехали на улицу Удальцова, где проживал дипломат.

На другой день, выслушав доклад о результатах работы наружников, полковник Федорчук приказал снять наблюдение за узбеком.

— Уйдем от греха подальше, — объяснил он свое решение. — Следить за посольством, а фигурант там явно принят, мы без санкции прокурора не можем. А прокурор без совета с... — указательный палец полковника нацелился в потолок. — Короче, санкции нам не дадут. — Полковник развел руками. — Суверенитет-с, господа! Вот так! А о том, что Назарова надо взять под охрану, я доложу по команде.

После наружников Федорчук принял Грызлова, который подготовил справку на гражданина Узбекистана Назарова.

Федорчук прочитал справку. Снял очки. Положил их на стол. Потер большим пальцем правой руки брови. С возрастом они стали бурно куститься, и волоски лезли в глаза.

— Так...

Грызлов напрягся.

— Так, Грызлов. Подал ты мне не справку, а авоську, набитую фактами, подвернувшимися под руку. Между тем сколько вас учить? Справка должна выстраиваться так, чтобы укреплять определенную позицию. Нашу с тобой позицию, между прочим. Значит, в любом случае эта бумажка должна служить щитом для тех, кто ее составлял. Ты, Грызлов, просеки одно — и прими без обиды. То, что ты подготовил — это подтирка. Возьми и сам сомни, чтобы мне не тратить силы.

— Яков Алексеевич, — Грызлов обиженно взял листок, но мять его не стал. — Подскажите, что делать?

— Подскажу.

— Спасибо, Яков Алексеевич.

— Потом скажешь. А сейчас от тебя чего требуют? Справку. Ответь, для чего?

— Чтобы составить впечатление о человеке.

— Какое впечатление?

— Объективное, как я понимаю.

— Грызлов, что значит объективное впечатление? Ты можешь объяснить?

— Объективное, значит все как есть.

— Ты уверен, что кто-то всерьез интересуется тем, что есть на самом деле? Давай проиграем ситуацию. Кто этот Назаров? Первое, на что надо обратить внимание — он свалился на Москву как хрен с бугра. Зачем? С какой целью? Мы не знаем. И тут на него требуют объективку. Для нас с тобой — он темная лошадка. Приехал в столицу и сразу в Минатом. Зачем? Ты бы пошел туда? Думаю, нет. Значит, те, кому надо, хотят знать, что это за гусь — Назаров. Что он выложил Аркатову? Вопрос. Аркатов зашевелился, зашелестел. Значит, нечто серьезное. Информация пошла наверх. Объективку потребовали в Совет безопасности. По нашей бумажке там будут решать, верить Назарову или не верить. Теперь допустим, что все его сообщения окажутся туфтой. Провокацией.

— Так точно.

— Значит, и исходи из этого. Ты представитель федеральной службы безопасности. Так? Выходит, должен постоянно каждым словом напоминать всем, что опасность для государства существовала и существует. Если мы забудем об этом напоминать, то окажемся никому не нужными.

— Это понятно.

— Вот и находи такие слова, чтобы они настораживали. Ты сам отыскал в туркменских газетах сообщение, что три бандита, братья Мурад и Дурды Джумабаевы и Андрей Назаров, которые организовали побег из тюрьмы, в результате спецоперации были настигнуты в Каракумах и уничтожены. А Назаров на самом деле жив, хотя там, в Туркмении, стрелял. Так?

— Стрелял.

— Вот и пиши: «Социально опасен. Связан с преступными группировками. Прекрасно владеет оружием, пускает его в ход, не задумываясь».

— Но мы же не знаем, может, он задумывался?

— Грызлов, я кую из тебя чекиста, а тебя бросает в адвокаты.

— Нет, Яков Алексеевич, что вы.

— То-то. Теперь скажи, ты когда-нибудь в боевой обстановке стрелял после серьезных раздумий?

Грызлов в силу небольшого стажа в боевой обстановке еще не бывал, но напоминать об этом начальнику не счел нужным. Ответил коротко:

— Нет, не стрелял.

— Верно. Потому что в бою палят без раздумий. Это Госдума любит треп. Бой любит выстрелы. Теперь подумай, что держит тебя написать: «стреляет, не задумываясь»?

— Да ничего, собственно.

— Вот и пиши. Так, чтобы в случае чего мы могли сказать: для нас этот Назаров лошадка темная, о чем вам и доложено.

— Понял, сделаю.

Справку Грызлов переписал, и Федорчук отправился с ней к генералу Травину. Пока генерал знакомился с документом, Федорчук с тяжелым вздохом сказал:

— Если честно, Иван Артемьевич, не нравится мне этот тип. Надо бы сделать, чтобы он не встречался с членами правительства.

— У тебя что-то есть на него, кроме этой филькиной грамоты? — Травин потряс справкой.

— Достоверного не так много, но и то малое, что есть, настораживает. Он работал в Туркмении.

— Был связан со спецслужбами?

— Нет, не был. По характеру анархист. Бежал из зиндана. Увел с собой двух туркменских головорезов. Или они его увели с собой, точных сведений нет. Но нам лучше держаться того, что организатор побега он. Их пытались перехватить, но они разметали погоню и ушли в Узбекистан. Правда, официально Ашгабад поддерживает версию, что беглецов загнали в угол и ликвидировали. Хотя позже их видели в Бухаре, затем они растворились. И вот он в Москве. Кто даст гарантию, что у него на уме?

— Темная лошадка, ты хочешь сказать?

— Не буду грешить, но я люблю о тех, кем интересуюсь, знать все.

— Вот что, Федорчук, наше с тобой дело телячье. Подсказывать руководству решение мы еще можем, но если оно принято, надо выполнять. Справка дает ясное представление о человеке, вот и пусть решают, как быть с Назаровым те, кому это положено...

Кашкарбай во второй раз побывал на Ленинградском рынке и встретился с Максудом. Тот сообщил, что его люди пресекли попытку двух таджиков встретиться в Назаровым в поселке, где проживает его сестра. Исполнителям пришлось заплатить по сотне баксов.

Поблагодарив Максуда, Кашкарбай сверх ранее отданных трех сотен, вручил еще две.

Они попрощались, и Кашкарбай поехал в гостиницу «Восток», где, по его сведениям, остановился Абдужабар Хакимов. Они встретились в прокуренном и пропахшем чесноком двухместном номере. По обычаю вежливо поздоровались, хотя друг с другом до этого не встречались.

— Что привело вас к нам? — спросил Абдужабар после обмена приветствиями.

— В данном случае, господин Хакимов, я посланник. Обычное письмо от людей, которые стараются удержать вас от больших и неприятных ошибок.

— Похоже, ты меня хочешь испугать?

— Я ничего не хочу. Мое дело передать, что советуют вам те, кто послал меня сюда.

— А если я пошлю и тебя, и людей, которых ты представляешь, подальше, чем они есть сейчас?

Кашкарбай скривил губы в ехидной улыбке:

— Твое пузо, Абдужабар, надутое как воздушный шар, очень нежная штука. Если шар проткнуть, ты станешь в два раза меньше размером, и амбиции твои сразу исчезнут. Так что давай говорить, будто твое брюхо уже сдулось...

Абдужабар, слушая Кашкарбая, медленно наливался красным цветом. Причем происходило это не сразу, а постепенно. Поначалу запламенели щеки, потом красными пятнами подернулся лоб, над черными густыми бровями легли багровые полосы, будто кто-то содрал в этом месте кожу узкими ленточками. Наконец, свекольная фиолетовость залила шею, и Кашкарбаю стало ясно — резервы красноты исчерпаны. Значит, Абдужабар заведен до предела.

Два худых жилистых головореза, с собачьей готовностью по сигналу хозяина готовые броситься на чужака, сидели в напряженных позах, отодвинув стулья от стола, чтобы было легче вскочить с них.

— Слушай, Кашкарбай, или как там тебя зовут на самом деле, — Абдужабар говорил, сопровождая рождение каждого слова тяжелым пыхтением, — тебя еще не зарезали, потому что ты узбек. Был бы русский, тебя бы уже везли в Склиф. Сам в одном мешке, кишки — в другом.

Довольный собственной остротой, Абдужабар сипло рассмеялся. Расцвели кривыми улыбками лица его подручных.

— Как интересно, — сказал Кашкарбай, — но давай договоримся так. Мне нужно пять минут, чтобы все объяснить тебе. — Он отщелкнул зажим, ослабил цепочку часов, снял их с руки и положил на стол. Посмотрел на головорезов. — Следите за стрелками, батыры. Когда большая дойдет сюда, можете меня резать. Я разрешаю.

Абдужабар после мощного прилива крови старался как следует отдышаться. Попыхтев и посопев, предложил:

— Говори. Пять минут мы потерпим.

— Положи руку на стол, — предложил Кашкарбай. — Да не бойся ты!

— Испугал! — презрительно просипел Абдужабар и плюхнул на белую скатерть левую руку с пальцами, как фирменные сардельки. — И что?

Кашкарбай положил поверх ладони Абдужабара свою и повернулся к одному из подкаблучников наркобарона:

— Косой, пришпиль своим ножичком наши обе руки к столу. Чтобы разговор шел на равных.

Головорез обалдело посмотрел на босса. А тот резко выдернул свою руку из-под ладони Кашкарбая.

— Ты что, ненормальный? — спросил он. Но даже его тупым защитникам стало ясно, что хозяин сплоховал. Они ничем не выдали этого понимания, хотя Абдужабар уже знал, что слух о его испуге теперь пойдет гулять среди своих. Чтобы показать, будто сохранил самообладание, позволил: — Говори, время уходит. И подвинул часы к себе.

— Ты знаешь, кто такой Джумабой Намангани?

Для большинства жителей России имя Намангани мало о чем говорит, но для узбека оно наполнено такой же информацией, как для нас имена Басаева и Хаттаба. Руководитель подпольной исламистской организации, объявивший смыслом своей жизни уничтожение светского государства Узбекистана с целью превращения его в страну, где правят законы шариата, организатор террористических актов, взрывов, убийств, а также распространения наркотиков, стал личностью широко известной в народе.

Поэтому Кашкарбай, обратившись в разговоре с Хакимовым к имени Намангани, взывал отнюдь не к благородным чувствам собеседника, а давил на естественный для любого человека инстинкт самосохранения. И делал это с точным расчетом.

— Так вот, дорогой Джабар, не делай вид, будто никогда не слыхал имени Джумабоя. Если забыл, спроси своих подлипал. Они-то в курсе. Теперь постарайся понять, что я только язык этого человека, — Кашкарбай открыл рот, высунул язык и поболтал им: — Ла-ла, ла-ла. А слова сочинил Намангани. Он приказал передать тебе: если этот хурджин дерьма Джабар не понимает устных предупреждений, я положу конец его делу на три поколения вперед. Вот, — Кашкарбай вынул из кармана мобильник. — Набери номер. Я скажу какой. Он московский. И скажи: «Я, Абдужабар Хакимов, плевал на все, что мне тут говорит узбек из Ферганы». Потом отключись, и мы подождем двадцать минут. Этого хватит, чтобы передать тебе сообщение. Я даже знаю, какое. Новости будут печальные. Первая — твой сын Ибрай утонет в Аксае. Вторая — твой внук Тимур споткнется, упадет и проткнет пузо ножом. После этого мы продолжим разговор, и я постараюсь убедить тебя исполнить наши просьбы. Да, у тебя есть еще сыновья Азамат, Пулат и кто там еще?

Оба головореза заметно сникли. Они знали, что узбек не будет шутить с именем Намангани. Это не тот случай, когда можно блефовать авторитетом главы исламских террористов, а раз так, то хозяину лучше уступить в таком пустяковом деле, когда на карту поставлена не только собственная жизнь, но и жизнь членов большой семьи. Исламисты не пощадят никого.

Абдужабар, должно быть, понял, почему сникли охранники, и это окончательно сломило его.

— Уйдите! — приказал он и махнул рукой. — Мы договорим сами.

Кашкарбай проводил их взглядом и сказал:

— С тебя ничего не требуют, кроме одного. Ты оставишь этого русского, на которого взъелся за потерянный товар.

— Мне груз дорого стоил.

— Кто-то хотел русского подставить. Так? Ты чью-то просьбу выполнил. Между тем, Абдужабар, подставляли нашего человека. Не удалось. Значит, пойди, умойся холодной водой, остынь и забудь. Ты его никогда не видел, никогда не знал.

— Из-за него повязали двух моих людей. Ваш человек, похоже, связан с ментами.

— Не говори глупостей. Ты послал в русский поселок двух безмозглых таджиков. Они весь день ходили там, примерялись, где лучше порвать жилу жизни русскому. Казалось, такое место они нашли. Но у людей есть глаза. Они решили, что твои аджиры-наемники собираются обворовать чей-то дом, и позвонили в милицию. Судьба, достойная дураков.

Зайцев ловит собака,
зайчатину ест хозяин

— Роман Андреевич, — президент России наморщил лоб, о чем-то размышляя, и посмотрел на полковника Краснова, — по-моему, завтра с утра у меня поездка в «Коммунарку»?

— Так точно. Отменить?

— Нет, наоборот.

— Справка по хозяйству для вас готова. Закрытое акционерное общество племенной завод «Коммунарка». Пресса в курсе.

— Давайте, я просмотрю. А вы отодвиньте все, что у меня после посещения племзавода. Я проеду в лес.

Краснов понимающе склонил голову.

Военная тайна в нашей стране всегда была и все еще остается самой страшной из всех существующих тайн. Ее берегут, за ее разглашение карают, хотя речь часто идет о вещах, известных всем и каждому.

В давние годы, когда по укромным уголкам великой державы расселялись гарнизоны ракетных войск стратегического назначения, по делам служебным, в те времена еще лейтенант, Краснов приехал на Украину к ракетчикам. От Харькова на автобусе доехал до шикарно выполненного в бетоне географического знака «СУМСКАЯ ОБЛАСТЬ». Предстояло ехать дальше. И вот едва автобус миновал торжественный знак, как весь дальнейший путь машину мотало из стороны в сторону, валяя по рытвинам и промоинам. Всю денежку, отпущенную на дорожные нужды, сумские власти всадили в создание грандиозного знака. На щебенку, чтобы засыпать ямищи, средств не хватило.

В небольшом городке приезжий встретил на улице

военного — майора — пристукнул каблуками, приложил руку к козырьку фуражки и спросил, как пройти к ракетчикам. Глаза майора превратились в мутные плошки. Разве он, давший присягу бдительно хранить военную тайну, мог сказать какому-то лейтенанту, как пройти к ракетному гарнизону? Ответил майор сурово, но в то же время предельно вежливо:

— Прошу прощения, в данном вопросе компетентной информацией не располагаю.

Служака отчаянно бдел.

Через две минуты навстречу Краснову попалась бабулька-одуванчик лет восьмидесяти пяти с личиком как печеное яблочко, с глазами острыми и живыми. Спросить ее о ракетчиках напрямую приезжий не посмел. Сформулировал вопрос иначе:

— Бабуля, как тут пройти к военным?

— А тебе какие нужны? — спросила бесхитростная старушка. — У нас они тут под кажным кустом сидят. Так кого тебе? Ракетчиков? Летчиков? Або еще кого?

Выдавать старушке страшной тайны Краснов не стал.

— Мне бы летчиков...

— Тогда иди прямо по цему шляху до леса. Раньше там мы грибы и ягоды собирали. Теперь все ракетчики затоптали. И цепом окружили. Перед лесом дорога направо. Туда не ходи. Там они склад атомных бомбов содержат. Охрана лютует! Иди зараз налево и попадешь к летчикам...

Страшная военная тайна осталась тайной, а Краснов узнал дорогу к нужному месту.

Когда в Москве решили строить комплекс зданий внешней разведки — советский вариант американского Лэнгли, то выбрали для строительства место на юге за чертой города — за Кольцевой дорогой, в Бутовском лесу, за гнилой речушкой Битцей.

Первым делом от внешнего полотна Московской кольцевой дороги отвели на юг хилую линию бетонки и поставили на перекрестке воспрещающий знак — «кирпич». По науке он называется знаком «Въезд запрещен». Так во всяком случае назвали круг с красным прямоугольником в середине умные дяди, сочиняющие для автомобилистов запреты и ограничения. Но на самом деле «кирпич» является знаком, стимулирующим у людей раздражение и любопытство.

Какой русский не любит быстрой езды? Хотя об этом уже все сказано. Поставим вопрос иначе. Какой русский не проявит любопытства, если в местах, где он ездил-переездил, вдруг появился «кирпич»?

И вскоре многие знали в чем дело, хотя офицеры разведки продолжали именовать свое убежище «лесом». По привычке это слово употребил и президент.

Полковник Краснов хорошо знал об особых чувствах президента к службе внешней разведки. Тот разбирался в тонкостях этого предмета куда свободнее, чем в экономике и военном деле и даже дипломатии, и потому с особым вниманием следил за тем, как и чем живет эта спецслужба.

Человечество испытывает постоянную необходимость в информации.

Весной простой крестьянин должен точно знать, готова ли почва к посеву картофеля. Положишь клубни в землю слишком рано — вымерзнут, загниют, и не будет в нужное время той, что варят в мундире, пекут на углях, жарят на сковородках. Или другой вопрос, волнующий любителей собирать дары природы: пошли ли в лесу грибы? А если пошли, то в каком направлении, в каких рощах и перелесках перехватывать их с кузовками?

Больше знать хочется каждому. Удовлетворенное любопытство насыщает кровь обывателя очередной дозой адреналина и обеспечивает ему блаженно-волнительное состояние обладателя новостей. Вот, глядишь, появилось в газетке сообщение, что престарелая актрисулька судится с дочерью из-за квартиры умершей бабки. Какая радость! Не только мы, обитатели коммунальных квартир, рвем друг другу глотки за клочок недвижимости. Наши кумиры тоже! Кайф!

Но все это пустяки житейского уровня по сравнению с тем, сколь важна информация сильным мира сего, причем точная, достоверная, самая свежая, строго проверенная. Чтобы правильно и взаимовыгодно провести очередную встречу на высшем уровне с главой иностранной державы, нужно знать все о его стране, о его собственных взглядах на жизнь, даже на выпивон и на баб, о вкусах и пристрастиях до самых малых. Знать, чтобы случайно не назначить время беседы на час, когда высокий гость, раздавив бутылёк, предпочитает поспать в своем самолете.

Вот почему служба разведки — одно из решающих звеньев государственного устройства. Она была, есть и будет до тех пор, пока существуют государства.

Говорят, на Ялтинской конференции в сорок пятом году прошлого века в Ливадийском дворце (который до революции принадлежал российскому императору Николаю Второму Романову) за круглым столом сидели Иосиф Сталин, Франклин Делано Рузвельт и Уинстон Черчилль. Сидели и обсуждали судьбы мира после разгрома гитлеровской Германии. В один из моментов беседы Рузвельт что-то написал на клочке бумажки, свернул ее и передал Черчиллю. Тот прочитал, на том же клочке написал ответ и вернул Рузвельту.

У великого Сталина заныли зубы. Два могущественных союзника по антигитлеровской коалиции на глазах повелителя одной шестой части суши вступили в сепаратные переговоры. О чем?!

Во время перерыва Сталин отозвал в сторону Берию:

— Узнать! Немедленно узнать, что против нас замышляют акулы империализма! Иначе!

Берия знал, что означает «иначе». Не узнаешь — великий Сталин будет плохо спать ночью. А когда он плохо спит ночью, то вспоминает о тех, кого еще не успел стереть в порошок.

К счастью, все обошлось. Еще до конца обеда злополучный клочок бумаги лежал перед Сталиным. С одной его стороны почерком Рузвельта было написано: «Сэр, взгляните, у вас расстегнулась ширинка». На другой стороне Черчилль дал ответ: «Сэр, не волнуйтесь! Старый орел гнезда не покинет».

Заговора империалистов не было обнаружено. Сталин на всякий случай проверил свою ширинку. Она оказалась застегнутой наглухо. Это порадовало. Ночью он спал спокойно.

— Я все сделаю, Владимир Васильевич, — Краснов знал трепетность отношений шефа к внешней разведке.

— Только предупредите Котова — никаких церемоний. Я по делу.

В назначенный час, с помощью охраны и дорожно-постовой службы оторвавшись от журналистов, президент оказался в «лесу», в местах, где прежде бывал часто.

Начальник Службы внешней разведки России генерал-полковник Котов принял президента в своем кабинете и, зная о чем пойдет речь, постарался предупредить возможные упреки:

— Владимир Васильевич, сведения о группировке «Пламя джихада», которыми мы располагаем, достаточно скудны. Эта организация возникла сравнительно недавно, глубоко законспирирована и в активных акциях против России себя пока не проявляла.

В разговор вмешался секретарь Совета безопасности Петров, который приехал в лес раньше президента и там ожидал его прибытия. Он язвительно спросил Котова:

— Значит, вы, Иван Константинович, считаете, что подготовку акции, назовем ее «Портфель», которую готовит «Пламя джихада», можно не относить к серьезным?

Петров прекрасно понимал, что имел в виду Котов, но по привычке считал, что плох начальник, который не сумеет подколоть подчиненного при докладе.

— Нет, конечно, это сигнал очень серьезный, и разобраться с ним надо очень внимательно.

— Хорошо, не спорьте, — сказал президент примиряюще. — Я просмотрю справку, потом поговорим.

ИСЛАМИСТСКАЯ БОЕВАЯ ОРГАНИЗАЦИЯ (ИБО) «ПЛАМЯ ДЖИХАДА»

ИБО «Пламя джихада» построена на исламизме — идеологии и практической деятельности религиозных экстре-

мистов, направленных на создание условий, в которых любые проблемы государств, на территории которых наличествуют мусульмане, должны решаться исключительно с использованием норм, прописанных в шариате, то есть положений, выведенных из Корана и Сунны.

Стратегическая цель организации: в XXI веке объединить 50 государств мира в единый Исламский халифат с центром в Саудовской Аравии.

Организация располагает колоссальными средствами, которые идут на ведение глобальной дестабилизирующей деятельности.

По приблизительным расчетам, в Саудовской Аравии и Иране с 70-х годов прошлого века накоплено свыше 8 триллионов долларов избыточного капитала, не принимающего участия в производственной деятельности. Активы ИБО «Пламя джихада» оцениваются не менее чем в полтора триллиона долларов.

Тактика исламизма основана на медленном создании плацдармов в зонах ослабленного государственного контроля за национальными движениями. По мере возможностей делаются попытки слияния таких зон в пояса, контролирующиеся исламскими боевыми организациями. Примером могут стать включенные в зону исламизма территории Боснии и Герцеговины, а также Косово. При этом обе акции были осуществлены при попустительстве, более того, при активном содействии христианских стран Европейского союза, которые до сих пор не осознают происходящих на территории Европы перемен и их угрозы.

По подтвержденным данным, уже в 1999 году под влиянием исламистской боевой чеченской организации, которую поддерживает ИБО «Пламя джихада», Панкисское ущелье Грузии объявлено местными чеченцами-кистинцами «самоуправляющейся исламской территорией».

Хорошо известна попытка создания подобной зоны на территории России в Дагестане (Кадарская зона) и менее известна — в Мордовии. Спецслужбы зафиксировали попытки создания подпольных очагов исламистов для постепенного превращения их в плацдармы в Киргизии (Баткенская зона), в Казахстане, Узбекистане и Таджикистане.

Вообще Центральная Азия рассматривается исламистами как одна из составляющих частей халифата. Наибольшее влияние в Средней Азии идеологи радикального ислама оказывают через вооруженную оппозиционную группировку Исламского движения Узбекистана (ИДУ). Базовые структуры этого движения сформировались в начале 90-х годов в городе Намангане Ферганской области по опыту иранского «Корпуса стражей исламской революции». В состав движения после тщательной проверки вошли активисты разрозненных исламистских кружков и обществ, запрещенных властями. Долгие годы подполья приучили исламистов к жесткой дисциплине: члены организации разбиты на пятерки, и люди из разных групп, даже родственники, нередко не знают об этом.

Финансовую помощь ИДУ оказывают зарубежные спонсоры, в частности такие турецкие организации пантюркистской ориентации, как «Милли герюш вакфы» и «Средневосточный тюркский союз». Мощные вливания в подпольную деятельность ИДУ осуществляют пакистанская организация «Джамат-е ислами», общество «Котор», фонды «Их ван-аль муслимин», «Хизби-ут Тахрираль ислами» и другие. Особо стоит отметить финансовые потоки, направляемые ИДУ известным исламистским террористом Усамой бен Ладеном.

После совершения террористических актов в Ташкенте и других местах спецслужбы Узбекистана провели аресты активистов ИДУ. Над исполнителями терактов состоялся суд. Однако руководители ИДУ — Тахир Юлдашев, Джумабой Хожиев (Намангани) и Салай Мадаминов (Мухаммад Салих) сумели скрыться. Двое первых в настоящее время находятся в Афганистане, последний по приглашению норвежского парламента проживает в Осло.

Постоянным руководителем организации «Пламя джихада» в настоящее время является Шейх сейид Джамал ибн Масрак 1960 года рождения. Выходец из семьи саудовских миллионеров. Окончил московский Университет дружбы народов. Прошел годичное военное обучение в Пешаваре (Пакистан). Яростный сторонник агрессивного распространения исламизма. Не раз высказывал мысль о необходимости использования ядерного оружия против Израиля...»

Президент отложил справку. Спросил Петрова:

— Ты читал?

— Да, конечно.

— Что скажешь?

— Ситуация экстремальная. Если исламисты доберутся до ядерного устройства, хорошего будет мало.

— Хорошо, еще один вопрос. Как считаешь, откуда могла пойти утечка?

— Минатом исключен, — сказал Петров. — Публично первую посылку о «ядерных чемоданчиках» в прессу забросил наш генерал — герой Хасавюрта. Он использует любую возможность, чтобы показать свою осведомленность. Пресса пошумела, но недолго. Казалось, сплетня исчерпана. Тем не менее мы видим, интерес к проблеме ушел вглубь.

— Как им удалось выйти на конкретное место?

Котов сдвинул брови:

— Владимир Васильевич, не в оправдание будет сказано. Для шейха ибн Масрака, личное состояние которого превышает наш государственный бюджет в три или четыре раза, купить любой секрет не составляет трудности. Особенно если учесть, что район испытаний располагается в зоне умеренного, но все же мусульманского влияния.

Совещание с силовиками длилось более двух часов. Из «леса» президент уехал в мрачном настроении и всю дорогу молчал. Вернувшись в Кремль, первым делом вызвал Краснова.

Тот возник в дверях бесшумной тенью с выражением подчеркнутой сосредоточенности на лице.

— Слушаю, Владимир Васильевич.

— Пригласите ко мне на утро министра иностранных дел. Чтобы он не откладывал назначенных встреч, буду ждать его в семь часов.

— Есть.

— К этому же времени пригласите начальника Генерального штаба.

— Есть.

На следующий день в назначенное время в Кремль прибыли Орлов и генерал Кашлев.

Поздоровавшись с прибывшими за руку, президент сразу взял быка за рога.

— Пригласить вас меня вынудили обстоятельства чрезвычайные и крайне деликатные. Посылка на первый взгляд простая. После распада Советского Союза на территории одной из ныне самостоятельных республик в специальном хранилище, о наличии которого местные власти не информированы, осталась очень важная и крайне дорогая, ко всему прочему чрезвычайно опасная собственность, которая по праву принадлежит России.

Участники совещания сосредоточенно молчали. Было заметно, что они стараются не встречаться друг с другом и с президентом взглядами. Каждый из них дорожил своим положением, всегда тщательно просчитывал поведение, чтобы необдуманным словом, движением или уж тем более действием не вызвать недовольства шефа.

Президент говорил спокойно. Он тщательно подбирал слова и выражения, не проявляя видимых эмоций.

— Долгое время в силу разного рода причин, а в основном из-за безответственности и беспечности, мы не предпринимали никаких шагов для возвращения принадлежащей нашему государству собственности. Хотя на первом этапе государственного развода это можно было сделать в рамках договорно-правовых процессов. Теперь из-за сроков давности и после появления в суверенных республиках собственных юридических норм и законов официальные претензии на возвращение нашего имущества весьма призрачны. Короче, собственность перестала быть российской...

Никто из участников совещания не знал, о чем идет речь, но коль скоро президент собрал их на чрезвычайное совещание, речь шла не о пустяке. Поэтому последние слова о потере права на собственность были встречены тяжелым вздохом.

— Вопросы есть? — спросил президент.

— На чьей территории находится хранилище? — министр иностранных дел Орлов подал голос первым. — Украина? Грузия?

— В данный момент, Алексей Яковлевич, это не имеет значения. Мы должны рассмотреть ситуацию в безличном варианте. Уверяю вас, что когда те, с кем, возможно, придется вести переговоры, узнают, о чем идет речь, они заставят нас заплатить цену, во много раз превышающую стоимость имущества. Уплатить за право забрать его вопреки местным законам. Но еще хуже, если нам откажут в таком праве... Поэтому мы должны рассмотреть два возможных варианта. Один — чисто военный, силовой. Второй — тоже силовой, но с проведением специальной секретной операции. Есть ли у нас для подобных действий основания с точки зрения международного права? Что скажете, Алексей Яковлевич?

Орлов поудобнее сел, кашлянул, прочищая горло:

— Открытое вторжение вооруженного подразделения и захват территории сопредельного, подчеркиваю, дружеского государства, хотя бы и временный, будет рассматриваться мировой общественностью как военная провокация и повод для начала войны. Никакие доводы нашей стороны в расчет приниматься не будут. В Европе, Америке, в странах Азии поднимется волна стихийных протестов. Все усилия нашей дипломатии по расширению торговых отношений со странами третьего мира сойдут на нет. Руководство Соединенных Штатов получит мощный козырь для укрепления союза НАТО. Наконец, СНГ перестанет быть организацией доверия и взаимопомощи...

Орлов аккуратно подвинул к себе свою красную папку, которую за все время так и не открыл, и положил на нее ладони.

— Во всяком случае, Владимир Васильевич, я не вижу таких ценностей, ради возвращения которых стоило бы рушить здание мирового содружества в двадцать первом веке.

— Спасибо, — президент посмотрел на Орлова и благожелательно кивнул ему. — И все же, Алексей Яковлевич, уверяю вас, такая ценность существует. В данном случае речь идет о мощном ядерном заряде, который остался после срыва испытаний и может попасть в чужие руки. Я бы не стал собирать вас и советоваться с вами, если бы не боялся, что даже без нашего вмешательства в это дело здание мирового сотрудничества может быть разрушено безжалостно и злонамеренно. О существовании и месте нахождения устройства знают исламистские террористы.

— Простите, Владимир Васильевич, но если это произойдет помимо нашей воли, юридическая ответственность ляжет на других, не на нас...

— Алексей Яковлевич, уйдем от юридических оправданий. Скажите, если наше устройство взорвется в каком-либо из городов Европы, а скорее всего где-то в Израиле, вы сможете до конца жизни спокойно спать?

Орлов промолчал.

— Что скажете вы, Евгений Иванович? — президент обратился к начальнику Генштаба.

— Если говорить об открытой военной операции, то прецеденты такого рода известны, — генерал выдержал паузу, чтобы следующие слова прозвучали более весомо. — Много лет назад США провели внезапный рейд своих войск на территорию Ирака для уничтожения химического арсенала в Хамишейхе. Хранилище, в котором находилось большое количество боеприпасов, начиненных нервно-паралитическими газами зарином и циклозарином, было взорвано.

Президент многозначительно посмотрел на Орлова.

— Все так, Владимир Васильевич, — поняв его взгляд, подтвердил Орлов. — Вот только Пентагон до сих пор не может отмыться от содеянного. В ходе операции ее участники подверглись воздействию ядовитых веществ.

— Есть и другие прецеденты, — вдруг заупрямился Кашлев. — В апреле семьдесят девятого года французы должны были поставить Ираку оборудование ядерного реактора для производства расщепляющихся материалов в военных целях. Для отправки получателю сборку доставили во французский порт Сиен-сюр-Мер. С целью ликвидации реактора «Моссад» направила во Францию спецгруппу из девяти человек. Они взорвали реактор прямо на погрузочной площадке. В июне восемьдесят первого года четырнадцать израильских самолетов F-16, обойдя систему ПВО Иордании, вошли в воздушное пространство Ирака и нанесли удар по ядерному центру под Багдадом. Был полностью уничтожен реактор «Озирак» французского производства, аналогичный тому, что подорвали в Сиен-сюр-Мер. Так что, Алексей Яковлевич, прецеденты существуют.

— Хорошо, на этом закончим, — сказал президент. — Я услышал ваше мнение — это главное. Сегодня мы вряд ли сможем что-то решить. Поэтому я даю вам сутки на размышление. Генеральный штаб на всякий случай проработает план мобильной и скрытой операции. Инделовцы пусть подумают над тем, как обосновать международными нормами наши действия.

К восьми вечера следующего дня Кашлев привез в Кремль разработанный в Главном оперативном управлении план военной операции с десантированием и захватом участка местности в глубине территории иностранного государства.

Опытный политик, Кашлев, чтобы не брать на себя всю ответственность за явную авантюру, поручил доложить разработку Генштаба одному из своих заместителей — генерал-полковнику Валерию Мандилову.

Под наблюдением Краснова в кабинет президента внесли и повесили на штативе отлично вычерченный план возможных действий войск с красными стрелами возможных ударов и красными овалами, обозначавшими места высадки десанта.

Послушать доклад пришли президент и секретарь Совета безопасности Петров.

Генерал Мандилов, держа в руке указку, подошел к плану. Он явно испытывал приступ полководческого вдохновения. Генерал думал, это его звездный час. Люди, которым он докладывает, не экзаменационная комиссия. Это руководители государства, принимающие решения, определяющие судьбы войны и мира, а главное, выдвигающие отличившихся на более высокие должности.

Точно так же, как он сейчас, всего несколько лет назад начальник Генерального штаба доложил президенту в этом же кабинете замысел марш-броска российских военных из Боснии в Косово. Все штабы НАТО вздрогнули, а политики встали тогда на уши. Мир ахнул от дерзости русских: одни от восторга, другие от возмущения.

Еще работая с группой своих сотрудников над картой, генерал Мандилов пытался построить схему действий так, чтобы она своей простотой и мощью произвела впечатление на руководство государством. Крутость замысла подчеркивали красные стрелы, сжимавшие узкий пятачок горно-пустынной местности.

Указка скользила по листу, очерчивая перспективы победы.

Докладывая наметки Генштаба президенту, Мандилов чуть не захлебывался от счастья. Он был уверен, что стоит у истоков какого-то серьезного дела, и надеялся войти в историю. Он сыпал звучными армейскими понятиями.

— Предполагаемый расчет сил... Два парашютно-десантных полка полного штата... Средства усиления... Тыловое обеспечение операции... Горюче-смазочные материалы... Организация питания войск, подвоз продуктов... Планируемый уровень потерь... убитых, раненых... Потребность в развертывании полевого госпиталя...

Мандилов изложил замысел захвата местности, прочертил указкой на карте красивую концентрическую фигуру, сомкнул пятки, лихо бросил указку к ноге, как солдат карабин.

— Доклад окончил.

Президент поначалу записывал цифры, которыми жонглировал генерал, потом оставил это занятие и стал рисовать на бумаге какие-то зигзаги и окружности. В уме крутился вопрос, но его мысль предугадал Петров.

— Евгений Иванович, — голос секретаря Совета безопасности прозвучал с вежливой отчужденностью, — во сколько может нам обойтись такая операция?

Кашлев, прогремев отодвигаемым креслом, встал:

— Такого рода расчет, Сергей Ильич, будет сделан сразу, едва мы получим реальную привязку к месту проведения операции.

— И все же, Евгений Иванович, каким может хотя бы приблизительный порядок цифр?

Теперь уже вопрос задал президент.

— Расходы будут складываться из многих статей. Это стоимость переброски войск в район сосредоточения по железной дороге или автотранспортом, — в зависимости от удаленности гарнизонов. Далее, переброска десанта из района сосредоточения в зону боевой операции. В общую сумму войдет стоимость горюче-смазочных материалов, цена подвоза их в район действий для замещения израсходованных запасов. Расход боеприпасов. Амортизационные расходы, связанные с эксплуатацией техники, ремонт поврежденной и списание возможных безвозвратных потерь...

Президент сидел, плотно сжав губы, и крутые желваки вздули тонкую кожу на бледных щеках.

Начальник Генштаба раскрывал ту невидимую часть военной жизни, которую почти никогда не затрагивает пресса, не вспоминают генералы в своих мемуарах.

Обычно боевые действия воспринимаются обывателем как марш-броски войск, атаки, стрельба, наступления и оборона. У образцового патриота, смотрящего фильм о войне, могучая лавина наших войск, неудержимо рвущихся вперед на врага — летящие самолеты, извергающие огонь и гремящие металлом танки, завывающие залпы систем реактивного огня, — вызывают подъем гордости за свою армию. И почти ни у кого в такой момент не возникает мысль, что они видят огромный вентилятор, выдувающий из казны в пространство колоссальные суммы денег.

Об этом не задумывается и сытый, благожелательно настроенный к власти отец, чей сын уже отслужил в армии и не подвергает себя смертельной опасности на дорогах боев. Убивают других — меня это мало касается.

Между тем война касается всех.

Летят самолеты. Вместе с молочно-белыми потоками инверсии улетают деньги на пенсии, пособия, дополнительные возможности повышения минимальной зарплаты.

Гремит артиллерия — и сгорают в огне реактивных залпов будущие инвестиции в промышленность и сельское хозяйство, в дорожное и жилищное строительство.

Ползут танки, едут самоходки — и бесконечной лентой гусениц вместе с ними движутся вверх цены на бензин и солярку.

Президент усилием воли отогнал от себя тяжелые размышления. Легонько пристукнул по столу ладонью, привлекая к себе внимание.

— И все же, Евгений Иванович, каков возможный порядок цифр?

— На вскидку? В пределах сорока—пятидесяти миллионов. Конечно, при самых благоприятных условиях.

Президент встал.

— Генерал Мандилов, вы свободны. Вы, Евгений Иванович, останьтесь.

Когда дверь за докладчиком закрылась, президент спросил:

— Он у вас всегда такой, Евгений Иванович? Планируемый уровень потерь... Готов организовать мировую войну с энтузиазмом курсанта третьего курса. Ни политических оценок, ни предупреждений о возможных последствиях. Полководец Мальбрук. Чем и когда он командовал?

— Окончил Высшее общевойсковое командное училище. Командовал взводом. Был переведен на комсомольскую работу. Затем был корреспондентом окружной военной газеты. Переведен в Генеральный штаб. Служил. Окончил Академию Фрунзе. Назначен офицером-направленцем Генштаба. Окончил Академию Генштаба...

— Блестящая карьера для военачальника в звании генерал-полковника. Блестящая, — Президент повернулся к Петрову. — Давайте договоримся. И воспримите это как приказ. Здесь мне должны докладывать оперативные планы только офицеры и генералы, прошедшие должности командиров полков и дивизий. Командир комсомольского взвода слишком большой специалист, чтобы мы тратили на него время. Планируемый уровень потерь...

— Привычка, — сказал Кашлев. — Он уже который год докладывает прессе о потерях в Чечне.

Президент пристально посмотрел на Кашлева:

— Хорошо, Евгений Иванович, как вы сами относитесь к тому, что здесь было предложено вашим замом?

— С военной точки зрения план составлен в оптимальных параметрах. В этом я ручаюсь. Работали над ним толковые операторы.

— Значит, вы за?

— Нет. Если вами будет отдан приказ, я откажусь его выполнять. И не потому, что дрожу за свое положение или боюсь ответственности. У операции при любом ее исходе результат будет отрицательный. И весь удар придется по авторитету президента страны. Последствия этого трудно прогнозировать. В подобных условиях я обязан доложить это вам, Верховному главнокомандующему.

— Хорошо, Евгений Иванович, — президент рассмеялся. — Будем считать, ты прикрыл меня грудью под огнем. И вот еще что. Все бумаги Мандилова по этой теме необходимо уничтожить. Все, вплоть до рабочих тетрадей исполнителей с черновиками и предварительными расчетами. Без составления актов. В присутствии офицера контрразведки.

— Сделаем.

— Проконтролируй сам. Будет не очень приятно узнать лет через десять, что какой-нибудь беглый подлец Резун написал книгу о том, что мы с тобой собирались завоевать Казахстан.

Кашлев понял — президент проговорился, но сделал вид, будто не обратил внимания на этот промах.

После отъезда военных президент и Петров остались вдвоем.

— Итак, — сказал президент, — военный вариант мы отбросили. Как ты, Сергей, смотришь на то, чтобы подключить к делу спецслужбы Казахстана? Может, подработаем такой вариант?

— Нет, Владимир Васильевич. Категорическое «нет».

— Что ты вдруг так уперся?

Президент действительно удивился. Петров обычно старался сгладить острые углы и никогда вот так с ходу не говорил «нет». Ему была свойственна необыкновенная дипломатичность. «Да, Владимир Васильевич, но...» — это обычная форма возражения, которую президент слышал от Петрова.

— Казахстан не та страна, с которой можно вести переговоры по этой теме. Если там узнают об устройстве, они затянут переговоры по крайней мере на месяц-два. За это время шахту раскопают, и самое большее, что нам останется — пустой чемоданчик. А устройство окажется в руках тех, кто его жаждет. Только не бесплатно, а за большие деньги. Самую большую долю отвалят Папе...

Президент пошевелил губами, словно пробовал что-то на вкус:

— Ты это... скажи... меня тоже кто-нибудь называет Папой?

Петров отрицательно качнул головой:

— Что вы, Владимир Васильевич. Папа, а точнее Ата — это титул Султанбекова.

— Ладно, оставим. Так что же делать?

— С ходу не решить. Надо ситуацию просчитать со всех сторон. Определенно одно — с казахами вести разговор равносильно потере изделия. В службе безопасности Астаны идет острая подковерная борьба клановых связей и пристрастий. Взаимодействия в вопросе ликвидации изделия не получится. Президент Папа не архангел Джабраил с пальмовой ветвью над Центральной Азией. Это практичный и предельно циничный ученик советской партийной школы. Он делает все, чтобы удержаться у власти. Он вынужден балансировать между кланами и свои решения не навязывает сверху, а вписывает в существующую ситуацию.

— Но он легко поймет, какой резонанс вызовет потеря ядерного устройства.

— И что? На границе с Узбекистаном уже перехватывали грузовик с ядерными компонентами. В Баку задержали самолет с партией МИГов, который летел из Казахстана в Корею с официально оформленными документами. Чем кончилось? Замминистра обороны и начальника генштаба отдали под суд. Одного из исполнителей сделки открыто ликвидировали. А с Папы как с гуся вода. Мы хотим еще раз проколоться?

Президент то ставил карандаш вертикально, то укладывал его плашмя. Сам того не замечая, Петров рисовал государственные порядки у ближайших соседей настолько ясно, что они выглядели списанными с российских. Допускать развития мыслей в этом направлении не хотелось. Еще Сталин предупреждал, что исторические аналогии в политике крайне опасны.

— Хорошо, окончим, — прервал президент Петрова. — Что можешь предложить?

— Разрешите, я встречусь с Барышевым. Прямо сейчас. И мы подумаем.

— Добро, действуй.

Вызывать Барышева к себе Петров не стал. Это бы привлекло к вызову куда больше внимания, чем его собственное появление на Лубянке. Там к визитам такого рода привыкли и относились к ним спокойно, по-деловому.

О сути предстоявшего разговора Барышев знал, и Петров сразу взял быка за рога.

— Алексей Федорович, каким образом Назаров оказался в курсе планов «Пламени джихада»?

— Насколько я знаю, исламисты предложили ему возглавить буровые работы в зоне Мертвого Лога. Рекомендации ему дали те, с кем он совершил рывок из Туркменистана. Объяснили, будто собираются искать сокровища Тамерлана. Но Назаров сумел выяснить, что речь идет о «портфельчике». И тогда он, изобразив согласие поработать за хорошие деньги, отпросился в Москву с желанием в Азию больше не возвращаться. Одновременно счел необходимым поставить в известность правительство.

— Почему он пошел в Минатом, а не к тебе, в ФСБ, или в приемную президента? Это было бы куда логичней, разве не так?

— В ФСБ ему путь был заказан. Он вовсе не дурак и опасался, что к нам мог поступить запрос из Ашгабада. Что касается приемной, он понимал, что там его могли принять за психа или сплавить либо к нам, либо в психушку на освидетельствование.

— Хорошо, я вот о чем. Пришлось доложить президенту, что методы воздействия на ситуацию с привлечением спецслужб Астаны принять невозможно. Ты согласен?

Барышев склонил голову и положил ладонь на шею:
— Вот где у меня сидит эта Сатана!
— Хорошо, подскажи выход.
— Что, если предложить дело самому Назарову? Пусть вернется назад и нанимается буровым мастером. Пусть экспедиция идет в назначенное место. Если пытаться создавать им помехи, это, как пить дать, повлечет за собой раскрытие сути поисков. Лучше не мешать и бурению. Только надо отработать три блока вопросов. Первое, как привлечь к делу Назарова. Второе, каким образом физически уничтожить «портфельчик» в процессе бурения. Третье, разработать информационную версию на случай раскрытия или провала операции. Вешки для этого надо расставить заранее.

— Не знаю, насколько реально, но выглядит заманчиво. Правда, привлекать к спецоперации дилетанта... Ты понимаешь, какой это риск?

— Понимаю, но лучшего не придумаешь.

— Вот что, Алексей. Возьми Назарова на себя. Прощупай, насколько он пригоден к делу. Ну а помочь ему понять, что надо согласиться с предложением, думаю, у тебя аргументов хватит.

— Не думаю, что мне надо этим заниматься лично...

— Я имел в виду твое ведомство. Найди хорошего

психолога. Пусть он поработает. Потом оценим перспективы всего плана.

За Андреем в Акуловку ранним утром из Москвы приехали Черных и Лысенко. Зашли во двор дома Назаровой. Хозяйка сразу узнала гостей, которые недавно спрашивали у нее о возможности снять на лето дом. Но в этот раз они и держались, и говорили по-другому, начав с того, что продемонстрировали служебные удостоверения сотрудников ФСБ.

— Андрей Иванович, мы за вами, — сказал Лысенко вышедшему на крыльцо Назарову.

— С вещами? — спросил Андрей, сразу оценив обстановку.

— Что вы! — всполошился Лысенко. — Ни в коем случае! Просто с вами решил побеседовать генерал Травин. Чтобы не затруднять вас — туда и обратно — машиной.

Первым, кто принял Андрея, был Федорчук. Он с интересом оглядел вошедшего к нему в кабинет Назарова и широким движением руки обозначил место у своего стола:

— Садитесь, Андрей Иванович.

— Разве я еще не сижу? — спросил Андрей со всей язвительностью, на которую был способен.

— Что, очень хочется?

— Нет, но всегда следует ясно представлять свое положение в пространстве.

— Тогда успокойтесь, вы пока не сидите. Более того, вас пригласили к нам, чтобы предупредить о сложности ситуации, в которой вы находитесь.

— В смысле?

— Вы знаете, что на вас готовилось покушение?

Федорчук сказал и с явным интересом стал наблюдать, как воспримет его слова Назаров. Полковник считал себя физиономистом и многие заключения строил на том, нравился ему собеседник или нет.

— Да, читал, — ответил Андрей спокойно. — Уже и не помню где. Скорее всего в «Нью-Йорк таймс». Ирландские террористы, верно?

Полковник терпеть не мог острословов. Он искренне верил, что его форма и особенно служебное положение сами по себе должны вызывать у людей серьезное настроение и чувство ответственности. Ну, не обязательно, чтобы они отдавали при встрече с ним честь, однако от глупых шуток должны воздерживаться. Между собой пусть шутят сколько угодно, в конце концов демократия, но в присутствии должностного лица извольте...

— Я вас серьезно спрашиваю, господин Назаров, — полковник раздраженно повысил голос. — Вы знали о...

— Простите, как вас зовут? — Андрей перебил полковника, и тот на миг так и остался со ртом в виде буквы «о».

Оправившись от неожиданности, ответил:

— Полковник Федорчук. Или просто полковник. Этого достаточно.

— Полковник — это для подчиненных. У вас есть имя-отчество?

— Мы не на мальчишнике, Назаров. Здесь официальное учреждение и извольте...

— Хорошо, изволю. Что дальше?

— Меня интересует следующее. Вы сообщили... — Федорчук замялся, стараясь решить, как сформулировать тезис о том, кому Назаров сообщил сведения, которые вдруг так всех всполошили. Подумал и облек вопрос в нейтральную форму. — Вы сообщили руководству страны важные факты. Это дает мне основания надеяться, что вы станете активно сотрудничать с нами. В интересах нашей Родины.

— Не стану.

— Как это так «не стану»?!

— Именно так, как слышали. Не могу понять, какой реакции вы от меня ждали, просто полковник. Я что, должен втянуть пузо, — Андрей машинально тронул ладонью подтянутый спортивный живот, твердый, словно гладильная доска, — вытянуться и радостно доложить: «Готов выполнить любой приказ Родины! Доверие оправдаю!» Так?

Федорчук смотрел на Андрея, не мигая, и молча крутил в пальцах авторучку. Внешне он казался непробиваемым, но его следовало во что бы то ни стало пробить. Андрей понимал: полковник сформировался как личность в советской системе, вырос и жил в Центральной России, принял и пережил крутой поворот социальных отношений, удержался на ответственной должности, но так и не смог уразуметь, что для каждого человека понятие Родина подразумевает нечто свое, и для тех, у кого она после распада государства оказалась за чертой русских земель, взгляды на патриотизм могут быть иными.

Федорчук не успел среагировать, как открылась дверь и в кабинет вошел генерал.

Полковник вскочил:

— Здравия желаю, Яков Алексеевич. Вот беседуем с господином Назаровым.

Андрей при появлении генерала не встал, считая, что не обязан этого делать.

Генерал словно не обратил на это внимания. Он повернулся к Андрею, слегка склонил голову:

— Здравствуйте, Назаров. Я — Травин. Хочу забрать вас у полковника. Как вы на это смотрите?

— Плохо смотрю, но куда денешься? Раз уж попался...

— В смысле?

— Хотел как лучше. Приехал, сообщил о том, что узнал, теперь меня трясут.

— Назаров, ты что, мыслил, будто все будет иначе? Глупо. Человек пришел в правительственное учреждение с таким сообщением... Впрочем, возьмем случай попроще. Некто сообщает в отделение милиции, что обнаружил возле универмага машину, набитую взрывчаткой. Как ты считаешь, ему пожмут руку за сообщение и отпустят? Гуляй, Вася? Нет, так не будет. У следователя сразу возникают два вопроса. Первый: почему мимо машины прошло сто человек и никто ничего не заметил, а наш Вася оказался глазастым. Второй: кто он, наш Вася? Почему такой бдительный? Не сам ли участник подготовки теракта? Может, испугался того, что произойдет, и решил взрыв предотвратить...

— Короче, Вася влип?

— Нет. Если он не причастен к делу и просто проявил бдительность, его потрясут немного и отпустят. С благодарностью.

— Так объявите мне благодарность, и я пойду. Можно?

— Объявлю и отпущу. Чуть позже.

— Понятно.

— Теперь, если ты не против, пройдем ко мне. Не будем мешать полковнику.

Они прошли по коридору и вошли в просторный кабинет генерала.

Травин предложил Андрею место за гостевым столиком, положил на черную стеклянную столешницу пачку сигарет, зажигалку, подвинул пепельницу.

— Можно курить.

Сказал и сам сел рядом.

— Теперь о деле. Что ты там раскопал с Ульген-Саем? Можешь доложить коротко?

Андрей поерзал на стуле.

— Простите, вопрос не по адресу. Где этот самый сай? Я там никогда не был, знакомых там у меня нет. А потом хочу сразу сказать: мне не нравится обращение на «ты»... И вообще всякие полицейские штучки.

Лицо генерала было непроницаемо.

— Что вы имеете в виду, Андрей Иванович?

«Вы» было произнесено с подчеркнутой ясностью.

— Мне однажды довелось быть в монархической Швеции. Так вот там за две недели ко мне ни разу не приставала ни их полиция, ни госбезопасность. Несмотря на то, что я выраженное славянское лицо. Здесь, в Москве, в столице всех демократий, спецслужбы пасут и трясут меня почем зря. Это что, таков порядок?

Генерал усмехнулся:

— Видите ли, вы попали в переплет по своей вине...

— Господин генерал...

— Товарищ генерал, — аккуратно подсказал Травин. — Так будет точнее и лучше.

— Не будет, — Андрей упрямо мотнул головой. —

Меня вытащили из постели, схватили, приволокли в Москву, не дали побриться, не позволили позавтракать, а теперь считают, что я буду называть здесь кого-то товарищами...

Травин не полез в бутылку, не вспузырился. Был он человек гибкий и остроумный и на жизнь смотрел трезво, прекрасно понимая, почему до сих пор кое-кого бросает в дрожь, когда они узнают, где он служит.

— Простите, Андрей Иванович! — Травин хлопнул обеими ладонями по столу. — Простите великодушно! Давайте все начнем с чистого листа. — Он повернулся к двери, которая вела в соседнюю комнату и громко сказал: — Лидочка, будьте добры! Гостю чаю и бутерброды. Мне — кофе.

Заговорщицки посмотрел на Андрея:

— Признаюсь честно, кроме бутербродов здесь ничего нет. Зато бутерброды у Лидочки — вы увидите... Вам с чем? С копченой колбасой, с вареной, с сыром или брынзой?

— Спасибо, все равно, товарищ генерал.

— Ладно тебе, Назаров. Я Иван Артемьевич.

Чай оказался удивительно вкусным, бутерброды — свежими. Андрей не ставил целью показаться воспитанным и съел все, что было предложено.

— Еще? — спросил Травин.

— В другой раз.

— Тогда я продолжу. На чем мы остановились?

— На вопросе об Ульген-Сае.

— Точно. Нам нужно разобраться...

— В чем?

— Вдруг твое сообщение — провокация?

Андрей покрутил головой, внимательно разглядывая кабинет Травина. Посмотрел на темно-вишневые деревянные панели стен, на монументальный книжный шкаф с зеркальными стеклами, на бронзовый бюстик Дзержинского на углу стола и с невинным видом спросил:

— Интересно, при Ежове здесь тоже трясли провокаторов?

Травин на мгновение онемел от такого нахальства. Чего-чего, а подобного вопроса он не ожидал. Обычно, попадая в эти стены, даже ни в чем не повинный человек испытывал стресс и не смел идти на обострение отношений с тем, кто его сюда вызвал. Но спускать выпад не хотелось:

— Представьте, как-то не интересовался. Но вы подсказали интересную мысль. Я постараюсь выяснить.

Произнося эти слова, Травин лукавил. Он прекрасно знал историю кабинета, в котором последовательно работали несколько заместителей Берии. Только один из них умер своей смертью. Другого расстреляли, третий покончил с собой. Мрачная история у темно-вишневых панелей, но не рассказывать же ее человеку с улицы.

— Значит, вы хотите увидеть во мне провокатора? — Андрей вернулся к прерванному разговору о главном. — Скажите, я очень похож на дурака?

— Дураки не всегда похожи на дураков. К чему этот вопрос?

— К тому, что только дурак может приехать в Москву и залепить здесь туфту, в надежде, что ее проглотят. Я о вашем ведомстве более высокого мнения.

— Хорошо, Назаров, примем этот аргумент за основу. Делаю допуск: вас подставили. Откуда вы узнали правду? Откуда?

— Эти люди наняли меня буровым мастером.

— Они вам так и сказали: господин Назаров, будем искать ядерное устройство?

— Нет, но те, кто со мной вели разговоры, далеко не глупые люди. Они своих истинных целей не открывали. Говорили, что собираются искать сокровища Тимура.

— Так, Тимур и его команда. Как же вы узнали правду об их намерениях?

— Случайно.

— Дезинформацию чаще всего так и подкидывают: случайно. Заранее продумываются детали: где, когда, кому и в какой форме толкнуть ложные сведения. И чем случайней все это выглядит, тем больше доверия к тому, кто сообщит об этом.

— Я представляю.

— Так помогите мне оценить обстоятельства, при которых все произошло.

Андрей подробно рассказал о вечере, когда в саду в поисках выпивки появился мулла Хаджи Ага. И о разговоре, который потом состоялся.

— У вас не возникло чувства, — спросил Травин, — что вам не просто по пьянке, а умышленно дают наводку?

— Возникло.

— Почему же вы поверили этому мулле?

— По двум причинам. Хаджи Ага по своему положению в том мире фигура влиятельная. Использовать его для банальной дезинформации вряд ли кто-то решится. Он с тревогою делился тем, что точно знал. Затем его тон. Откровенный и озабоченный. Насколько я знаю, Хаджи Ага не исламский экстремист. И мне показалось, что разговор он затеял, чтобы заставить меня отказаться от участия в этих поисках меча Аллаха.

— И все?

— Нет, не все. Они мне еще дали просмотреть целую кипу космических фотоснимков местности. Координаты на всех были сняты. Только рельеф. Но у меня есть память. Я запомнил характерные черты рельефа и потом на карте нашел снятые участки. Это был Ульген-Сай, о котором вы спрашивали. И потом, если честно, у меня сомнение. Зачем им подобная провокация?

— Почему им? Часто люди даже не знают, в чьих интересах их заставляют играть в опасные игры. А провокация легко вписывается в обстановку. Представьте, кому-то хотелось, чтобы, узнав изложенные вами факты, мы всполошились, пошли на необдуманные шаги, предприняли силовые действия, испортили отношения с Казахстаном, со странами Средней Азии.

Андрей подумал, помолчал, оценивая услышанное. Согласился:

— Как версия, такое возможно.

— Вот видите, сколь серьезной может оказаться ошибка в оценке вашего сообщения.

— Однако экспериментальный ядерный заряд существует. Так?

— В этом и соль вопроса. Существует. И раз о нем стало известно, кто-то может попытаться им завладеть.

— Не «может попытаться», а уже пытаются.

— Это и надо выяснить. Сделать это при нынешнем положении вещей крайне трудно. Поэтому я надеюсь на вашу помощь, Андрей Иванович. Вам, как патриоту...

— А этого вот не надо. Я не патриот. И в игры, где делают ставку на патриотизм, играть не намерен.

По тому, как вытянулось лицо генерала, как застыли в удивлении его глаза, Андрей понял: его ответ оказался полной неожиданностью для Травина, в лексиконе которого слово «патриот» было весьма ходовым.

Выдержав паузу, генерал спросил:

— Только серьезно, Назаров, вы и в самом деле не считаете себя патриотом? А почему?

— Тогда вопрос, Иван Артемьевич. Как бы вы определили слово «патриот»?

— Чего тут определять? Со школы известно. Патриот это тот, кто любит родину. Кто готов за нее на жертвы, на подвиг.

— Тогда вопрос: какую страну мне любить? Я родился в Узбекистане.

— Ты русский. Твоя родина — Россия.

— Ни хрена себе логика! Только руководствуйтесь ею сами. Я хочу и потому имею право считать себя патриотом той земли, где мне будет хорошо жить, где у меня будет дом, работа, деньги, гражданские права. Именно это место я буду защищать. Здесь у вас патриотами должны быть олигархи, которых наплодила система. Им хорошо, пусть защищают и берегут страну сами. Как это делали в царское время дворяне. Именно они становились офицерами и вели солдат на любого супостата. Я — пас.

— Значит, Андрей Иванович, вы считаете Кутузова, ну или Багратиона патриотами?

— Не сомневаюсь в этом. У них было все: собственные имения, крепостные, они имели дворянские звания, привилегии и боролись за то, чтобы все это сохранить за собой.

— А те простые солдаты, которых Кутузов вел на Наполеона? Они что, не патриоты?

— По большому счету — нет.

— Тогда за что они дрались?

— Объективно за то, чтобы оставаться крепостными того же Кутузова или Багратиона. Иного выбора у них не было. Их забрили в солдаты из крепостных. Десять—двадцать лет учили ремеслу убивать. Учили не только словом, но и батогом. Вы же слыхали о шпицрутенах... Так что солдатики дрались и за то, чтобы их по-прежнему продолжали бить командиры. По морде, по спине...

— Ну, было и это...

— Вот я и говорю, Иван Артемьевич, что несвободный человек не может быть патриотом. Заключенный никогда не станет любить свою тюрьму и ее защищать. Если у меня ни кола ни двора, то почему я буду защищать чьи-то богатые особняки и предприятия у вас в Подмосковье или в Сибири? Иди они все, знаете, куда? Больше того, скажу, что не знаю, что бы потерял рядовой русской армии Пупкин, если бы Наполеон завоевал Россию. Не Чингисхан же шел на нас. Вспомните, Бонапарт общипал всю Европу, а что Германия перестала быть Германией, Италия — Италией? Во всей Европе только русские дворяне-патриоты сумели сохранить свои права над крестьянами. Виват патриотизм!

— Трудно с вами спорить, Назаров. Похоже, вы не любите демократию. Вот в чем дело.

— Очень люблю. Под хорошую закуску. Прямо млею. Но пока еще не пробовал.

— Не пойму, вы всерьез или просто меня завести собрались?

— Хочу завести. Вот скажите, если бы наш прежний гарант конституции пил чуть больше и пришла бы ему с бодуна мысль объявить себя царем? Как думаете, удалось бы?

— Все, кончили, — сказал Травин. — Так мы с тобой неизвестно до чего договоримся. Мне это не нравится.

— Как угодно, не я разговор затеял.

— Да, Назаров, мне поручено сообщить, что с вами хотел бы встретиться секретарь Совета безопасности.

— Что требуется от меня?

— Только согласия.

— Тогда скажу, что у меня желания с ним встречаться нет.

— Думаю, это сделать придется.

— Тогда не надо спрашивать согласия. Просто за шкирку и в конверт.

Травин промолчал.

Шеф Федеральной службы безопасности России генерал-полковник Барышев позвонил секретарю Совета безопасности Петрову сразу после того, как Травин доложил ему о результатах беседы с Андреем Назаровым.

— Как думаешь, это не провокация джихадистов? — первым делом поинтересовался Петров.

— Мы кое-что выяснили о Хаджи Аге. Это порядочный человек. Не подхалим. С развитым чувством собственного достоинства. Общительный. Не националист. Не стяжатель. Не болтун. Имеет друзей в среде российских священнослужителей, как православных, так и мусульманских. Участвовал в движении сторонников мира. По линии Союза обществ дружбы выезжал в страны Европы и Азии...

— Кажется, Назаров говорил, что он пьет?

— Да, выпить любит, это точно.

— Что сам Назаров?

— Сергей Ильич, он свободен.

— Ему сказали о моем желании с ним встретиться?

— Да, но он не горит желанием. Короче, отказывается.

— Он нормальный? — Петров исходил из мысли, которая первой приходит государственному чиновнику высокого ранга: если простой человек отказывается от встречи с ним, существует ли в его умственном хозяйстве нужный порядок?

— Нормальный, — ответил Барышев и тяжко вздохнул. — К сожалению, слишком.

— Почему же отказывается от встречи?

— Говорит, что забота о государственной безопасности не входит в его обязанности. Есть люди, которым этим поручено заниматься по должности, вот и пусть занимаются. Он считает, что сделал все, когда сообщил о существе дела.

— Когда он собирается возвращаться?

— Насколько я понял, возвращение в его планы не входит. Он туда уже не поедет.

— Как не поедет?! — Петров повысил голос, словно речь шла о его подчиненном, которого посылали в командировку, а тот артачился. Но на подчиненного имелась управа. Ему могли указать на дверь и заменить другим, более покладистым. Назарова таким образом вернуть в Среднюю Азию у Петрова возможности не было, но ощущение, что его пожелание одинаково обязательно для всех, у высокого сановника оставалось. — Этого нельзя допустить! Сейчас он у нас единственная связь с джихадистами. Эту связь терять нельзя. Где Назаров сейчас?

— Мои ребята его придерживают. Пока. Но он по всему человек ушлый. Говорит, что если к вечеру не явится домой, то история получит огласку в прессе со всеми подробностями. Трудно представить, какой бэмс возникнет в мире в таком случае.

Петров задумался. Огласка. Он прекрасно знал, что любая, тонко задуманная и ювелирно разработанная специальная операция может с треском рухнуть, если в системе обеспечения ее секретности образуется хоть малейшая течь. А уж огласка — полный провал.

— Он не блефует?

— Кто его знает. Уж больно неясный мужичок. С виду простой, как гвоздь. А по поведению — сложнее любого винта.

— Значит, может блефовать.

— Теоретически возможно все. Но мы смоделировали несколько вероятных ситуаций, и ни одна из них не повышает ему выигрышные шансы, если он будет успешно блефовать.

— Ладно, Алексей, без встречи с ним не обойтись. Может, даже у президента возникнет желание поговорить с ним.

— Желание — это хорошо, но последствия...

— Что имеешь в виду?

— После разговоров с Назаровым настроение не всегда остается хорошим.

— Ладно, потерпим. Давайте, привозите его, как договорились.

В любой стране с любым политическим строем — тоталитарным, монархическим или демократическим — простой человек, наделенный конституцией всеми гражданскими правами, а уж тем более если он ограничен в них, при столкновении с государством ничего ровным счетом не стоит. В огромном песчаном бархане имеют значение только миллиарды песчинок, из которых складываются размеры горы и ее влияние на окружающую среду. Отдельная песчинка, обладающая всеми свойствами остальных, для бархана ничего не значит. Она не имеет ни цены, ни веса, ни возможности влиять на события.

Андрей понял это, когда Травин сказал:

— Через двадцать минут вас ждут в Кремле.

— Мне казалось, я высказал отношение к такому визиту.

Травин пожал плечами:

— Наше мнение часто хотят знать, но с ним также часто не считаются. Тем более с тобой захотел встретиться президент. А ему и дамам джентльмен отказывать в свидании не имеет права.

На улицах Москвы уже зажглись фонари, когда черный лимузин (сколько раз Андрей видел подобную картинку в кино), стремительно округлив Лубянскую площадь, выскочил к Ильинским воротам, повернул направо и понесся к Кремлю. Проскочив ГУМ, машина остановилась у Спасских ворот.

Водитель вышел из машины, переговорил о чем-то с охраной, отдал им какую-то бумагу, вернулся и сказал Андрею:

— Можете пройти.

Охранники с интересом оглядели необычного посетителя и посторонились, пропуская его внутрь Кремля.

— Мне куда? — спросил Андрей несколько растерянно.

— Идите прямо. Вас встретят, — ответил охранник и отвернулся.

Андрей двинулся по пешеходной дорожке. У парадного подъезда здания, мимо которого надо было пройти, стоял высокий мужчина в черном костюме, при галстуке, с воткнутым в ухо наушником — проводок скрывался за воротничком рубахи. Он пристально посмотрел на Андрея и сказал, будто угадывая:

— Господин Назаров? Следуйте за мной.

Андрей скептически улыбнулся. От ворот по каменным плитам дорожки он шел один, все время находясь на виду, поэтому определить, кто подходит к зданию, не составляло труда.

Открылась дверь. Они прошли по парадным ступеням и оказались у поста, на котором службу несли два офицера.

Такой же высокий сопровождающий, в таком же, как и у первого, черном костюме, провел Андрея по длинному сводчатому коридору по мягкой, заглушающей шум шагов ковровой дорожке. Подошли к высокой двери с большой золоченой ручкой, но без каких-либо табличек. Сопровождающий чуть приотстал и, пропустив Андрея вперед, открыл перед ним дверь. Легким движением руки показал:

— Вам сюда.

За открывшейся дверью Андрей ожидал увидеть тот самый кабинет, который так часто показывает телевидение, когда к президенту на доклад являются высшие государственные чиновники. Но он попал в приемную. Высоченный потолок. Стены, обшитые деревянными панелями. Высокие остекленные книжные шкафы вдоль стен. Из-за высокого стола, занятого компьютером и телефонами, легко поднялся и вышел навстречу Андрею полковник Краснов в элегантном костюме, при галстуке и в узких модных очках, стоящих хрен знает каких денег. Не подавая руки, не улыбнувшись, сказал:

— Президент вас ждет.

Можно, конечно, было этого и не говорить. Андрей знал, куда идет, кто его пригласил, значит, будет ждать, но церемониал демонстрации государственной власти имеет вековую историю. Предупреждение «Президент вас ждет» должно возбуждать у человека уже, по идее, и без того взволнованного, дополнительный душевный трепет, дополнительную нервную напряженность.

Андрей растерянно огляделся.

— Хочу вас предупредить о правилах протокола, — Краснов счел необходимым проинструктировать гостя. — С вами выразил желание побеседовать президент России. Вы должны в полной мере оценить важность такого события для вашей жизни.

Андрей с интересом смотрел на деятеля, который, будто не понимая, что говорит банальные истины, вещал их с серьезностью профессора, объяснявшего студенту теорию относительности. Смотрел, и никак не мог понять, откуда что берется в человеке. Ну, вознесли обстоятельства, удалось взгромоздиться на высокий стул за Кремлевской стеной, или в Белом доме, или в министерском кабинете, и что, сразу воспарять над людьми и жизнью? Неужели нельзя говорить, не надувая щек, не произнося простых слов с пафосом патриарха, читающего проповедь? Тем более что, уходя от трона или сваливаясь с его подножия, любой высокопоставленный чиновник возвращается в первобытное состояние простого гражданина.

Великий партийный и советский вождь, стремившийся сделать Москву образцовым коммунистическим городом, Виктор Гришин, человек, наделенный безграничной властью над москвичами, имевший право единолично решать, что в городе хорошо, что плохо, единолично определявший, что должно нравиться людям, а что не должно, после освобождения от должности умер в конторе собеса, куда пришел хлопотать о пенсии.

Умер от унижения и стресса, оказавшись в очереди за

пособием, в очереди, о существовании которой, конечно же, слыхал, но о том, насколько она унизительна, не задумывался.

Умер потому что, обладая огромной властью, никогда по-настоящему не интересовался судьбами отдельных людей, их бесправием и беззащитностью перед чиновниками, которые сидят в своих кабинетах, уверенные в том, что служат интересам народа.

Стала ли смерть поверженного титана хоть одному чиновнику напоминанием о бренности его тщеславного духа и несовершенного тела? Исправило ли хоть одного бюрократа? Едва ли.

— У вас не должно быть с собой фотоаппарата, видеокамеры, мобильного телефона, диктофона, — голосом оракула продолжал вещать Краснов. — Это охрана должна была специально проверить. Войдя, представьтесь. Назовите громко фамилию, имя, отчество. Это обязательно по протоколу.

— Ботинки снять?

— Не язвите, Назаров.

— Нет, я это от желания не ошибиться.

— Хорошо, пошли, я вас провожу.

Андрей заложил руки за спину, но остался на месте.

— Чего вы ждете?

— Команды вперед. И предупреждения: шаг вправо, шаг влево...

Наверное, полковник с удовольствием влепил бы фразу с облегчающим душу матом, но он лишь вздохнул:

— Идите...

Дверь кабинета открылась, и Андрей вошел внутрь. Остановился на пороге.

— Прошу прощения, если задержался. Затянулся инструктаж. Я не слишком прилежный ученик, и мне пришлось объяснять по два раза, что можно делать в присутствии президента, чего нельзя, о чем можно говорить, о чем не стоит...

Он огляделся. Просторное помещение. Стены, обтянутые дорогими обоями салатного цвета. Пол, покрытый узорчатым ковром в тонах желто-оранжевых. Большой круглый стол с полированной крышкой. Дорогие дубовые кресла с резными спинками, с сиденьями и подлокотниками, обтянутыми белой лайкой. Этажерка у стены с большой дорогой вазой с цветами.

Президент, а его Андрей узнал сразу, сидел за круглым столом. Второй человек, присутствовавший в комнате, моложавый, но явно усталый, устроился чуть поодаль за небольшим столиком.

— Здравствуйте, — сказал Андрей и тут же, ощутив, что его голос дрогнул, внутренне осудил себя.

— Здравствуйте, — ответил президент негромко и указал на место за столом перед собой. — Садитесь.

— Спасибо.

Андрей отодвинул стул, но чувство униженности не прошло. Тогда он посмотрел на того, кто сидел за маленьким столиком, и ему нестерпимо захотелось нарушить протокол.

— Извините, кто вы?

Минутная тишина наполнилась хорошо ощутимым напряжением. Разрядил его президент.

— Сергей Ильич Петров. Секретарь Совета безопасности. Вас устраивает? Мы поговорим в его присутствии.

— Очень приятно, — сказал Андрей, ощутив самореабилитацию. И сел.

С интересом, и в то же время стараясь не демонстрировать это открыто, Андрей разглядывал президента.

— С моей точки зрения, — президент облокотился о стол, сложив перед собой руки, как прилежный школьник, — вы не допустили крупных ошибок.

— В смысле? — спросил Андрей, не сразу поняв, что надо иметь в виду.

Петров бросил на Андрея быстрый взгляд и улыбнулся.

— Во всех смыслах, — сказал президент. — Во всех. — Он задумался, формулируя мысль. — То, о чем вы сообщили правительству, пока является достоянием самого узкого круга лиц. Это во многом облегчает... Скажем так, облегчает постановку диагноза и выбор метода удаления опухоли... Надеюсь, вы понимаете, что преждевременная огласка инцидента чревата многими неприятностями. В том числе международными.

Андрей кивнул.

— Я честно сообщил о том, что меня обеспокоило. И хорошо понимаю, что являюсь носителем ценной информации, которая может стоить мне головы.

Президент провел рукой по голове от лба к затылку, словно старался пригладить и без того ровно лежавшие волосы.

— Мне нравится, Андрей Иванович, что вы сразу взяли такой тон. Теперь честно, почему вас пугает наше предложение?

— Честно? И угадывать не надо. Если говорить о долгах, то у меня перед Россией их нет. С тех пор как распался Советский Союз, я жил и работал в Туркменистане. В России у меня нет ни кола ни двора. Нет сбережений, нет банковских счетов. По законам России я всего лишь бомж — фигура без определенного места жительства. Больше того, пребываю в столице на птичьих правах, без регистрации. И вот мне говорят, что я должен воспылать гражданским чувством и пойти на подвиг. А почему?

— Круто, — сказал президент. Видно было, что ему такой разговор удовольствия не доставляет, но он терпеливо сносил его, позволяя Андрею выговориться.

Президент знал, что в такого рода словесных сшибках, когда обсуждаются острые, но далеко не бесспорные проблемы, выигрывает тот, кто сумеет понять логику оппонента и быстро встать на сходную позицию, но на еще более радикальную.

— Теперь позвольте сказать мне. Чтобы у вас не укрепилась мысль, будто вы пришли и чему-то меня научили. Хочу, чтобы вы меня поняли правильно, потому буду говорить откровенно. Думаете, русские солдаты под Бородино дрались с французами из патриотизма? Блажен, кто верует! Да, на том поле были патриоты — Кутузов, Багратион, Раевский... Все господа дворяне — офицеры и генералы — сражались за то, чтобы сохранить свои имения, положение, чины, состояние. А солдаты, служившие по двадцать пять лет и ничему другому, как воевать, не обученные, просто делали свое дело. Больше того, неизвестно, куда бы пошла Россия, свергни Наполеон романовскую династию...

— Я понял, — сказал Андрей.

И он действительно понял, что его разговор с Травиным до последнего слова стал известен президенту и теперь его собственное оружие перешло в чужие руки, а чтобы найти новые мотивировки и обоснования позиции, нет ни времени, ни возможностей.

— Тем не менее, — продолжал президент, — вы не правы. У нас есть и патриотизм, и патриоты. Потому что существует Россия и будущее ее небезразлично людям. В последнее время мне пришлось много думать на тему, которую вы, судя по всему, пытались освоить экспромтом. Вы, наверное, видели, какие пляски устраивала вокруг президента пресса: зачем он едет в Чечню, зачем летает на самолете, зачем уходит в море на подлодке. Вы тоже, наверное, улыбались. А я это делал, чтобы понять, что делают эти люди за тот мизер, который называется офицерской зарплатой...

Петров с откровенным любопытством наблюдал за президентом. Они давно знали один другого, виделись в разных обстоятельствах, в спокойных и критических, но впервые Петров узнал истинную меру темперамента президента, обычно волевым усилием прятавшего эмоции внутрь себя. И больше всего удивило Петрова, что, даже взорвавшись, президент не перестал называть собеседника на «вы».

— Вы видели в последние годы военных в деле? Уверен, нет! А я видел. И согласен с вами, с энтузиазмом люди защищают то, чем дорожат. Идут на смерть за то, что для них дороже жизни. Это и ежу ясно, Назаров. Только не вам, и уж никак не мне сейчас кричать военным: вам нечего защищать, потому что вы голодранцы. И я не кричу. Я делал и буду делать все, чтобы тем, кто живет в России, было что защищать.

— Мне приятно это слышать, — сказал Андрей. — К сожалению, я не военный...

— И все же вы сами пришли, чтобы сообщить о возможной опасности. Почему?

— Потому что не хочу видеть или просто услышать, как на людей обрушат ядерное пламя. Люди этого не заслуживают.

— Тогда доведите дело до логического конца. Вы ведь не такой простак, каким пытаетесь себя представить. Сергей Ильич, что вы можете сказать о нашем госте?

Петров взял листок, лежавший перед ним поверх красной папки, стал читать вслух.

— Назаров Андрей Иванович. Русский. Родился в 1960 году. Образование высшее. Проходил воинскую службу в Афганистане. Постоянно проживает в Туркменистане. Инженер-нефтяник.

Андрей насмешливо прищурился:

— Не удивляюсь. Служба у вас поставлена. Впрочем, все это я и сам мог сообщить. Только прошу исправить одну неточность. Я не проходил воинскую службу в Афганистане. Я там воевал. Получил ранение. Награжден советской медалью. Мне кажется, между словами «проходил службу» и «воевал» есть определенная разница.

Петров кивнул:

— Конечно, разница есть.

— Хорошо. — Президент первым понял, чего хотел бы сейчас услышать Назаров. — Во сколько вы оцениваете свое участие в операции?

Андрей упрямо качнул головой:

— Речь не об участии, прошу прощения, а о ликвидации интересующего вас предмета.

— Уточнение принимается, — президент поощряюще улыбнулся.

— Это будет стоить два миллиона долларов.

— Назаров, — спросил Петров, — вы понимаете, что такое два миллиона долларов?

— Отчетливо.

Андрей назвал первую пришедшую на ум цифру пострашнее, такую, чтобы собеседники не могли принять ее всерьез. Он понимал, что торговаться здесь с ним никто бы не стал и проблема решилась бы сама собой: ему бы указали на дверь. Но разговор принял неожиданный оборот.

— Хорошо, — сказал президент. Он встал и мелкими шагами прошелся по кабинету. Остановился у окна. Постоял молча, круто повернулся. — Два миллиона не проблема. Важны гарантии, что портфельчик будет уничтожен. И считайте, я дал согласие. Все остальное решите с Сергеем Ильичом и его людьми. — С этими словами он ушел.

Оставшись наедине с Андреем, Петров встал и прошелся по кабинету, разминая ноги.

— Продумайте, Андрей Иванович, все, что вам потребуется для дела. Судя по тому, какую вы назначили цену, умения думать вам не занимать. Со своей стороны мы сделаем все, что необходимо. На мой взгляд, есть смысл провести консилиум со специалистами. Пригласим опытных буровиков, которые знают геологические условия района.

— Нет, спасибо. Мне не нужны советы буровиков. Я в этом деле сам стер тысячу коронок. Мне нужен толковый сапер-подрывник. Мастер... Как бы это точнее выразиться? Короче, человек с хорошим воображением.

Петров улыбнулся понимающе.

— Специалиста такого рода мы найдем, — он подумал и добавил: — Больше того, который знаком и с самим изделием. Такой вас устроит?

— Безусловно. .

— Я поручу вести дело генералу Травину. Вы уже знакомы. Завтра он с вами свяжется.

Петров протянул руку Андрею.

— Будьте здоровы.

Андрей вышел из кабинета и увидел разъяренное лицо Краснова.

— Не стыдно? — спросил тот. Как понял Андрей, чиновник был в курсе только что состоявшегося разговора с президентом. Причем упрек был сделан тоном, каким нашкодившим пацанам за их проступки выговаривают родители или старшие. — Устроили торг с президентом. Вы же русский человек, а готовы обобрать родное государство...

Андрей остановился. Злость бросилась жаркой кровью к лицу и шее. Заговорил, стараясь не сорваться на крик:

— Слушайте вы, господин моралист. Вынужден вас разочаровать. Государство, о котором вы так печетесь, не мое, а ваше. По законам России, я, русский по рождению, здесь иностранец...

Краснов что-то собирался сказать, но генерал, сидевший в кресле, на которого Андрей не сразу обратил внимание, встал, подошел к Андрею и взял его за локоть.

— Простите, господин Назаров, вы мне нужны. Давайте познакомимся. Я генерал-лейтенант Морозов Евгений Васильевич. Начальник службы охраны.

— Очень приятно, — сказал Андрей, не придав такой встрече значения. Сегодня у него их было так много, что один генерал или другой, — для него уже не играло роли. И все же на этот раз пришлось генерала запоминать.

В этот момент в приемную вышел Петров. Кивнул Морозову. Посмотрел на Андрея и сказал:

— Президент приказал обеспечить вам охрану силами службы Евгения Васильевича. Его люди теперь будут о вас заботиться.

Андрей не счел нужным деликатничать.

— Это арест?

Генералы переглянулись. Лица их выражали неудовольствие. В этих стенах такие слова употреблять не было принято.

— Никакой не арест, Андрей Иванович, — сказал Петров.

— Значит, я свободен? Тогда позвольте мне поступать по своему усмотрению. Я поеду к сестре.

— Исключено, — сказал Морозов твердо. — Коль скоро я отвечаю за вас и вашу безопасность, вы поедете туда, куда я прикажу. — Генерал смягчил тон и с улыбкой добавил: — В подобных случаях даже президент делает то, что мы ему рекомендуем.

Конь везения
быстрее стрел неудач

Машина, вырвавшись из Боровицких ворот, свернула направо, на Моховую. В поздний час городская суета уже утихала, и потому особенно странным Андрею показалось остервенение, с каким сразу два милиционера на перекрестке, размахивая жезлами, бросились освобождать зеленую улицу кремлевскому лимузину.

Машина понеслась к Тверской мимо Манежа, мимо кремлевских красных стен, золотых куполов, желтых зданий, искусно подсвеченных прожекторами.

Андрей, откинувшись на спинку скрипучего кожаного сиденья, впал в тягостное раздумье. «Москва. Кремль. Товарищу Сталину». «Москва. Кремль. Товарищу Брежневу», «Москва. Кремль. Ельцину» — в памяти неожиданно возникли адреса великих вождей, на которые шли рапорты о победах в строительстве социализма, о разгроме коварных врагов народа, о демократических преобразованиях и о счастье нищающего народа. И он вдруг подумал, что никакие социальные преобразования в России не изменят стремления ее высших руководителей к византийской помпезности и авторитарности, пока резиденцией власти будет оставаться Кремль.

Территория, окруженная глухой зубчатой стеной, наполненная базарной толчеей православных соборов, опутанная тайными подземельями и дворцовыми переходами, ухоженная и декоративно обставленная раритетами, специально подобранными так, чтобы вызывать у попавших сюда людей оханье узнавания, восхищения, радости, и тем самым не позволять им здесь задумываться над бесцельностью громадной Царь-пушки, нерациональностью безголосого Царь-колокола, потерявших для народа реальную стоимость сокровищ Алмазного фонда и Оружейной палаты, эта территория излучает ауру азиатской жестокости, улыбчивого лицемерия.

Можно говорить о колготной шумности в здании Государственной Думы, о чиновничьей чопорности узких коридоров Совета Федерации, но при всем при том это места, где можно встретить не мумию, а живого человека, увидеть разговаривающих, а порой спорящих людей и понять, что здесь не только представляют государственность, но и ее осуществляют — одни, пытаясь влить жизнь в законы, другие — окончательно сделать любые уложения предельно бездушными.

Никогда человеку, ежедневно въезжающему в стены Кремля, где сотни лет подряд плетутся хитроумные интриги, где народ привыкли рассматривать то в виде черни, то куда более демократично — в виде электората; где ежеминутно завязываются и развязываются, а то просто обрываются узелки планов передела власти, не избавиться от желания добиться авторитарных полномочий. Возвысить себя в императоры вне зависимости от убеждений, идеалов, предвыборных обещаний, инаугурационных присяг и публичных деклараций.

Первым, кто понял гнетущую силу Кремля, был Петр Первый. Он перенес столицу в надежде, что уход из Кремля поможет обновлению государства и общества. Кое в чем это изменило нравы, но большевики, совершившие революцию и перебравшиеся из Питера в Кремль в восемнадцатом, не без влияния духа старинных стен превратили Россию в государство, где четырех богов — православного, мусульманского, буддийского и помазанника божьего — царя — заменил один живой бог — одновременно царь, воинский начальник, верховный жрец, судья, надзиратель над тюрьмами и палач. Все последующие попытки облагородить облик кремлевской власти так и не сделали его демократичным, поскольку возможности демократии по природе не могут быть сжаты стенами, даже если это стены Кремля.

До тех пор, пока Кремль не станет государственным музеем-заповедником тирании, до тех пор, пока не утихнут споры вокруг гробниц в его стенах, пока каждый новый человек, впервые оказавшись у власти, в первое же утро голосом, полным нескрываемого торжества будет приказывать своему шоферу: «В Кремль!», Россия так и останется страной не народа, а страной Кремля.

Машина неслась с бешеной скоростью не потому, что ее торопила необходимость. Правительственные номера ставили водителя выше правил, которые обязаны соблюдать законопослушные граждане, и он, утверждая себя в особом статусе личности неприкасаемой, быстрой ездой тешил душу.

Андрей не узнавал улиц Москвы. В те времена, когда он учился здесь, проспекты казались широченными магистралями, которые без задержек способны пропустить любой поток машин. Улицы в те времена были действительно удобными, тротуары просторными, а люди по ним двигались свободно, не мешая друг другу.

Теперь от края до края проспекты и Садовое кольцо были забиты железом машин, гремучим и чадящим, забиты настолько плотно, что езда больше походила на стояние в очереди за правом сдвинуться вперед на десяток метров в минуту. Едва кто-то из участников движения не успевал своевременно тронуться с места за отъехавшей вперед машиной, обозленные водители нажимали на клаксоны, и поднимался вой, отражавший не столько их возмущение чужой нерасторопностью, сколько всеобщую натянутость нервов.

По непонятным причинам эта широкая лента блестящих машин с запертыми в них людьми служила общепринятым показателем общественного благосостояния и счастья. Автомобилист, глядя, как мимо проходят трамваи, и зная, что где-то под землей бегут поезда метро, искренне гордился своим правом стоять в дорожных заторах во имя демонстрации своего материального и социального превосходства.

В сгустившихся сумерках Андрей узнал только одно место. Это был Ленинградский проспект, спортивно-рыночный комплекс ЦСКА. Слева, за редкой чередой чахлых лип, виднелся дом с явными признаками запустения. В нем не светились окна, не чувствовалось жизни и тепла.

— Что это? — спросил Андрей.

— Пантеон, — небрежно бросил сопровождавший его капитан.

— Не понял, — признался Андрей.

— Гробница Консенсуса, — тем же тоном пояснил капитан.

— Мужики, — взмолился Андрей. — Я же не из России. Ваших прикольчиков не секу.

— Гробница Горбачева, — смилостивился капитан. — Склеп советской демократии.

Они пронеслись мимо и у «Сокола» свернули на Алабяна. Затем поворот направо у метро «Октябрьское поле». Проехали по улице Маршала Бирюзова. Выскочили на просторную площадь. Андрей сразу заметил огромную странную глыбу. Что это такое, он сразу понять не мог. И только когда машина приблизилась, лучи подсветки позволили ему понять, что глыба — это огромная голова человека, опиравшаяся о низкий постамент такой же огромной бородой.

— Кто это? — спросил Андрей водителя.

— Курчатов, — ответил тот, не поворачивая головы и не вынимая изо рта сигареты.

— Остановимся, — предложил Андрей, — я посмотрю.

— Еще будет время, — буркнул водитель и прибавил ходу.

Они подъехали в особняку, огражденному от узкой зеленой улицы высоким забором. Перед машиной автоматически открылись ворота. Машина проехала к дому и остановилась.

— Выходите, — пропуская вперед себя Андрея, предложил сопровождавший его капитан и открыл дверь особняка.

Они вошли в холл, хорошо освещенный, со стенами и подвесными потолками, свидетельствовавшими о недавнем ремонте. У стены, за столом, на котором стояло несколько телефонов и портативная рация с выдвинутой антенной, сидел крепкий мужчина лет сорока в штатском. Но даже белый воротничок и легкомысленный галстук не могли скрыть его военную выправку.

— Привет, Гера! — сказал капитан и шлепнул тремя пальцами по протянутой ему из-за стола ладони. — Принимай гостей!

— Здравствуйте! — сказал Андрей, но ответа не дождался.

— Это тюрьма? — спросил Андрей капитана, не скрыв желания задеть охранника за столом.

— Ага, — подал тот без сопротивления голос, — для высокопоставленных персон. Вадим, кто у нас тут последним сидел? Принц из Катманду или шейх из Баб-эль-Мандеба?

— По-моему, министр иностранных дел Чукчестана. Они рассмеялись.

— Вы все же не ответили, — Андрей посмотрел на капитана. — Я спросил про тюрьму.

— Да бросьте вы!

— Значит, могу сейчас выйти отсюда и уйти куда хочется?

— Конечно, только я пойду за вами.

— Тогда я арестован.

— Нет, вы находитесь под охраной. Арестован — это когда шаг вправо, шаг влево считается побегом. А вы вольны передвигаться. Под моим присмотром.

— Чтобы не убежал?

— Нет. Не люблю этого слова, но я ваш телохранитель. Вы для меня — ВИП. Очень импотентная персона. За вас я головой отвечаю.

— На хрена за меня кому-то отвечать головой?

— Вопрос не по адресу. Мы народ приказной. Сказано охранять, вот и стараемся.

— А для чего? Вам объяснили?

— Объяснения в правила игры не входят. Нам кого-нибудь охранять поручают каждый день. Всеми интересоваться — опупеешь. Дипломаты, олигархи, чрезвычайные и полномочные, полномочные, но не чрезвычайные...

— Вроде меня?

— Кто вас знает? Если приказано — значит вроде... — И тут же другим тоном спросил. — Вы поужинаете?

— Если это предложение, то с удовольствием.

— Тогда я распоряжусь, а вы располагайтесь. Спальня наверху. Там же удобства.

— Простите, как к вам обращаться?

— Просто зовите Германом. Фамилия Северин. Устроит?

Андрей поднялся на второй этаж и сразу прошел в туалет. Голубой унитаз был закрыт крышкой, а ее, в свою очередь, перепоясывала белая бумажная лента с красной надписью на каком-то иностранном языке. Андрей постоял, помялся. Потом открыл дверь. Подошел к лестнице.

— Герман, есть вопрос.

Охранник неуклюже шевельнулся в широком кресле, положил на колени газету, которую только что читал.

— Что у вас? Говорите.

— Этим туалетом можно воспользоваться?

— Почему нет?

— Так он опечатан лентой.

— Не пугайтесь, радиации нет. Лента удостоверяет, что до вас на унитаз ни одна посторонняя задница не опускалась. Так что смело располагайтесь.

— А ленту потом назад вернуть?

— Нет, сверните и возьмите на память. Потом будете дома друзьям показывать, каких почестей ваше седалище удостоено правительством России.

— Пошел ты!

Северин весело заржал.

Из туалета Андрей прошел в ванную комнату. Над раковиной умывальника, похожей на гигантскую розовую ракушку, размещалось большое овальное зеркало. В нем Андрей увидел себя и не узнал: загорелое до черноты худое энергичное лицо, озабоченный взор — в самом деле высокопоставленная персона из далекой южной страны. Из Туркменистана. Вот только каким образом ему выскочить из этой почетной клетки?

Андрей прошел в столовую. На большом столе под хрустальной люстрой, в которой горели всего три лампы, был накрыт ужин. Обойдя стол, Андрей повернулся к Северину:

— Мужики, составьте компанию.

— Спасибо, — пытался отказаться Герман. — Нам не положено.

— А если об этом просит министр иностранных дел страны Макаронии?

— Казаков, — обратился Северин к Вадиму. — Как ты на это посмотришь?

— В конце концов, гость просит, — отозвался тот. — Давай посидим. Глядишь — не заложит.

— Могила, — заверил их Андрей и тут же задал вопрос: — А пиво в этом доме можно достать? Или надо сбегать в город?

— В этом доме, как в Греции, есть все, — сказал Северин и голосом известного телеведущего подал команду. — Пиво в студию!

— И водку тоже, — добавил Андрей. — По маленькой.

— Слушай, Назаров, — сказал Казаков. — Быстро ты обретаешь манеры.

— Черт его знает, куда меня переселят завтра. Так что буду ловить момент. За ваше благополучие, стражники!

— Слушай, ты в самом деле сегодня имел беседу?

Андрей понял недосказанное. Ответил коротко:

— Было, сподобился.

— И ты ему прямо так и рубанул, что не патриот?

— Так и рубанул.

— Ну, милки-вэй! Ляпнуть такое президенту!

— А что, тебе я могу говорить правду, а президенту должен врать и говорить иное? Есть, мол, ваше величество. Я патриот и готов выполнить любое ваше задание. Так?

Андрей замолчал. Потом налил стаканчик «Столичной», выпил, но ничего так и не сказал.

Казаков продолжил разговор, но зашел с другого конца:

— Чему удивляться? Пора привыкнуть, **Россия** нынче **страна** демократическая.

— Бросьте, мужики! О какой демократической России вы говорите? Да о том, чтобы она стала такой, здесь даже помыслов нет.

— Ну, блин, ты уж совсем распоясался! — Казаков недовольно нахмурился. — Сказать мало, нужны доказательства.

— Хорошо. Давай не пойдем дальше вашей Кремлевской стены. У вас часто марширует президентский почетный караул. Чтобы в него попасть, нужно иметь определенный рост, хорошее сложение и здоровье, а еще славянскую внешность. Так сказать, русскую морду лица. Ни друг степей калмык, ни бурят и уж тем более чукча в этот строй попасть не могут. В анекдот — пожалуйста, в почетный караул — ни за что. Тем более у вас не могут представлять демократическую Россию лица кавказской национальности. Великий прогресс демократии! Особенно если вспомнить, что личный конвой Николая Второго включал горцев Северного Кавказа. Вот был разгул монархии!

— Ну и что ты прицепился к этому? — Казаков не хотел уступать. — Традиция пошла от Сталина, который уважал русских, и ее никто не пересмотрел. Меня она лично не задевает.

— Казак, посиди помолчи, — сказал Северин. — Мне это тоже не очень приятно слушать, но зачем ему рот затыкать? Давай терпеть. — И посмотрел на Андрея. — Ты все сказал?

— Хочется еще? Пожалуйста. Чего у вас здесь больше всего боится демократическая власть? Кавказцев? Ну, чего молчите? Ладно, скажу. Она больше всего боится своего народа и особенно его вооруженной части. Военных в России замордовали и обратили в бомжей. В Швейцарии, к примеру, резервисты армии, находясь в запасе, хранят свою форму, штатное оружие и боеприпасы у себя дома. Объявляется мобилизация, и они на сборный пункт приходят вооруженными. А в демократической России кадровому офицеру личное оружие выдается из-под замка только на стрельбище или при заступлении на дежурство. И вы привыкли к такому оскорбительному недоверию, не замечаете его унизительности.

— Все, — сказал Казаков. — Он меня достал. Слушай, критик, ты сам-то хоть служил?

— Тебе выписку из личного дела или показать афганскую отметину на пузе?

— Не надо, — воспротивился Северин. — С такими аргументами у нас верят на слово. А насчет патриотизма ты либо чего-то недопонимаешь, либо плутуешь. Скажи, как назвать солдата, который служит стране бесплатно, ничего за службу не получая? Разве он не патриот?

— Он жертва несправедливости. Попробуй такой не пойди в военкомат, да его затравят и с милицией увезут к месту службы силой. А это насилие. Теперь прикинь: за учебу в вузе парню нужно платить, а в армии он служит бесплатно. Институты забиты детками тех, у кого баксов навалом.

— Что предлагаешь?

— Платить солдатам сполна. Отслужил два года — у тебя на счету сумма, которой можно оплатить учебу.

— У государства нет денег.

— Пусть отслужившим выдают безналичные сертификаты. Плохо служишь — штрафуй, опять же из этих сумм.

— Назаров, ты социально опасный тип, — Казаков ошалело мотнул головой. — Тебе хоть что-то в жизни нравится?

— Да, конечно.

— И что же?

— Женщины.

— И все?

— В стране, где благополучие людей определяют два эквивалента — тротиловый и долларовый, для простого человека другого стоящего ничего нет.

— А водка? — спросил Казаков иронически. — Она не в счет?

— Ладно, мужики, не возмущайтесь. Вас я понимаю

прекрасно. Вам здесь жить и служить, а потому положено все одобрять, поддерживать и кричать «Ура!». Если вы возьмете манеру недовольно бурчать на порядки и власть, то сами сразу станете службой государственной опасности.

— Хороший ты парень, Назаров, — сказал Северин и сжал правой рукой костяшки пальцев левой так, что раздался треск сухих ломаемых сучьев, — но даже я сейчас бы врезал тебе от души. Так, что потом собирали бы тебя из мелких частей.

Андрей задиристо хохотнул:

— Это у тебя от близости к красным стенам.

— К каким?! — не понял Северин.

— К кремлевским.

— При чем они? — теперь уже удивился Казаков.

— При том, что пока власть не выберется из-за этой стены, она все время будет тяготиться стремлением к монархии. Вы хоть раз задумывались над тем, в какой эпохе живете?

— Все. — Северин встал. — Хватит. Поговорили. Давай-ка, Назаров, иди спать. Пока тут тебе настоящие патриоты не помяли ребер. Беседа окончена.

— Спокойной ночи, господа, — откланялся Андрей. — Только скажу по-нашему, по-азиатски. Никогда не надо наказывать зеркало. Оно ни в чем не виновато.

Андрею и самому это показалось странным, но в ту ночь, после нервного напряжения и споров, он спал беспробудно и проснулся только в девятом часу утра, когда его пришел разбудить Северин.

— За вами машина, — сообщил он тоном вышколенного коридорного пятизвездочного отеля, который вежлив в силу исполнения служебных обязанностей. — Будете завтракать?

— Буду, — сказал Андрей. — И бриться — тоже.

В десять он сел в черную «Ауди» с правительственными номерами, и молчаливый водитель отвез его на Лубянку. Поставив машину у подъезда, он сам провел Андрея в здание. На вахте, где пропуска у входивших проверяли два прапорщика, их пропустили без какой-либо задержки. Через пять минут Андрей был у Травина.

Генерал оглядел гостя и вдруг спросил:

— Сегодня ты завтракал, или готовить бутерброды?

— Даже побрился.

— Это заметно. А коли сыт, не станем терять времени. Сначала обговорим...

— Простите, Иван Артемьевич, сперва один деликатный вопрос.

Травин, не терпевший, когда его прерывали, поморщился:

— Давай.

— Насколько я понимаю, в этой игре я и пуля и мишень в одном лице. Сам выстрелю, и если попаду, то в самого себя.

— Куда гнешь, Назаров?

— Господин генерал, ваше высокоблагородие! Президент вашей страны определил, что детали операции мне предстоит согласовать с руководством контрразведки. Поэтому я ничего никуда не гну, а стараюсь выстроить прямую линию. Разве не так?

— Давай по порядку. Если решил титуловать, то не делай ошибок. К генерал-лейтенанту, как к имевшему чин третьего класса, равный чину тайного советника, в прошлом было положено обращаться со словами «ваше превосходительство». Далее. Я тебя хорошо понимаю. Ты вляпался в дерьмо, и только теперь начинаешь понимать, в какое. Скажи, кем ты себя мнил, когда согласился взять на себя дело? Мастером тайных операций? Тоже мне, Цезарь. Пришел, увидел... Или просто возжелал денег, о которых раньше не мог и мечтать?

— Могу и отказаться. Скажу, что получил от вас добрый совет.

— Не выйдет. Ты уже прыгнул и летишь. Думать о том, как вернуться назад, бессмысленно. Надо решать, как заполнить водой бассейн, куда ты нацелился.

— Элегантно, Иван Артемьевич! С каким мастерством вы вернули меня на землю. Вот спасибо!

— Тогда к делу. Давай продумаем, как выстроить твою

оборону. Видишь, какую плешь я здесь нажил? — Травин положил ладонь на голову с небольшим количеством волос. — И все только потому, что выкручиваю мозги при каждой операции. Даже если в них не участвуют Цезари. Берешь гребаного боевика, а готовишь чуть ли не батальонную операцию. Чтобы дело сделать и людей не потерять. А ты побегал от туркменов по тундре и уже решил, что можешь исполнить все. Теперь скажи откровенно, ты думаешь, что я разверну для тебя операцию прикрытия в полном масштабе?

— Почему нет? — сказал Андрей, понимая, что злит генерала.

— Ай, голова! — вскипятился тот. — Ты взялся за дело, а теперь только понял, что попа у тебя голая. Значит, я должен снять портки и отдать тебе. Так? Тогда ответь, кто на этом месте будет держать беспорточного генерала?

— Это неконструктивно, — сказал Андрей задумчиво. — Если в вашем ведомстве нет лишних штанов, доложите своему шефу. Он переговорит с президентом...

— Ладно, разберемся. Сообщи свои размеры и рост.

— Для гроба?

— Нет, за мой счет этого не получишь.

— Тогда о чем говорить?

— О деле. Я твои проблемы представляю, но лучше, если сперва о них скажешь ты сам.

Андрей задумался. Все, что он заранее продумал, идя на встречу, вдруг раскололось, рассыпалось. Надо было определять свои требования сначала.

— Я слушаю, — прервал его раздумья Травин.

— Для подрыва устройства потребуется взрывчатка.

— Нет проблем.

— Но я везти ее с собой не могу. Как доставить?

— Записал. Подумаем. Дальше.

— Нужен канал связи с вами.

— Продумаем.

— Найдите мне консультанта по взрывному делу.

— Найдем. Что еще?

— Пока вы его будете искать, я поработаю в Минатоме. Изучу геологию района. Разрешите позвонить с вашего телефона?

Андрей кивнул в сторону нескольких аппаратов правительственной связи, стоявших справа от Травина.

— Это спецсвязь, — сказал тот, словно сразу желал отбить у Андрея охоту кому-то звонить.

— Догадываюсь, — Андрей иронично улыбнулся. — А я разве не состою с вами в спецсвязи? Значит, тоже спецчеловек. Так можно или нет?

— Кто тебе нужен, спецчеловек?

— Минатом. Аркатов.

— Хорошо, я тебя с ним соединю, но сперва скажи, тебе знаком этот человек?

Травин положил перед Андреем фотографию.

Андрей легко узнал Кашкарбая, но на мгновение задержался, просчитывая в уме, стоит ли ему узнавать знакомого узбека. Немного раздумывал, но вскоре понял: раз спрашивают, значит что-то знают и темнить незачем.

Он отодвинул фотографию.

— Это Кашкарбай. Доверенное лицо Ширали-хана.

— Верно. И насколько мы разобрались, он здесь пытался приглядывать за тобой. Много накопать мы ему не позволили, но бестия он что надо. Несколько раз уходил от моих людей и что-то мог пронюхать.

— Черт с ним, подозрение — не доказательство.

— Тоже верно. Тогда начнем?

Травин набрал номер и протянул трубку Андрею. Тот взял ее и почувствовал крепкий запах мужского парфюма. Генерал, должно быть, одеколоном протирал микрофон.

— Аппарат Алексея Адамовича Аркатова, — в телефонной трубке прозвучал хорошо поставленный голос Катенина. — Алексея Адамовича нет на месте. У аппарата его помощник...

— Виктор, — прервал Андрей объяснение. — Это Назаров. Я сейчас еду к вам. Будь добрым, зажги мне зеленый свет. У меня мало времени, а дел ваше хозяйство подкинуло выше головы.

— Я понимаю, но Алексея Адамовича не будет до обеда. Без него...

— Ничего, найди его по телефону и доложи. Он знает, что сказать. И давай, до встречи.

Андрей потянулся через стол и положил трубку на аппарат.

— Круто ты их зажал, — сказал Травин, с удивлением слушавший разговор.

— Нормально, пусть покрутятся. Кому Россия больше нужна? Мне или вам?

Андрей приехал в министерство, когда Аркатов уже был на месте. Министр знал, что президент серьезно воспринял его сообщение, что в Кремле прорабатываются какие-то меры для исправления опасной ситуации, но ему никто не сообщил, какую роль в этих планах будет играть Назаров, и тот оставался для него всего лишь человеком, который принес в министерство поганую новость. Однако когда Катенин сообщил, что Назаров звонил по правительственной связи, Аркатов принял гостя без задержки. Поздоровался из-за стола, не подавая руки. Спросил:

— Вы все еще в Москве? Что теперь требуется от нас?

— Совсем немногое. Нужно посмотреть маркшейдерские листы горных работ в Ульген-Сае.

Аркатов, казалось, уже привыкший к общению с Назаровым, не сдержал раздражения.

— А может быть, вам и схемы изделия потребуются?

Министр все еще никак не мог привыкнуть, что человек, явившийся со стороны, с огромной настырностью требует того, о чем не могут говорить вслух более двух третей сотрудников его ведомства. Более того, даже не подумывают об этом, чтобы не навести начальство на мысль о подозрительном любопытстве. Предоставление литерных документов постороннему лицу нарушало режим секретности, благодаря которому государству все еще удавалось сохранять свои тайны от чужих любопытных глаз и ушей.

Назаров не обратил внимания на тон, каким министр задал вопрос. Ответил спокойно:

— Хорошо, что напомнили. Описание объекта и самого изделия мне тоже потребуется. Только чуть позже.

Уверенность, с которой говорил Назаров, подсказала Аркатову, что тот действует не по наитию, а по указанию свыше. А поскольку в этом деле фигурой свыше был сам президент...

Аркатов снял трубку и набрал кремлевский номер Краснова.

— Роман Андреевич? Это Аркатов. Сейчас у меня находится Назаров. Он просит предоставить ему для ознакомления ряд документов. Да, точно. Допуска у него нет. Вы так считаете? Тогда, может быть, мне стоит перезвонить президенту? Значит, взять под свою ответственность и показать ему в полной мере? Да нет, я верю, хотя все это крайне странно. Спасибо за информацию. Придется делать.

Сложившиеся за долгие годы и вошедшие в кровь Аркатова понятия о секретности ломались и летели к чертовой матери. Президент давал человеку со стороны право знакомиться с документами высшей степени засекреченности. Однако то, что о тайне Ульген-Сая знали те, кому об этом не следовало знать вообще, аргументом для рассекречивания закрытого объекта не являлось.

Аркатов вспомнил, как к великому министру атомной промышленности СССР Ефиму Павловичу Славскому, правившему должность двадцать шесть лет, с просьбой опубликовать очерк об Атомграде — Арзамасе-16 обратился видный советский журналист. Свою просьбу он обосновал тем, что в зарубежной печати сведения об этом научном центре уже публиковались несколько раз. «Пусть публикуют, — ответил министр. — А мы им этого подтверждать не будем». Логика дикая, но кто сказал, что у начальства, которое привыкло блюсти государственные секреты, она должна быть иной?

Повесив трубку, министр нажал на клавишу внутреннего переговорника.

— Филиндаш? Здравствуйте. Приготовьте, пожалуйста, документы по Ульген-Саю. К вам сейчас зайдет гражданин Назаров. Сделайте так, чтобы он ознакомился с тем, что покажется ему интересным.

«Филиндаш, ну и пароль», — подумал Андрей, все

больше проникавшийся пониманием хитростей спецслужб.

От министра Андрей прошел в комнату, где его уже
ждал сотрудник с двумя папками документов. Это был
строгий с виду мужчина лет пятидесяти с профессорской
бородкой клинышком, в белой рубашке при галстуке и в
черных нарукавниках.

— Вы Назаров? — спросил он.

— Да. Назаров Андрей Иванович.

— Очень приятно. Я Филиндаш. Лев Константинович. Теперь, извините, будьте добры, покажите мне
ваши документы. Паспорт и допуск.

Выходило, что «Филиндаш» не пароль, а живой человек, ко всему достаточно въедливый.

Андрей вынул из кармана паспорт с узбекским гер-
бом на обложке и протянул Филиндашу.

Тот взял документ, открыл его и немедленно возвра-
тил Андрею.

— Возьмите. С этим документом я не могу позволить
вам знакомиться с нашими материалами.

Через минуту оба были в кабинете министра.

— Поймите, Алексей Адамович, — объяснял свою
позицию Филиндаш, — вы можете говорить что угодно,
но в вопросах соблюдения режимности я отвечаю не перед вами, а перед законом. Государственный порядок
требует, чтобы господину Назарову был оформлен допуск первой формы для получения материалов по проекту «Портфель».

— Лев Константинович, ты же умный человек.
Сколько времени займет оформление допуска на Назарова? Месяц, два?

— Может быть и полгода. Откуда я знаю. Ваш Назаров полжизни болтался в Средней Азии. У него паспорт
гражданина Узбекистана.

— Но ты же понимаешь: время не терпит. Больше
того, третья сторона в курсе проекта «Портфель», и сидеть на секретных бумагах, когда под угрозой образец самого изделия, — это бюрократическая глупость. Если не
преступление.

— Согласен, глупость. Возможно, и преступление. Но не я создал эту ситуацию. Меня поставили охранять секретность проектов и материалов, имеющихся в министерстве. За это я отвечаю головой. А за то, что кто-то где-то в степях Казахстана не так упаковал изделие, с меня никто не спросит.

— Хорошо, Лев Константинович. Мне ты можешь принести эти бумаги?

— Да, Алексей Адамович, принесу и оставлю. Вот карточка-заместитель. Вы распишитесь как положено. Но, предупреждаю, в присутствии господина Назарова комментарии к проекту делать не буду. Больше того, обязан по инструкции доложить в службу безопасности о нарушении режима работы с особо секретными документами.

— Погоди, Лев Константинович. Вы оба присядьте. Попробуем решить вопрос иначе.

Министр потянулся к телефону. Настукал номер. Нажал клавишу «конференция», чтобы разговор слышали все.

— Помощник директора Федеральной службы безопасности полковник Коноплев, — прозвучал в кабинете громкий бодрый голос.

— Степан Федорович, это Аркатов. Мне нужен директор.

Голос порученца был переполнен вежливостью.

— Здравия желаю, Алексей Адамович. Генерал Барышев занят. У него заместитель. Как только он освободится, я вас соединю.

— Полковник, черт возьми! — Аркатов вдруг утратил выдержку. — Барышев нужен мне срочно. Сейчас. Дело на поминутном контроле президента. Любая задержка выйдет нам боком. Вам в том числе!

— Соединяю.

Барышев выслушал Аркатова и вздохнул так, что это услышали все. Кому-кому, а ему ломать порядок допуска к документам высшей секретности собственными руками никак не хотелось. С другой стороны, все, что волновало президента в связи с Ульген-Саем, он прекрасно знал.

Еще раз вздохнув, генерал сказал:

— Секретчик у тебя?

— Да, он здесь.

— Передай ему трубку...

Андрей и Филиндаш вышли из кабинета министра вместе.

— Ты только не обижайся, — сказал ему секретчик. — Как говорят, если не я, то кто... Извини, но секреты здесь не мои.

— Все, забыли, — успокоил его Андрей. — Глядишь, и я кое-чему научусь.

Подчинившись приказу начальства, Филиндаш все же не рискнул оставить Андрея одного наедине с документами. Пока тот вникал в чертежи и схемы, изучал геологический состав пород, в которых заложена испытательная камера портативного ядерного заряда, секретчик сидел за столом рядом и с деланным интересом читал какие-то документы, подшитые в толстую папку. Изредка он поднимал голову и внимательно смотрел на Андрея. Ему покоя не давал человек со стороны, никому не известный в кругах профессиональных атомщиков, не располагавший допусками, которые бы позволяли прикоснуться к тайнам, и вдруг получивший «добро» высших государственных сфер на ознакомление с тем, с чем Филиндаш не мог позволить познакомиться даже некоторым начальникам управлений своего ведомства. Этот человек казался загадкой, которую разгадать нельзя.

После двух часов работы Андрей вернул документы секретчику, который забрал их с видимым облегчением.

От Филиндаша Андрей прошел к Владлену Игнатьевичу Федотову — специалисту, который ведал подземными испытаниями ядерного оружия, чтобы в беседе с ним уточнить сведения, вычитанные в бумагах.

Федотов быстро понял, что Назаров свободно ориентируется в вопросах геологии, и отвечал на его вопросы с профессиональной четкостью.

— Толщина кровли над каверной?

— Триста два метра.

— Координаты устройства определялись?

— Да, конечно. С точностью до секунды. Кстати, на поверхности центр подземного заряда помечен маркой.

Андрей с трудом сдержался, чтобы не выдать радость. Только спросил:

— Как выглядит марка?

— В грунт вбит стальной стержень. На головке в пять сантиметров диаметром обозначен треугольник и выбита дата.

— Что произойдет, если через скважину, пробуренную точно над заложенным в камере изделием, прямо в центр устройства всадить мину?

— Мощность вашей мины?

— Допустим, пять килограммов тринитротолуола.

— В камере произойдет взрыв мощностью в пять килограммов тротилового эквивалента.

— Последствия?

— Ядерный заряд будет разрушен. Сдетонирует часть обычной взрывчатки устройства. Произойдет перегрев и частичная возгонка ядерного материала.

— Возможен ли ядерный взрыв?

— Нет, не возможен.

— Объясните, почему.

— Цепная реакция, а за ней взрыв ядерного вещества происходит только в случаях, когда заряд достигает критической массы. В устройстве, если его представить схематично, ядерный материал разделен на дольки, как мандарин. Все дольки изолированы одна от другой такими же дольками свинца. Для того чтобы создать критическую массу и запустить цепную реакцию, изолирующие сегменты выводятся, а небольшой взрыв специального устройства спрессовывает дольки в шар. Происходит ядерный взрыв. Во всех других случаях, в частности при подрыве устройства миной, ядерные сегменты будут разбросаны в стороны, что не позволит создать устройству критическую массу.

— Значит, тем, кто будет находиться над каверной, взрыв в ней ничем не грозит?

— Не совсем так, Андрей Иванович. Уж коли в камере произойдет взрыв, то температура вспышки будет крайне высокой. Часть ядерного заряда неизбежно превратится в аэрозоль. Газы высокого давления рванутся в скважину. Выброс газовой струи создаст радиоактивное облако. Куда оно двинется и насколько сильным окажется заражение, предсказать трудно.

— Что же делать?

— Надо забить в скважину тампон и заделать наглухо горловину.

— Конечно, до взрыва?

— Безусловно.

— Да, можно сказать, нажил грыжу. Сперва сказали: взорви. Теперь объясняют: заткни скважину. Может, вы согласитесь со мной туда поехать? Помогли бы?

— Нет, не соглашусь. Я, знаете ли, Андрей Иванович, по натуре не авантюрист.

— Значит, я?

— Не имел в виду.

— Конечно, вы же не азиат. А у нас там подобные обороты понимаются прямо. Значит, меня вы в виду не имели. Спасибо, хотя были бы правы: я не только авантюрист, но и дурак.

— Не знаю, не знаю. Но скважину нужно тампонировать. Иначе...

— Я уже знаю, что будет иначе.

— Скажите, Владлен Игнатьевич, что если кто-то попытается вывезти изделие из Казахстана в какую-либо из арабских стран? В какой мере с таким багажом можно обойти пограничный и таможенный контроль?

— Через границы европейских стран и США вряд ли это провезешь. Насчет стран Азии и Африки не ручаюсь. Впрочем, скорее всего, это возможно.

— Допустим, надо будет вывези в Европу. Есть способы это сделать?

— Вполне вероятно, что попробуют провезти по частям.

— Вы говорили о радиационном контроле.

— Сегменты ядерного заряда можно заделать в чушки товарного свинца и вывезти под видом поставок этого металла какой-либо подставной фирме. С деталями устройства проще. Их провезут россыпью. Упаковку...

— Чемоданчик?

— Да, именно. Так вот, его можно найти в любой стране.

Они расстались довольные друг другом.

Из приемной министра по телефону спецсвязи Андрей позвонил Травину.

— Приезжайте, — сказал тот. — Вас уже ждет взрывотехник.

По распоряжению Катенина на Лубянку Андрея довезла дежурная машина Минатома.

Взрывотехником оказался румяный, крепко сбитый майор с общевойсковыми эмблемами на погонах. Он весело блеснул глазами, протянул Андрею руку и представился:

— Щурков. И давай сразу на «ты». Зови меня Олег.

— Давай, — согласился Назаров и ответил на пожатие. — Андрей.

— Садись, — Щурков сдвинул со стола чертежи, освободил место, выдвинул стул. — Мне сказано, время не терпит. Так? Ты готов?

— Всегда готов.

— Значит, поехали. Насколько мне сообщили, тебе потребуется взрывное устройство. Так? Тогда называй параметры.

Андрей усмехнулся:

— Собираюсь взорвать нечто, но не совсем представляю, что именно. Мне сказали, что специалист расскажет о том, что закопано в горе.

— Понял. Докладываю. Изделие в габаритах пятьдесят на тридцать семь и двадцать пять. С виду обычный чемоданчик. Оболочка из спецсплава, обтянута кожей. Устройство размещено в каверне в массиве горы. Если на то пошло, то его проще демонтировать, чем подрывать.

— Вопрос о подрыве решен и обсуждать его не будем.

— Где и как предполагается разместить взрывчатку?

— Олег, это будет скрытная операция — без прямого доступа к изделию. Через массив сверху к каверне пробурим скважину. Если она окажется над изделием —

одно. Если промахнемся и войдем внутрь в стороне — другое. Однако во всех случаях взрыв должен уничтожить изделие.

— Каков диаметр скважины?

— В пределах ста миллиметров.

— Глубина?

— Метров триста как минимум. Верхний свод каверны от поверхности изделия примерно на высоте трех метров.

— Значит, человека внутрь спустить нельзя.

— А что, если внутрь запустить две-три гранаты?

— Не, — сказал Щурков и для убедительности мотнул головой. — Давай разделим функции. Ты специалист по созиданию, я по разрушению. Если надо что-то взорвать, решаю я...

— Все же, почему не гранаты? — Андрей не мог отказаться от идеи, которая казалась ему идеальной.

— Мозга зависла? Ладно. Во-первых, если глубина скважины триста метров, граната взорвется, не долетев до каверны. Во-вторых, если даже снабдить взрыватели замедлителями и гранаты залетят в каверну, будут отскоки. Взрывы произойдут в стороне. Нам это надо?

— Слушай, Олег, а если всадить в точку одним спуском килограммов десять тротила?

— Интересный вопрос. Как же это сделать?

— Ты знаешь, что такое колонковая труба?

— Скорее нет, чем да. Излагай.

— Колонковая — это стальная труба среднего диаметра. На одном ее конце на резьбе закрепляют режущий инструмент — коронку. Другой конец этой трубы крепится к металлическим штангам вращающейся свечи. Коронка при вращении прорезает породу. Внутрь трубы входит цилиндрический стержень подрезанной породы. После того, как снаряд извлекают, в породе образуется скважина...

— Так, так... Уже светлее. Так, так... Если колонковую заполнить взрывчаткой, обеспечить взрывателями, а затем запустить в готовую скважину... Какая длина у колонковой?

— А какая нужна?

— Ты случаем в торговле не работал?

— Что, похоже?

— Умеешь торговаться.

— Потому что длину, в конце концов, я могу сделать и больше, и меньше.

— Тогда поладим.

— Только учти, захватить взрывчатку с собой я не смогу. Нужно, чтобы мне ее доставили.

— Скажешь генералу Травину, его орлы тебе что угодно и куда угодно доставят хоть в виде шоколадных конфет, хоть как мыло.

— Нет, пусть это будет пиво. В банках. Завода «Балтика».

— Тебе не кажется, что при всех запретах на спиртное может найтись кто-то, пожелавший втихаря выглотать одну или две банки?

— Вполне возможно.

— А если он напорется на банку со взрывчаткой?

— Не напорется.

— Ты уверен?

— Да.

— Почему?

— Потому что ты прав. Вместо пива лучше прислать два ящика свиной тушенки. С этикетками, на которых будут изображены свиные морды. Чушки крупным планом. И яркие надписи «Свиная тушенка», «Донгуз» — по-казахски и «Хук» — на дари. Арабским шрифтом.

— Таких этикеток, наверное, и не найти.

— Закажите. Это не будет дорого стоить.

С Лубянки на Земляной Вал Андрея вывез сам Травин. Он остановил машину на Берниковской набережной Яузы и предложил Андрею выйти. Они встали у парапета над грязной зажатой в каменный желоб рекой, по поверхности которой плыли радужные разводы масла. Некоторое время молчали. Потом Травин сказал:

— Эх, Назаров! Хороший ты мужик, но быть хорошим мужиком — не профессия.

— Я знаю...

— Знать-то знаешь, но ни хрена не понимаешь.

— А что мне надо понимать?

— Я скажу, при одном условии. Ты не будешь считать меня в чем-то замешанным. Не я втравил тебя в эту бодягу. Ты сам в нее влез. Мог бы и не переться в Минатом. Послал бы цидульку — и пусть колупаются. Нет, ты подставился. Поэтому все, что скажу, отнеси только на свой счет.

— Хорошо, отнесу.

— Андрей, ты знаешь, что ты уже сейчас фантом?

— В каком смысле?

— Не хотелось бы говорить, но ты в нашем деле — фантом. Тебя в природе просто не существует. Думаешь, в случае провала кто-то признается, что знал тебя или видел? Ты, — Травин поднес ладонь к губам и дунул на нее, — тьфу! Пустота! Если тебя не убьют, то психушки не минуешь. Встреча с президентом, договор на два миллиона, да ты об этом сестре расскажи, она не поверит. Если откровенно, то даже я тебя не видел.

— Куда уж откровенней. А как быть с тем, что я приходил на Лубянку, бывал в Кремле, меня видели многие люди?

— Ошибаешься. Тебя нигде никто не видел. Кстати, чтобы ты знал, корешки пропусков на всех, кто входит в наше здание или в Кремль, хранятся определенное время. Тебя пропускали без бумажек. Верно?

— Ну у вас и контора!

— На том держимся, Назаров. Служба такая. И потом, судя по тому, что донеслось до нас из Туркмении, ты вообще анархист и полубандит.

— Да ну?! — язвительно спросил Андрей. В том беспокойном состоянии, в котором он находился последнее время, дерзость помогала ему сохранять присутствие духа.

— Не пойми, что я тебя осуждаю, — сказал Травин. — Мне самому иногда хочется сбросить с себя хомут, оборвать вожжи и взбрыкнуть. Но вот как зажал себя в кулак на курсантской скамье, так и не могу ослабить зажим. Так что я тебя понимаю и прошу понять меня.

— Я постараюсь, — теперь Андрей заговорил спокойно, без всякой задиристости.

— Ты хороший мужик, Андрей, и мне не по душе подталкивать тебя в пустоту. Поэтому сделал все, чтобы хоть как-то прикрыть твою задницу. Запомни пароль. Если к тебе кто-то подойдет и скажет: «Я от Барышева», это наш человек. Положись на него в большей мере, чем на себя. Ты в этой игре кость «пусто-пусто». Тот, кого я пошлю — «шесть-шесть».

— Как я вам сообщу, что сделал дело?

— Этого не потребуется, — Травин отвел глаза. — Твоя забота — уничтожить штуковину. А о том, что это сделано, доложит наш человек. Да, видишь, вон у моста стоят два мента? Это тоже наши. Ты подойдешь туда, у тебя проверят документы. Найдут отсутствие регистрации и отвезут на вокзал. Для депортации в связи с нарушением режима регистрации и пребывания иностранцев в Москве.

— Спасибо, это очень хороший повод.

— Ладно, давай клешню, — Травин протянул Андрею руку. — Ни пуха тебе, Илья Муромец. И запомни: «Я от Барышева».

— Поселяйся! — Милицейский сержант мощным тычком в спину вогнал Андрея в обезьянник линейного отделения милиции на железнодорожном вокзале. — Сиди и не рыпайся.

В вонючей металлической клетке вдоль стен тянулись лавки, наглухо привинченные к полу. Два алкаша, прижавшись спинами один к другому, тихо дремали в дальнем углу. Рядом, растянувшись во всю длину в балдежной дреме, кемарил третий клиент отделения. Пока Андрей приглядывал место, где можно сесть поудобнее, из полумрака появился человек.

— Салам! — сказал он и посмотрел на Андрея пристально. — Это ты, Сарбас?

— Кашкарбай! — Лишь всмотревшись в обросшее

щетиной лицо азиата, Андрей узнал его. — Ты как сюда попал?

— А ты?

— Нет регистрации.

— У меня тоже.

— Когда уезжаешь?

— Дали сутки.

— Билет уже есть?

— Пока нет.

— Отпустят, пойдем вместе и купим. Договоримся так. Ехать поездом через Казахстан тебе опасно.

— Почему?

— Андрей, я приехал в Москву не на прогулку. Ты заключил договор. Теперь тобой дорожат. Ты нужен хану живым и здоровым. Меня прислали обеспечить твою безопасность. По мере сил здесь в Москве я этим и занимался. Ты дал обязательство на период договора выполнять все указания хозяина. Я сейчас передаю тебе его приказ.

— Слушаю и повинуюсь, — Андрей приложил руку к животу и отвесил глубокий поклон. Он за последнее время пережил столько необъяснимых и удивительных событий, что принимать совет Кашкарбая всерьез ему казалось делом самым несерьезным.

— Ты поездом доедешь до Рязани. Будь внимателен, обязательно заметишь за собой хвост. Это опасно. Для тебя. Для плана, с которым ты знаком.

— Почему до Рязани?

— Чтобы те, кто захочет тебя поиметь, были уверены — ты уехал.

— Допустим.

— В Рязани выйдешь на перрон. Прогуляться. Вещи оставь в поезде. Все самое нужное забери с собой. Зайди в здание вокзала. Пусть поезд уйдет. Ты сядешь на электричку до Москвы. Поздно ночью самолет на Астану. Билет для тебя уже есть.

— А если...

— Никаких если. Ты не забыл, как в поезде собачка пошла к твоему багажу? Думаешь случайно? Нет, Андрей. Тебя хотели подставить, и ты бы влип, но Аллах был на твоей стороне. Ты думаешь, он все время будет поддерживать человека, который не понимает намеков?

— Все, — сказал Андрей. — Ты меня убедил.

В поезд, уходивший в Узбекистан, они сели вместе.

Бросив на полку полупустой полиэтиленовый пакет, Андрей вышел в коридор. Поезд гремел и шатался, проходя по стрелкам. Неожиданно кто-то задел его плечом. Андрей полуобернулся и буквально оторопел. Перед ним в форме вагонного проводника стоял Иван Черных, тот, который приезжал за ним в Акуловку.

— Чайку? — спросил Черных, всем видом показывая Андрею, что не стоит его узнавать.

— Да, чайку. Погорячее. И объясни, как ты здесь оказался? Только не говори, что случайно.

— Шеф приказал проводить тебя до границы. У него были причины опасаться за твое здоровье.

— Ах, какие нежности! О своем здоровье я позабочусь сам. Короче, придумать глупей твое начальство ничего не могло? Советую тебе отсюда исчезнуть. Доложи кому надо и сойди в Рязани. Тут половина поезда наркокурьеры. Стоит намекнуть, что ты мент...

— Не дури, — Черных зло покраснел. — Скажешь ты, я тоже скажу, кто ты.

— Не скажешь. Ты ведь патриот. Служишь идее. Так что исчезай.

— Андрей, мне казалось, что ты порядочный мужик.

— А что, порядочный мужик не имеет права жить без хвоста? И потом представь, с тобой что-то случится без моей помощи. Да я же век себе этого не прощу. Так что давай разбежимся. Понял?

— Не могу. Не убеждай.

— Смотри, как хочешь.

В Рязани Андрей сошел, прошелся по вокзалу, зашел в туалет, а поезд поехал дальше...

Кто знает, где кончаются
слезы и начинается смех?

Он прилетел в Ташкент в полдень. Самолет казахстанских авиалиний легко коснулся бетонки, прожаренной солнцем до самого грунта. Гомонящая пестрая толпа пассажиров, выходя из салона самолета на трап, в полной мере ощущала всю легендарную солнечность Узбекистана. Из полупрохладного чрева самолета люди попадали в раскаленную духовку. Мужчины начинали срывать с себя пиджаки, женщины прикрывались зонтами и шляпками.

Полусонный после плотного обеда начальник таможенного поста Эдгар Салимов, твердо уверенный в том, что суверенитет дает ему право обдирать чужеземцев, уныло глядел на поток пассажиров, зная, что с прилетевших из Астаны соотечественников калым сорвать не так-то просто. Зато он быстро выделил из толпы Андрея, и в нем проснулся охотничий азарт. Почему не попытаться слупить с русского хотя бы десятку баксов? Игра стоила свеч. Тем более что пассажир не стал ожидать багажа: все его имущество составлял плоский черный кейс.

Салимов прекрасно знал, что так ездят люди денежные, не желающие обременять себя даже бритвенными принадлежностями и мылом: в дорогих отелях все это можно легко достать.

Салимов с деловым видом подошел к стойке и поправил форменную фуражку.

Андрей сразу заметил, как при его приближении хищно заблестели глаза таможенника, и понял, в чем дело. Но это его совсем не испугало, а даже позабавило. Он видел, как к стойке из зала приближались Дурды и Кашкарбай.

Не говоря ни слова, таможенник жестом показал Андрею, чтобы тот положил кейс на стойку и открыл его для досмотра.

Кашкарбай, подошедший к стойке первым, прикрыл ладонью крышку кейса.

— Скажите, уважаемый офицер, — сказал он по-узбекски, — какую вам дать взятку, чтобы вы освободили нашего гостя от унизительной проверки? Исламская организация, которую я представляю, не желает, чтобы у нашего гостя сложилось превратное впечатление об Узбекистане. Вы этого тоже, наверное, не хотите?

В тоне, которым говорил Кашкарбай, было столько властности и холода, что Салимов смешался. Он не знал этого человека, но по его поведению и ссылке на исламскую организацию понял, что доброго в случае ослушания ждать не придется.

— Он ваш гость? — спросил Салимов, еще не решив, что делать.

— Не просто гость. Он наш высокий гость.

— Ас-саляму алейкум! — сказал Андрей, играя особой чистотой произношения. — Мир вам!

— Ва алейкум! И вам! — ответил Кашкарбай, приложил левую руку к животу, правую протянул Андрею. Потом спокойно взял кейс со стойки, посмотрел на таможенника. — Спасибо, уважаемый. И передайте привет вашему отцу Бобосадыку.

Салимов сглотнул слюну и молча посмотрел вслед уходящим. Люди, которых он не знал, знали о его отце, бывшем при советской власти заместителем начальника отдела внутренних дел в Чирчике, о чем теперь в семье старались не вспоминать. С людьми, которые не забыли об этом, лучше было не связываться.

И вот снова Шахимардан. Они вошли в ворота. Ирташ пропустил Андрея вперед, но, когда тот вошел, придержал его за руку.

— Прошу извинить, у хана сменилась охрана, и порядки здесь устанавливаю не я. Разреши охране тебя обыскать.

Андрей остановился и демонстративно поднял руки вверх, стараясь задрать их как можно выше. Но на это никто внимания не обратил.

Один из охранников очень быстро, но весьма тщательно обстукал гостя ладонями от горла до ботинок. Окончив процедуру, кивнул Иргашу:

— Проходите, вас ждут.

Они прошли через сад по дорожке, выложенной плитняком, добытым в горах.

Обычный азиатский по внешнему виду дом ничем не выделялся среди других домов кишлака. Однако внутри был обставлен с особой восточной изысканностью. На стенах и полах были дорогие ковры как ярких расцветок фабричной работы, так и более блеклые, но стоившие гораздо дороже, — персидской ручной выделки.

Диванчики, кушетки, пуфики на гнутых и прямых ножках стояли вдоль стен. Посередине комнаты, на зеленой скатерти, постеленной на ковер, теснились хрустальные блюда и ладьи с виноградом, абрикосами, сливами, яблоками. Светились рубиновым блеском графины с гранатовым соком.

От одного взгляда на все эти яства у Андрея судорожно сжался желудок и заурчало в кишках.

Ширали-хан встретил гостя стоя. Он был в европейском дорогого пошива костюме, в ослепительно белой рубахе с распахнутым воротом.

— Побывали в гостях у сестры, Андрей? Довольны?

— Благодарю, великий хан. Все хорошо.

— Тогда выйдем в сад, там пообедаем и поговорим о наших делах.

Они расположились на айване — высоком деревянном помосте, устроенном над арыком в густой тени огромного орехового дерева.

Позволив Андрею утолить голод, **хан** заговорил:

— Мы уточнили расположение клада. Он лежит в пещере в глубине скал. К нему надо делать проход.

— Я думаю, великий хан, мы это сделаем.

— Мне говорили, что есть станки, которые могут бить скважину без особых сложностей. Нам не нужна ювелирная работа. Нужна дыра, через которую можно извлечь сокровище.

— Да, мне известны все способы бурения, хан. Но я выбрал тот, который наиболее удобен в данном деле. Я хочу показать вам это на примере.

Андрей встал, спустился с айвана и по двору прошел к месту, где в большой яме три работника месили глину. Хозяин владения в некоторых местах обновлял забор.

Андрей взял кусок глины килограммов на пять, скатал из него шар, потом поднял с земли маленький камушек, воткнул его в середину кома, залепил образовавшееся отверстие. Принес глину на айван, на котором сидел Ширали-хан. Постелил на ковер газету и плюхнул на нее комок.

Ширали-хан следил за Андреем с некоторым удивлением, но вопросов не задавал.

— Так, уважаемый хан, выглядит гора, если ее уменьшить в размерах. Где-то внутри находится пустота. У меня ее заменяет камень. Теперь возьмите проволоку и попробуйте попасть ею точно в камень. Скажите, сколько попыток вам потребуется.

Ширали-хан, не отвечая на вопрос, пять раз ткнул в глину проволочкой, и все время она проскакивала через глину, не попадая в цель. Он отбросил проволоку и спросил:

— А камень там есть?

— Хан, неужели я могу набраться нахальства и обманывать вас?

— Значит, сразу бить большую скважину нельзя?

— Можно, но глупо. По умному мы должны постараться найти камеру, где размещен клад. Как известно, камера достаточно узкая. Мы сумеем ее найти, если совместим схему с реальной местностью и пробурим несколько пробных скважин.

— Что тебе потребуется для работы?

— Нужно приобрести буровую установку. Возможны два варианта: УКБ-4П или УКБ-5П.

— Записывай, — Ширали-хан махнул рукой Иргашу.

— Пусть ваши люди установят контакт с геологоразведочными конторами. Они сейчас не работают, а оборудование у многих сохранилось. Когда станки будут найдены, я осмотрю их лично.

— Хорошо.

— Нужны коронки двух видов: алмазные и твердосплавные. Пусть исполнители запишут и сделают заказ точно.

— Записал? — спросил Ширали-хан Иргаша и снова обратился к Андрею. — Называй, что нужно.

— Алмазные коронки карбонадо. Три штуки. Твердосплавные карбид бора или карбид кремния. Десять.

— Записал?

— Еще нужен световод.

— Для чего?

— Пробурив скважину, мы с помощью световода обследуем каверну. Это нужно, чтобы точно определить, где расположен клад. Знание сэкономит много времени и усилий.

— Что еще?

— Необходимо достать аппаратуру для определения географических координат с помощью спутниковой системы.

— Это большая аппаратура?

— Нет, эфенди. Всего лишь коробочка вроде мобильного телефона.

— Считайте, что она у вас есть.

— Нужен металлодетектор.

— Это зачем? — Ширали-хан искренне удивился.

— До начала работ придется проверить участок. Русские могли заложить там мины.

Ширали-хан почесал лохматую бровь.

— Все ты предвидишь, мастер. Это мне нравится.

ШИФРОГРАММА
ПОСОЛЬСТВО КОРОЛЕВСТВА АРАБИИ В МОСКВЕ ГОСПОДИНУ СОВЕТНИКУ УКБА БИН БУСРУ

С именем Аллаха. Предлагается обратить внимание на сбор информации о любых признаках активизации российс-

ких спецслужб на Центральноазиатском и Среднеазиатском направлениях. Рекомендуется отслеживать такие признаки:

— учащение поездок специальных делегаций и представителей российских ФСБ и МВД в Астану и Ташкент;

— проявление интереса местных спецслужб и милиции к фирмам и предприятиям, которые ведут геологическую и гидрологическую разведку на территориях Казахстана и Узбекистана.

Просьба интересоваться, не располагают ли подобными сведениями посольства дружеских арабских стран в России, Узбекистане, Казахстане, а также дипломатические представительства Узбекистана, Туркмении, Казахстана и Киргизии в Москве.

Все собранные сведения шифровать и оперативно адресовать только на имя шейха ибн Масрака.

Подписал: Турки аль-Фейсал, шеф службы Общей разведки.

— Гордов? Это генерал Травин. ФСБ. Вы не можете прямо сейчас подъехать ко мне на Лубянку? В подъезде вас будут ждать. Пропуска не потребуется. Вас узнают.

— Товарищ генерал, у меня дела. Ваше предложение столь внезапно, что я не могу их бросить.

— Придется, Александр Алексеевич. Я говорил с министром Разрушаевым. Он в курсе. Доложите своему руководству и ко мне.

Гордов тяжко вздохнул и стал собирать бумаги. Через сорок минут он сидел в кабинете Травина.

— Скажите, Гордов, у вас есть доверенные люди на железной дороге юго-восточного направления?

— Товарищ генерал, я прекрасно понимаю, где я и кто вы, но такими сведениями делиться не буду. Имена тех, кому доверяю и кто доверяет мне, я не сообщу даже министру. Чужими жизнями играть не умею.

Травин выслушал Гордова не перебивая. Пусть человек выговорится, тогда проще наладить взаимопонимание.

— Александр Алексеевич, меня не интересуют имена, фамилии, способы связи. Мне нужно другое. Возникла необходимость без огласки провезти ящик свиной тушенки в Казахстан, в поселок Актас. У меня там есть адрес, по которому нужно доставить посылку, но нет канала для ее провоза.

— Как бы мне не взорваться вместе с вашей тушенкой.

— Да ладно, не взорветесь, — сказал Травин спокойно. — Взрыватели упакуют отдельно.

Гордов широко открыл глаза. «Как бы мне не взорваться» он сказал, имея в виду «как бы мне не погореть», и неожиданно попал в масть, угадал тайну, в которую, судя по всему, его не собирались посвящать. «Ну, ребята, и стиль у вас», — подумал он раздраженно, но сказал другое:

— Значит, взрывчатка. И ко всему контрабандой. Так?

— Несомненно. УК России, статья сто восемьдесят восемь, пункт два. Перемещение через границу взрывчатых веществ. В Казахстане в законах нечто подобное.

— Поначалу вы говорили о тушенке.

— Так оно и будет. Десять банок пластида в обрамлении настоящей тушенки.

— Почему именно свиной?

— К говядине в Казахстане кто-нибудь может проявить гастрономический интерес.

— И для чего взрывчатка? Будет диверсия?

— Вы слишком любопытны, Гордов. Однако скажу, против Казахстана мы диверсий не замышляем.

— Спасибо, успокоили. Предлагаете мне сунуть голову в петлю и не хотите объяснить, ради чего мне рисковать собственной жизнью.

— О какой петле вы говорите?

— Я государственный служащий, а мне дают дело, которое законы всех стран оценивают как уголовное преступление. В случае провала кому отвечать?

— Александр Алексеевич, вы серьезный человек. Поскольку речь идет об интересах России, о нашей общей безопасности, то предлагаемое вам задание определяется нами не как преступление, а как секретная операция.

— Красивое объяснение. Очень красивое. Что, если мне обсудить предложение с адвокатом? На случай, если потребуется защита.

Травин встал. За ним поднялся Гордов.

— Да сидите, Александр Алексеевич! — Травин безнадежно махнул рукой. — Мне докладывали, что вы не склонны к сотрудничеству.

Гордов усмехнулся:

— Не лукавьте, генерал. Вы все понимали с самого начала нашего разговора и ждали — догадается мент об опасности или пронесет. Как видите, не пронесло. Время нынче другое.

— Ну, зачем вы так, Гордов? По-твоему, я сволочь, на которой негде ставить пробы?

— Не обязательно. Вы можете быть человеком хорошим, но секретная служба — это дерьмо. Сейчас вы подталкиваете меня на уголовщину. И не скрываете этого. Мол, делай, мент, это Родине нужно. Но представим, что у меня дело соскользнет. Вы ведь тогда сделаете круглые глаза и скажете: «А кто такой этот Гордов?»

Травин прошелся от стола к окну и обратно. Одернул китель.

— Хорошо, майор, ты мужик умный и сразу понял, что нужен в нашей игре. Значит, валяй, ставь условия. Чего хочешь?

— Чего хочу? Взаимоответственных отношений. На патриотизм, на большевистскую сознательность мне давить не надо — это уже не пройдет.

— Что тогда?

— Контракт. Вы пишете, что майор Гордов выполняет служебное задание. Для этой цели ему выделяются материальные средства.

— И много ты их хочешь?

— Нет, немного. По ставкам моих обычных клиентов. Пятьсот зеленых для проплаты тому, кто повезет тушенку и гарантирует ее доставку вашему человеку в Актасе. Двести — аванс, триста — под расчет по факту доставки.

Травин вернулся к столу, сел, взял ручку и стал записывать цифры на бумаге. Подумал.

— Приемлемо, если начальство не возразит. Что еще?

— Дальше тысячу мне лично. Не знаю, как вам их списать. Впрочем, напишите просто: «На витаминизацию исполнителя».

— Нахал, но, допустим, тебя мы провитаминизируем.

— Следующий пункт будет труднее. В связи с возможностью провала на территории сопредельного государства мне будет обеспечена квалифицированная правовая защита и выделен адвокат. Вопрос о внесудебном порядке моего освобождения лучше решать на правительственном уровне.

Травин хитро прищурился:

— Как это ты себе представляешь?

— Не знаю, служба у вас серьезная.

— А ты знаешь, что о всех наших проколах докладные наверх идут через Министерство иностранных дел?

— Тогда сыграйте на взаимной расположенности. Я дам вам две-три фамилии крупных казахских чиновников, зашибающих на наркоте. По-крупному, без дураков. Вы шепнете в дом на Чистых прудах и намекнете: отпустите нашего дурачка. Если не сделаете, то пресса получит фамилии. И назовите, какие. С Чистых прудов стукнут в Астану...

Травин положил обе ладони на стол и громко ими пристукнул.

— А что, Гордов, если я тебе предложу постоянное место у себя? Поторгуешь тушенкой, вернешься — в этом не сомневаюсь, и мы тебя заберем переводом. Звание подполковника. Для начала.

— Это за какие ж заслуги?

— Варит у тебя парламент. Неплохо варит. Моим бы дать задание подготовить тебе отход и прикрытие, они такого бы накулупали.

— И я накулупал бы, но здесь речь о собственной шкуре. Не хочется видеть ее в дырках.

— Значит, контракт. Хорошо. Дело, прямо скажу, для нас необычное, но попробую уломать шефа.

— Попробуйте. Я обстановки у вас не знаю, но, судя по нашему разговору, сковорода, на которой вы с шефом сидите, снизу подогревается круто. Поэтому, пока не задымилось, вам лучше со мной согласиться.

— Типун тебе на язык. Будешь пить чай? С бутербродами? Я угощаю.

— Мастер, — Кашкарбай задумчиво пригладил ладонью ухоженную густую черную бороду. — Пока мы готовимся, на вас ложится серьезное дело.

— Какое именно? — Андрей встрепенулся. Кашкарбай, в глазах которого никогда не гасло подозрение, ему активно не нравился.

— Сходите в аптеку, здесь она рядом, и вместе с аптекарем составьте список лекарств, которые могут потребоваться экспедиции. Как говорил Мурад, вы кое-что понимаете в медицине.

Задание трудностей не составило. Аптеку Андрей нашел сразу. Внутри помещения посетителей не было, стояла тишина, и приятно пахло лакрицей, немного йодом.

Среднего возраста узбек, судя по желтой сухой коже изможденного лица, не совсем здоровый, склонился над прилавком.

— Уважаемый, я собираюсь на долгое время на работу в степь. Подскажите, пожалуйста, какие лекарства мне стоит купить впрок в первую очередь?

Узбек посмотрел на Андрея, но взгляд его был пустым и скорее обращенным на стену, чем на посетителя.

— Аспирин УПСА. Быстрорастворимый, — сказал он. — Лучшее, что потребуется при простуде.

— Спасибо, что еще?

— Уважаемый, вам стоит встретиться с врачом и поговорить с ним. Мне трудно давать советы.

— Вы фармацевт?

— Нет, я продавец.

— А в аптеке есть фармацевт?

— Был такой.

— Где же он?

— Уважаемый, с тех пор как Узбекистан избавился от

русского влияния и стал свободной страной, у нас изменилось все. Золотые руки и головы уехали в Россию и в Израиль.

— Вы говорите не по-современному. Русских сейчас принято ругать, в крайнем случае о них молчат.

— Простите, а кого я еще обвиняю? Только русских. Это они уехали от нас — и всем стало хуже.

В голосе узбека столь открыто звучала злая ирония, что Андрей не выдержал и спросил:

— Вы не боитесь так говорить?

— Непризнание правды — это ноги, на которых ходит ложь. Клевета как ветер раздувает огонь злобы и ненависти. А разве топором ненависти можно построить мосты дружбы и правды?

Андрей улыбнулся и решил ответить с такой же восточной витиеватостью, чтобы показать, насколько свободно может говорить по-узбекски не только на бытовые темы.

— Добрая мудрость ваших слов, уважаемый, заставила мое сердце наполниться признательностью. Я русский, и мне приятно услышать серьезные обвинения в наш адрес. К сожалению, так о нас говорят не все.

— Слова — не всегда мысли людей. Многие повторяют, что им говорят другие. Но даже дурак в нужде отличит вкус халвы от вкуса перца.

— Значит, хороших врачей стало мало?

— Горько признавать это, но так. Правда, говорили, что русских заменят близкие по родству люди — турки.

— И где же они?

— Турки умные люди. Только дурак приедет бесплатно лечить нищих.

— Врач — профессия гуманная.

— Верно, однако даже гуманизм не бывает бесплатным. Чтобы лечить, нужны инструменты, лекарства, так? Инструменты и лекарства без денег не достанешь.

— Спасибо, вы объяснили мне все. Скажите, где я могу получить совет о том, какие лекарства нужно взять с собой в поездку?

— Здесь рядом живет врач Али Халиф. Достойный

человек и добрый советчик. Обратитесь к нему. Выйдете из аптеки, свернете направо, и третий дом на этой же улице...

Али Халиф, пожилой седобородый мужчина с такими же седыми усиками, в белой чалме, покрывавшей круглую голову, походил на поэта Алишера Навои, каким его рисуют художники. Он протянул Андрею жесткую, как деревянная лопаточка, руку и задержал его ладонь в своей.

— Проходите в мехмахану, в гостевую комнату. Будем пить чай. Проходите. И расскажите, что вас привело ко мне.

— Право, неудобно, доктор. Я не хочу вас затруднять.

— О чем вы? Неожиданный гость от бога — худай кунак. Я очень рад вашему появлению...

Низко склонив голову, широким жестом доктор показал, куда идти.

— Меня зовут Халиф. К счастью, я не халиф на час, а на деле являюсь им уже много лет.

— А я Назаров. Андрей.

— Очень приятно. Очень.

Они прошли в комнату, уставленную книжными шкафами. Андрей сразу обратил внимание, что у большинства книг, теснившихся за стеклами, арабские заголовки.

— Садитесь, — хозяин предложил гостю место на ковре, где нужно сидеть, подогнув ноги. — Если вам неудобно, можно сесть за стол.

— Я азиат, — Андрей сообщил об этом с определенной гордостью. — Где сидеть, для меня не проблема.

Он бросил взгляд на стол, где лежали стопки книг, стояли микроскоп и сборка для химических опытов — штативы, колбы и пробирки, соединенные стеклянными трубками.

— Что вас привело ко мне, Андрей?

Они уселись на ковре друг напротив друга.

— Был в аптеке, и мне посоветовали обратиться к вам.

— К вашим услугам.

— Я хочу приобрести лекарства. Как говорят, впрок. Часть из них я знаю, они у меня записаны, — Андрей начал диктовать названия медикаментов.

— К этому мы вернемся чуть позже, — прервал его Халиф. — А сейчас будем пить чай. Аля! — Халиф повысил голос. — Будь добра, подай нам чай.

— Спасибо, не следует беспокоиться.

— Вы ведь назвали себя азиатом. А какой азиат позволит себе лишить хозяина удовольствия принять гостя? Так что, уважаемый, придется немного потерпеть. Мы посидим, поговорим, потом я приподниму перед вами занавес небольшой восточной сказки. Со злыми разбойниками и добрым джинном.

В комнату легко проскользнула женщина в восточном шелковом цветастом платье. Босыми ногами прошла по ковру и опустила на ковер перед Андреем металлический поднос, на котором стояли красный пузатый чайник в белый горошек и две такие же пиалушки, лежала горка винограда и разломанный на части шар граната, из которого выглядывали рубиновые ядра фруктового заряда.

Андрей вскинул на женщину глаза и остолбенел. Эту женщину он спасал от базарной давки.

— Познакомьтесь, Андрей. Это Альфия. Моя племянница.

— Мы в какой-то мере уже знакомы.

— Даже так? Тогда у вас будет время поговорить. А сейчас...

Аля, улыбнувшись Андрею, кивнула и также бесшумно, как вошла, удалилась.

Халиф разлил чай в пиалушки.

— Угощайтесь!

Андрей взял пиалу и отпил глоток. Чай был свежий, душистый, горячий.

Халиф посмотрел на гостя.

— Вы верите в бога, Андрей?

— Простите, нет. Обхожусь так.

— Следовательно, не верите в судьбу и не признаете ясновидения.

— Не верю.

— Тогда я постараюсь изменить ваши установки. Для начала скажу, чем вы собираетесь заняться в ближайшее время.

— Чем же?

— Готовитесь в экспедицию. Притом нелегкую.

Андрей пожал плечами:

— Это угадать нетрудно. Человек приходит к вам за лекарствами. По их набору можно догадаться, что он собирается забраться куда-нибудь подальше от цивилизации.

Халиф церемонно поклонился:

— Спасибо, что назвали бедлам, в котором мы здесь обитаем, цивилизацией. Это очень деликатно с вашей стороны. И еще свидетельствует о вашем чувстве юмора.

— Ну, если оно когда-нибудь было у меня вообще...

— Не скромничайте, не надо. Тем более что я сейчас опровергну ваш тезис о лекарствах. По числу упаковок панзинорма, хинина, маалокса нельзя угадать, что человек собирается делать. А я уверен, вы будете заниматься буровыми работами...

— Стоп, — сказал Андрей. — Мне такой разговор не нравится. Давайте не будем продолжать.

— Хорошо, всего один нейтральный вопрос. Вы окончили Губку — Московский институт нефти и газа?

— Точно, окончил.

— Вы знали профессора Купермана?

— Знал.

— И как он нравился вам, если честно?

— Если честно, то как студенту мог нравиться препод, который дерет с него шкуру?

— А он ее с вас драл?

— Еще как! Буквально снимал скальпы. Его за глаза так и звали Ирокез.

— Тем не менее Ирокез вам лично не поставил ни одного трояка. Или, как тогда у вас говорили, «ни одной тряпки». Верно? Во всяком случае, он в вашей зачетке оставил три пятерки и четверку. Разве не так?

Андрей внимательно посмотрел на Халифа:

— Прошло столько лет, откуда вам все это известно?

— Знаете, Андрей, в чем разница между шарлатаном-гадальщиком и разведчиком? Все очень просто. Я мог бы сейчас рассыпать перед вами карты и, указывая то на одну, то на другую, говорить: вам, Андрей Назаров, предстоит дальняя дорога, по пути будут ждать опасности, но вести к цели будет денежный интерес и обязательства, взятые перед казенным домом. Ну, и так далее. Это будет шарлатанством, потому что не карты рассказывают мне правду, а знания. Располагая точными знаниями, я могу перенести свое умение гадать на черные и белые бобы, на звезды... На что угодно...

— Значит, доктор, вы связаны с теми, на кого я собрался работать?

— Нет, я их знаю, но с ними не связан.

— Как же тогда вы узнали?

— Я человек, который проходит сквозь стены. Вы никогда не видели памятник Рихарду Зорге в Москве? Он изображен проходящим сквозь стену.

— Нет, не видел. Однако знаю, что Зорге был разведчиком.

— Я тоже.

Андрей засмеялся.

— Ладно вам дурачить меня.

— Я сказал правду.

— И на кого ж вы работаете?

— Вы слыхали такое название как «Моссад»?

— Вы же узбек, мусульманин...

— Нет, я еврей. Стопроцентный, хотя живу здесь почти всю жизнь.

— Все же вы меня разыгрываете...

— Должно быть, вас удивляет, почему я так открыто говорю с вами о вещах, о которых предпочтительней молчать. Ведь разведка очень деликатное дело. Очень. Вы согласны?

— Да, конечно.

— Вас интересует, почему?

— Конечно, если скажете.

— Все просто, Андрей. Вы, может быть, один из многих миллионов русских, с кем еврей, да еще разведчик, может говорить без боязни совершить непоправимую глупость. Я не стану нумеровать пункты, делающие вас человеком, к которому можно обратиться за помощью и получить поддержку. Поэтому, если интересно, я скажу, каким вижу вас в деталях и в целом.

— Мне интересно.

— Хорошо, я буду говорить. Очень важно для меня, что вы выросли и обрели характер здесь, на Востоке, в Азии. Русский в Рязани или Твери просто русский. Если кто-то по-пьяни в пивной или на улице пошлет его на-хер, это может стать поводом для драки или, как мини-мум, перебранки, но никак не раздует межнационально-го конфликта. Потому что самый далекий посыл русско-го русским не задевает его сокровенных национальных чувств. Как вы сами говорите: «Хоть горшком назови, только в печку не ставь». Верно? А здесь, в Азии, при-знаетесь вы или нет, но вы всегда жили и живете с обна-женным национальным нервом. Если вас кто-то обзо-вет, то не потому, что вы сволочь, а только за то, что рус-ский. Если быть объективным, то трудно подсчитать, сколько доброго русские сделали для узбеков, казахов, туркменов, киргизов. Современная медицина, собствен-ные ученые, национальный театр, кино — все это от рус-ских. Но надо быть лицемером, чтобы сказать, будто киргизы на своих отгонных пастбищах зачитываются Чингизом Айтматовым, который признан и восхваляем в России. А вот услыхать у себя за спиной шепот: «Отку-да здесь эта недорезанная русская свинья?» — от людей, которым вы не сделали зла, явление довольно обычное. Так?

— Ну, положим, я не очень часто с этим сталкивался. Моя жизнь больше проходила в глубинке, среди про-стых людей. Там упор на национальность не так заметен. С мордой, перемазанной нефтью, с руками в мозолях не ищут рядом с собой врагов.

— Допускаю. А теперь промежуточный итог. Вам по-нятно, что значит быть изгоем, человеком не коренной национальности, на которого, самое меньшее, смотрят с подозрением, самое большее — могут пырнуть ножом в спину за просто так.

Андрей кивнул, соглашаясь. Он знал о случаях нападения на русских, случаях не спровоцированных, но совершенных сознательно, с целью создать в обществе атмосферу ненависти и страха.

— Вот и хорошо, — сказал Халиф. — Это означает, что вы не героический генерал Маркашов, который не представляет, что здесь, в старом городе, ему, хранителю чистоты русской крови, могут крикнуть во след: «Убирайся вон, свинья, безбожник сраный!» И ничего не изменится, даже если он перекрестится. Вы же, насколько я выяснил, никогда не называли азиатов чуреками, чурками, чучмеками. Значит, не назовете еврея жидом.

— Мне кажется, что этого мало для серьезного доверия.

— Мало, но мы пойдем дальше. Я очень подробно исследовал все, что связано с вашим уходом из султаната туркменбаши. То, как вы уходили оттуда, прихватив двух туркменов, уже окружено легендами. Десять убитых и пятеро раненых записано на ваш общий счет. Хотя у меня есть предположения, что кое-кого могли просто приписать вам, чтобы проще было называть вас бандитом.

— Вы тоже считаете меня бандитом?

— Нет. Один из туркменов назвал вас сарбасом. В точном переводе с фарси это человек, играющий собственной головой. В русском варианте — сорвиголова. Впрочем, чего вам объяснять. Так вот, вы — сарбас.

Андрей усмехнулся, подумав, как легко при желании найти определение, при одних и тех же поступках меняющих отношение к человеку.

— Остановились на сарбасе, — сказал Халиф. — Для дела с «портфельчиком» Ширали-хану нужен именно такой человек. И, наконец, главное. Случайно узнав, что экспедиция в степь будет связана с поисками ядерного оружия, вы пошли на большой риск и поставили об этом в известность российские спецслужбы. Значит, вам не безразлично, где должен грохнуть взрыв. Вы ведь не знали, где?

— Нет.

— А ибн Масрак уже определил цель — уничтожить Израиль. Это удобное место для того, чтобы перессорить весь мир. Тем более что после взрыва прессе будут предоставлены свидетельства русского происхождения устройства.

— Чего вы от меня хотите? — Андрей не знал, как отнестись ко всему, что говорил Халиф. Что, если весь разговор служит способом проверки верности бурового мастера новым хозяевам? Но в то же время то, что он связался с российскими спецслужбами, не могло быть известно его нанимателям. Знай они об этом, никаких других проверок не потребовалось бы.

Халиф точно понял сомнения Андрея.

— Не волнуйтесь, это не провокация. Мне нужна ваша помощь. То, что вы сделаете для России, будет одновременно и вкладом в безопасность Израиля.

— Если я не соглашусь?

— Вы человек мужественный, потому отвечу честно: если вы откажетесь поддержать меня, вы человек конченый. Хан Ширали уже в самом начале операции решил вашу судьбу. А он своих решений не меняет. Аллах не предусмотрел кары за ликвидацию правоверным безбожника или иноверца.

— Что же вы предлагаете, если уже все решено?

— Я приставлю к вам человека. Верного человека. Он скорее умрет, чем позволит упасть волосу с вашей головы.

— Кто он?

Халиф развел руками.

— У любого знания, Андрей, есть предел. Вам лучше не знать, кто станет вашей тенью. Надо только помнить, она всегда будет за вашей спиной.

— А если мне потребуется его помощь?

— Постарайтесь обходиться без нее. Мой человек поможет вам без просьб в двух случаях. Первый — если вас распознают и решат убрать.

— Тьфу-тьфу, — Андрей изобразил, что сплевывает.

— Простите, если мои слова не пришлись по душе. Однако я обязан предусмотреть все.

— А если он не сумеет узнать о подобном решении?

— Андрей, если вы ни во что не ставите старого еврея, то уважайте его хотя бы как представителя «Моссада». Цену этой организации знают самые фанатичные исламисты. А вы...

— Я тоже ее знаю, господин Халиф... И все ж, кто у меня отобрал право на сомнения? «Моссад»?

— Насчет прав вы ошибаетесь. Их никто у вас не отбирал. Что касается моего человека, то он будет знать, что глава экспедиции и ответственный за ее безопасность Иргаш ест, что пьет, понос у него в данный час или запор.

— Выходит, в экспедиции будет ваш человек? — спросил Андрей и, чтобы уточнить, добавил: — Он еврей?

Халиф бросил на собеседника проницательный взгляд:

— Вы считаете, что в таких обстоятельствах разумным может оказаться только еврей? А это не так. И вот почему. Когда появилось атомное оружие, первое, что произвело на людей самое сильное впечатление, оказалась ударная волна. Именно она позволяла сравнивать разрушения с теми, которые производят обычные взрывчатые вещества. Появился даже дурацкий по существу термин «тротиловый эквивалент». Планируя атомные взрывы, военные на картах чертили концентрические круги. Одни обозначали зоны сплошных разрушений, другие — частичных. И словно за скобками оставалась куда более страшная опасность — радиация. Потом был Чернобыль. Минимальный тротиловый эквивалент взрыва, который разрушил реактор, вызвал мощный выброс радиации. Он привел к глубокому заражению земель Белоруссии, Украины, России. Так вот, Чернобыль слегка вправил обществу мозги. Умные люди поняли, что ядерное оружие — самоубийство. Если исламисты сумеют взорвать бомбу в Израиле, на этой земле не смогут жить не только евреи, но и сами арабы. Выходит, что те, кто подбивают экстремистов на такие действия, меньше всего заботятся о палестинцах, их землях, о судьбах простых мусульман. Те арабы, которые это понимают, готовы помочь нам ликвидировать ядерную опасность. Есть немало мудрых и честных людей в Средней Азии. Они готовы противостоять экстремизму.

— Спасибо, успокоили.

— Тогда второе условие. Вы можете сами вызвать помощь только на последнем этапе, когда все будет готово к уничтожению известного нам ящика.

— Как я смогу дать знак? И кому?

— Я передам вам рубаху. Вы ее наденете, и мой человек к вам подойдет сам.

— Поскольку ваше предложение не требует от меня дополнительных усилий, я его приму. Хотя не знаю, зачем это делаю.

— Я понимаю, Андрей, вам сейчас не до того, чтобы задумываться над судьбами человечества, если еще не ясна даже своя. Вы знаете, что сильнее всего сегодня разъединяют людей не расовые проблемы, а религиозные? Нет, вы этого не знаете. Вот вы верите, что сегодня у нас двухтысячный год? Верите? А если я скажу, что это совсем не так, что сегодня год пять тысяч семьсот шестидесятый, как вы к этому отнесетесь? Не поверите? А это правда. Первая дата по христианскому календарю, вторая по иудейскому летосчислению, принятому в Израиле. У большинства мусульманских стран свой счет. Значит, мы живем в разном измерении времени, которое ровным счетом ничего в природе не меняет. Но вот попробуйте привести леточисление к единой системе. Да ничего не выйдет! Никто не пожелает поступиться принципами своих верований. Людей разделяют их верования, предрассудки, национальная нетерпимость. По иудейским канонам всякий, кто рожден матерью-еврейкой — еврей. В этом нет ничего странного, как в том, что китаянки рождают китайцев, японки — японцев, чукчи — чукчей. Странно... Нет, вернее сказать, страшно другое. Вы знаете кого-то в мире, кто призывал бы убивать китайцев, потому что они китайцы, а папуасов за то, что они папуасы? А вот убивать евреев, больше того, уничтожить их всех в мире призывает немало людей. По одной лишь причине, что евреи — это евреи.

— Ну, это вы зря, господин Халиф. Кто и в чем сегодня обвиняет евреев в России? Конституция гарантирует равенство. Православная церковь зовет к примирению...

— Просто смешно, вы не верите в бога, а церкви верите. Это воистину необъяснимо. Я еврей, но не иудей, ибо последнее есть вероисповедание. Я такой же атеист, как и вы. Однако искренности православия в отношении евреев верю мало.

— В Евангелии, насколько я знаю, сказано, что перед богом равны все — и эллины и иудеи. Разве не так?

— Это слова, уважаемый. Дела выглядят иначе. Знаете ли вы, что церковные каноны запрещают православным священникам мыться в одной бане с раввином? Это записано отдельной строкой в церковном законодательстве. Или вот...

Халиф встал, прошел к письменному столу, заваленному книгами и газетами. Вынул из кучи одну из книг. Вернулся к Андрею и подал ему.

— Это церковное издание двухтысячного года. Посвящено канонизации в святые господина Николая Романова Второго. Почитайте места, отмеченные закладками.

Андрей раскрыл книгу. Стал читать вслух:

— «Иго новейшее внутрь нас есть: ни от восток, ни от запад. Како глаголют неции, яко иудеи сгубиша Русь Святую?.. Иудеи — суть по духу, заповедь Христову ненавидяще, ими же и им подобящимся ожидовела, яко червями Русская земля».

— Заметьте, это год двухтысячный. Писать такое можно только в бреду ксенофобии. Это в России, а вы представьте, о чем думают и говорят арабы. Они не скрывают желания уничтожить Израиль.

— По-моему, во всем этом слишком много преувеличений. Больше болтовни, чем дел. Если брать палестинско-израильское противостояние, то в нем достаточно вины на обеих сторонах.

— Оставим общеизвестные вещи. Поговорим о другом. О том, что трудно назвать преувеличением. Вы что-нибудь слыхали об организации «Пламя джихада»?

— Насколько я знаю, подобных организаций существует великое множество.

— Верно, но «Пламя джихада» — одна из самых скрытых и самых богатых. В эту группу отобраны круто зарекомендовавшие себя моджахеды, получившие опыт в таких организациях, как «Хезболла», как «Ислами джихад», «Аль-Фати», «Абу-Нидали», короче, в организациях, провозгласивших целью уничтожение Израиля. Многие из отобранных воевали в Афганистане, участвовали в террористических актах на территории Израиля и других стран. «Пламя джихада» отличается от других исламистских организаций жесткой централизацией и дисциплиной. Любая инициатива, проявленная моджахедом самостоятельно, карается смертью. Ибн Масрак — единственный вождь в этой группе, своеобразный фюрер Востока с непререкаемым авторитетом и безграничной властью над подчиненными.

— Вы видите в его делах опасность для мира?

— Да, вижу. И не только я. Влияние духовных провокаторов на мусульман огромно. Ислам — это образ жизни миллиардов людей. Христианство — не столько вера, сколько система кормления служителей церкви за счет верующих.

— Об этом можно спорить.

— Можно, но неопровержим тот факт, что христианство проигрывает исламу. Церковь, особенно православная, стала похожа на шоу-бизнес с переодеванием. Ни одна религия в мире не скопила столько богатств и сокровищ, сколько католическая и православная конфессии. Вы посмотрите на своих попов. Если мулла своим одеянием демонстрирует смирение, то все золоченые ризы, все знаки церковного отличия православия — это свидетельства безмерной генеральской гордыни.

— Ваши взгляды совпадают с тем, что я слышал от Ширали-хана.

— Это означает лишь то, что он человек неглупый и

реально смотрит на факты. А они не свидетельствуют в пользу христианства. Вы когда-нибудь замечали, что сегодня все, чем гордится Америка, имеет черную окраску? Певцы, музыканты, баскетболисты, боксеры, легкоатлеты... Назвать конкретные имена? Не надо? Так вот, белые американцы, хотят они того или нет, утрачивают ведущие позиции. Точка будет поставлена, когда президентом США станет чернокожий. Но это не страшно. Куда важнее другое — изменяется религиозное лицо Америки. Христианство, иудаизм теряют влияние на общество. Их вытесняют новые секты и конфессии. Между тем любая новая религия, чтобы завоевать сторонников, должна быть предельно агрессивной и точно называть своих врагов. Растафариане, христиане нового толка, объявили, что Христос был негром, что белому легче пролезть в игольное ушко, нежели оказаться в раю. Еще агрессивнее идеология негритянской религиозной организации «Нация ислама». Ее лидер Луис Фаррахан публично заявил...

Халиф прошел к книжной полке, взял с нее журнал, набранный арабским шрифтом, развернул на заложенной странице и прочитал:

— «Бог не хочет, чтобы белые жили с нами. Он не желает, чтобы мы смешивались с детьми рабовладельцев, для которых пришел час Страшного суда». Чернокожему оставаться христианином сегодня в Америке не модно. Чернокожий мусульманин — вот идеал молодых. Лучше всего эту опасность сегодня понимают в Израиле. Теперь начинают понимать и в России. Европа все еще тешит свое миропонимание обилием пива и сосисок. «Зеленые» борются против электростанций и поддерживают агрессию против Югославии. Поясок ислама из Малой Азии уже перекинулся вплотную к Германии и Италии. Пусть ждут, он затянется. Придавили Югославию, начнут прибирать к рукам Македонию. Дойдет дело до Греции и Болгарии. Надо только подождать.

— Что же, по-вашему, следует делать?

— Думать о будущем и строить его. Особенно это касается русских.

— Почему именно нас?

— Народы, как и отдельные люди, живут, потом вымирают, и о них спустя какое-то время уже никто не может вспомнить. Были, говорят, такие. Ложки от них остались, битые тарелки. Остались еще камни с непонятными письменами.

— Я понял, что это намек на то, что русские исчезнут?

— Почему намек? Это прогноз. Не сразу все произойдет, конечно. Не сразу, но при том раскладе, что есть сегодня, это произойдет обязательно. Сперва китайцы заселят Дальний Восток и Сибирь, займут Центральную Азию. Так, постепенно...

— Звучит не очень оптимистично.

— Ничего не поделаешь. Движение жизни. Выживают те, кого сплачивает национальная идея или религия. Сила сегодня на стороне ислама и китайской национальной идеи. Поэтому русским пора перестать кричать «жиды!», а начать учиться выживанию.

— У кого, у евреев?

— У малых народов. У тех, кто сохраняет себя в веках. У венгров, у евреев... Или вам это не нравится?

— Все же и русские что-то сами умеют.

— Блажен, кто верует. А вы посмотрите на все не чужими, а своими глазами. Это там, в Москве, говорят о величии России. Вы живете в Азии и видите — все подобные разговоры всего лишь треп. За всю историю русские впервые оказались в рассеянии. Как евреи когда-то. Связи многих русских с Россией порвались. Они стали иностранными гражданами. У любого еврея испокон веков была вторая родина — Земля обетованная, Израиль. Я знаю немало русских, все еще живущих здесь, и скажу, что Россия их не манит. При Советах власти клеймили сионизм, который был, по существу, израильским патриотизмом. Чем это отличалось от национальной гордости великороссов, от той, о которой писал Ленин? Мало чем. Тем не менее русским в Советском Союзе прививали советский патриотизм, нечто без корней и национального самосознания. И теперь у вас, извини,

Андрей, у тебя тоже, нет внутреннего стержня, своего сионизма, какой есть у меня. Только вспомни, сколько раз евреям советовали ассимилироваться с народами стран, где они проживают. Нежелание это делать объясняли плохим характером евреев, особой хитростью этой нации. Теперь я смотрю, как русские восстают против принудительной ассимиляции в Литве, Латвии, Эстонии, Украине, и думаю: может быть, все же эти люди поймут наконец нас?..

Они говорили долго, по-восточному спокойно, неторопливо. Обычай требовал не показывать сильных чувств, не горячиться, даже если слова собеседника задели тебя за живое, скрывать обиду за шуткой, чтобы не обнажать свои слабости.

Возможность регулярно наполнять пиалу и потягивать маленькими глотками чай позволяла неторопливо обдумывать ответы и собственные вопросы.

Время текло незаметно, и только когда Альфия принесла чайник в пятый раз, Халиф вдруг сказал:

— Не знаю, Андрей, убедил я вас в чем-то или нет, но пора перейти к делу. Давайте так. Вы очень подробно расскажете мне о своем плане. Это не любопытство, это необходимость. Я старый человек... если хотите, старый еврей, и мне не так просто понимать технические штучки. А если я не пойму, то не смогу поручиться за ваш план...

— Замысел довольно прост. Штучка, до которой надо добраться, находится в глубине скального массива. По замыслу самоуверенных людей, она погребена там навеки. Штольня, которая вела к экспериментальной камере, практически непреодолима. Проще начать прорубать горизонтальную выработку в новом месте. Это потребует промышленного размаха, что для заказчика неприемлемо.

— Каким же образом предполагаете подойти к нужному месту вы?

— Экспериментальная камера сверху прикрыта горной породой толщиной около трехсот метров. Пользуясь обычной буровой машиной можно пройти вертикальную или наклонную скважину. Лучше вертикальную. Если точно определить место нахождения нужного нам блока, то через ствол скважины легко запустить внутрь мощный детонирующий заряд и обычным взрывчатым веществом уничтожить устройство.

— Допустим, это удастся. — Халиф сжал пальцами правый ус и стал его подкручивать. — Допустим. Не получится ли так, что вместо обычного взрыва бабахнет ядерный?

— Исключено. Мне позволили познакомиться со схемой защиты ядерного заряда и страховкой от несанкционированного подрыва. Обе системы исключают цепную реакцию при внешнем воздействии взрыва.

— Теперь о самом главном.

— Разве мы не о нем говорили?

Халиф улыбнулся:

— В гимнастике есть понятие — соскок. От того, насколько точно и красиво этот элемент выполнен, часто зависит общая оценка гимнаста. Можно отлично отработать на перекладине самые сложные упражнения, но плюхнуться на мат пузом, тем самым сведя на нет прежние достижения. Вот почему и нам стоит подумать, каким будет соскок.

— Над этим я и не задумывался.

— Вот видите, старый еврей тоже на что-то годится. Пока вы гуляли по Москве, вдыхали воздух второй родины, я здесь сидел и думал.

— Вы же не знали, что я втюхаюсь в эту затею. Собирался просто их предупредить.

— Как же это не знал? — Халиф заговорил с одесскими интонациями. — Вы же единственный туз в прикупе, который может сломать ибн Масраку весь его мизер. И после этого хотели, чтобы чекисты пожали вам руку за сообщение и сказали: «Ах, Андрей Иванович, гуляйте, вы уже сделали свое дело».

— Значит, были уверены, что меня уговорят?

— Уговорят?! Не обманывайтесь. Завербуют. Заставят. Вы думаете, при демократии у спецслужб выпадают зубы? Ой, держите меня!

— Нет, конечно.

— И слава богу, что «нет, конечно». А теперь о соске. Если вы, Андрей, сделаете игру, мне придется прятать вас далеко-далеко и надежно. Вы хотите жить в России или еще где?

— Лучше «или где».

— Тогда не лучше, а правильней. Люди Шерали-хана и ибн Масрака будут серьезно искать человека, из-за которого потеряют не только деньги, но шанс испепелить Израиль. Как насчет Аргентины?

— Может, лучше Австралия?

— Хорошо, обсудим. Теперь в отношении денег. Над этим придется поломать голову. Деньги, как ничто другое, оставляют следы и могут показать, где окажутся. Кстати, сколько вы взяли с Москвы?

— Как с тайной вкладов? — Андрей посмотрел на Халифа с улыбкой.

— Хорошее замечание, — оживился тот. — Но давайте поступим так. Считайте меня своим банкиром. Если вы этого не сделаете и не доверите мне свой капитал, у кого-то — я не стану уточнять у кого именно — может возникнуть желание не отдавать вам долг.

— Предположение верное, — согласился Андрей. — Я над ним думал, но выхода пока не нашел.

— Вот видите, я гарантирую вам сохранность вклада. Этот вопрос нами достаточно хорошо продуман и отработан. Теперь о том, с чего мы начали. Сколько вы с них взяли?

— Два лимона. Естественно, долларов.

— Ничего, но не так уж много. Некоторые жены американских артистов при разводе получают в шесть-семь раз больше только за то, что они навсегда отвяжутся от своих бывших мужей.

Андрей был разочарован. Он хотел услышать одобрение умению делать деньги, а оказывается, его успех на Халифа не произвел впечатления.

Насупившись, Андрей сказал:

— Мне хватит.

— Не сомневаюсь. Но у меня есть указание увеличить

вам ставку. Если портфельчик сгорит, вы получите еще два с половиной миллиона в тех же единицах.

Андрей оторопело посмотрел на Халифа, не зная, как реагировать на его слова. Не нашел ничего лучшего, чем сказать:

— Вы меня вербуете?

— Нет, Андрей, в агенты «Моссада» я вас не вербую. Я обращаюсь к вам всего только с просьбой. Чтобы для вас прозвучало более торжественно, скажу так: с просьбой от еврейского народа. У операции может быть два исхода. Первый, неудачный — чемоданчик попадет в руки людей шейха Джамала ибн Масрака. Второй — «изделие» — так ведь в России называют подобные вещи? — будет уничтожено на месте. В любом случае вы поставите меня в известность.

— Каким образом?

— Вопрос сложный, и к нему мы вернемся специально. А пока продолжу свою мысль. Для нас, вы прекрасно понимаете почему именно, особенно важно знать о неудаче операции. Если это случится, придется перехватывать и уничтожать изделие на пути его следования к месту, назначенному шейхом.

— Если не вербуете, почему такая высокая цена?

— Слушайте, советский вы человек! В Израиле пять миллионов жителей. Вы обидите их, если оцените каждого меньше, чем в полдоллара. Отвести от нашей страны адское пламя фанатиков — разве это не заслуживает благодарности?

— Чтобы никого не обижать, беру. Давайте.

— Считаю, договорились. Теперь о наших шпионских делах. Вот карманный нож. Отличный. Швейцария. Фирма «Викторинокс». Возьмите.

— Спасибо, нож у меня есть. Тоже хороший.

— Слушайте, вы всегда так торопитесь? Этот ножик для другого дела. В нем вмонтирован радиомаяк. Когда начнете работу, надо будет его включить.

— Беру.

— Отлично. Теперь. Время позднее, ходить одному в такие часы по городу вам не стоит. Оставайтесь ночевать

у меня. Кстати, это ни у кого подозрения не вызовет. Али
Халиф имеет здесь хорошую репутацию. При нужде к
его помощи прибегает и сам Ширали-хан. Где вы ляже-
те? В доме или в саду? Я знаю, вы предпочтете последний. Верно?

— Ваша осведомленность, Халиф, убеждает меня в
том, что ваш человек слишком много знает.

— Значит, в саду. Я провожу вас к месту, постель соберет Альфия.

— Простите, Халиф, за нескромный вопрос. Если не
секрет, кто она?

Халиф понимающе улыбнулся:

— Я представляю ее всем как свою племянницу, но
мы не родня. Ее отец был русским, моим приятелем. Его
убили во время узбеко-киргизского конфликта в Оше.
Убили просто так, ни за что. Он был чужаком и для узбеков, и для киргизов. Пырнули ножом в сердце — и все.
Может, даже кто-то из тех, чьих отцов или братьев он ле-
чил. Я взял Алю к себе. Тогда была жива моя жена. Де-
вочка воспитывалась у нас. Окончила институт иностранных языков. Вышла замуж, но неудачно.

— Она хорошая женщина, — сказал Андрей с сочувствием.

Халиф улыбнулся снова:

— То же Аля сказала о вас, когда вернулась с базара.
Она не знала, кто вы, но я понял.

— Вы уже тогда приглядывали за мной?

— Мы не приглядывали, а присматривались к вам с
того момента, как вы появились у Ширали-хана. Если
учесть, что Иргаш стал изучать вас значительно раньше,
греха в наших действиях не было.

— Аля мне очень нравится, — сказал Андрей, оставив
неприятную для обоих тему.

— Судя по тому, что она говорила, вы тоже затронули
ее сердце.

— Об этом мне трудно судить.

— А вы спросите ее сами.

Топчан, вкопанный ножками в землю под огромным
ореховым деревом, был удобным и широким. Андрей

разделся и лег. Постель показалась ему холодной и влажной — должно быть, недавно выстиранные простыни до конца не высохли. Он растянулся на спине во весь рост, натянул до подбородка тонкое тканевое одеяло. Напряжение дня сразу спало, и приятное ощущение расслабленности и покоя наполнило тело.

Над головой, распространяя острый эфирный запах, шелестели листья южного ореха.

Андрей глубоко вздохнул и закрыл глаза. Неожиданно он услышал легкое поскрипывание песка и насторожился: открыл глаза, приподнялся на локтях. Из-за ближайшей яблони появилась женская фигура. Он сразу узнал Альфию.

Одетая в легкий шелковый халат, она шла и несла в руках блюдо с фруктами. Огромная луна, светившая ей в спину, просвечивала халат насквозь, и Андрей не столько увидел, сколько в воображении дорисовал ее тело — узкую талию, широкие бедра, стройные ноги. Распущенные волосы свободно спадали на ее плечи.

Андрей сел на постели.

— Я вас не разбудила? — голос Али прозвучал тихо и напряженно. — Вы не сердитесь? Если что, простите, я уйду.

— Нет, все нормально.

Она, продолжая объяснять свое появление, сказала:

— Так уж повелось: ложусь поздно, долго не могу заснуть, а поговорить не с кем.

— Я не хочу спать, садитесь, поговорим.

Она вздохнула. Он протянул ей навстречу руку.

Она осторожно поставила блюдо на столик, ножки которого, так же как и у топчана, тонули в земле, и подала ему свою ладонь. Ее тонкие пальцы были холодными и чуть подрагивали.

— Вы замерзли, — Андрей взял обе ее ладони, поднес к губам и стал дышать на пальцы, согревая их. — Садитесь.

Она опустилась на край постели.

— Можно на «ты»? — спросила она.

— Конечно. Ты чем-то расстроена? Верно?

— Есть немного.

— Расскажи, может, станет легче.

— Расскажу, хотя легче вряд ли станет. В последнее время я живу в страхе. Меня пугает все, что сейчас происходит вокруг. Я давно в Фергане. Здесь много знакомых. Мало русских, больше узбеков. Люди хорошие. С умеренной верой в Аллаха. Вера им больше нужна для душевного равновесия, чем для превращения в фанатиков. Они не станут есть с тобой свинину, но никогда не ударят по руке того, кто перекрестится. Зато появилось и становится все больше таких, кто стремится обратить всех в нетерпимых фанатиков. Я видела, к чему это приводит. Когда человеку говорят, будто убить иноверца дело богоугодное, он превращается в зверя. Сегодня, когда вокруг нас тысячи людей не имеют ни работы, ни шансов ее получить, появление в их руках ножей зальет Среднюю Азию кровью. После того как убили папу, я всего боюсь, потеряла веру в людей.

— Аля, я тебя прекрасно понимаю. Это нервное. В нашей жизни депрессия — всего лишь одна из форм настроения. Тот, кто время от времени не испытывает ее накатов, лишен нормальных эмоций. Он либо робот, либо мертвец.

Он сжал ее руки. Ей стало больно, но она этого ничем не выдала.

— А еще я боюсь за тебя. Ты появился так внезапно и сразу попал в страшное дело...

— Не надо пугаться, — сказал Андрей, — решение принято, ходить назад пятками я не стану.

— Дело не только в тебе, Андрюша. — Альфия неожиданно отдернула от него правую руку и прижала ее к груди. — Ты мне нравишься. Очень. И меня пугает то, что тебе грозит опасность.

Андрей собирался сказать нечто бодрое, шутливое, но тугой узел спазма вдруг перехватил горло, и он вместо слов выдавил из себя легкий свистящий сип.

Он попытался проглотить слюну, но ничего не получилось.

Снова ее руки оказались в его руках, он нагнулся и прижался к ним губами.

— Аля, — прошептал он. — Аля...

Она освободила одну руку, положила ладонь на его голову и осторожными легкими движениями пригладила волосы от лба к затылку. Легкая, едва заметная электрическая волна пробежала по его телу.

— Ты знаешь, чем лучше всего снять депрессию?

— Чем? — спросил он вялым голосом человека, потерявшего интерес к жизни.

Она молча склонилась к его лицу. Ее мягкие волосы защекотали его щеки, а теплое, пахнувшее мятой дыхание коснулось губ.

Она поцеловала его в колючую щеку и тихо засмеялась:

— Ты ежик.

— Нет, — сказал он, — дикобраз.

Она снова провела рукой по его волосам.

Он боялся шевельнуться, чтобы не спугнуть волнующее томление нараставшего в нем желания.

— Ты жив? — спросила она шепотом и припала к его рту мягкими влажными губами.

Он занес свои руки ей за спину и с силой прижал к себе.

Потом его пальцы, путаясь в петлях, стали расстегивать пуговицы ее халата. Справившись, он распахнул шелковую ткань и коснулся жаркого тела.

У него перехватило дыхание.

...Южная ночь овеяла их жарким иссушающим ветром. В темном небе перемигивались яркие звезды. В кустах жасмина, надрываясь, стрекотали цикады...

Андрей глубоко вздохнул и приподнял голову.

— Прости, — сказал он смущенно.

— За что? — спросила она и мягко улыбнулась. — За доставленную радость? За то, что судьба подарила нам прекрасный миг?

— Да, но... — Андрей пытался сформулировать мучившие его сомнения, однако запнулся и смущенно стих.

Она положила голову на его грудь. Коснулась ее губами:

— Спасибо за все, Андрюша. Как я могла жить без тебя...

— Как-то жила, верно? — сказал он. — Расскажи о себе. Хоть немного.

— Что толку жаловаться на прошлое? Оно прошло, мы остались...

— Но каждый жил по-разному. Я работал. Руки и нос постоянно в нефти. Работа меня затягивала всего, целиком. Ложился с одной мыслью — с чего начну новый день.

— У нас здесь все было хуже. Мы не жили, мы выживали. Точно так же, как и сейчас пытаемся выжить в благословенной узбекской демократии. Нищета и бесправие, которые лицемеры назвали периодом застоя, на самом деле были мертвой зыбью. Она затягивала нас в пучину все глубже и глубже, лишала света, душила и умерщвляла. Сознание людей было занято поисками ответов на самый острый вопрос. Кто виноват? А если ты чем-то в жизни не удовлетворен, то ответ на вопрос, кто виноват, находится просто: виноват тот, у кого нос иной формы, чем у тебя, или глаза иного цвета. Говорят, по такому принципу виноваты во всем евреи. Но это по большей части там, в России. Здесь во всем виноватыми считали русских. То, что они привезли сюда электричество, железные дороги, медицину — в расчет не бралось. Общество «Адолат» — «Справедливость» — сплачивало узбеков тем, что указывало им врагов. Знаешь, если на базаре кто-то говорил «мурун» — нос, или «кок коз» — голубые глаза, значит, речь шла о русском. Предельно просто, верно? Мы научились ходить, опустив глаза и голову. Общество «Ислом лашкарлари» — «Воины ислама» собирали силы, чтобы бить иноверцев. «Хизби ут-Тахрир» — «Партия освобождения» взяла на себя руководство исламистским движением... Мой дед был инженер и проектировал Большой Ферганский канал. Мой отец был врачом. Брат Роман женился на еврейке. Когда здесь стало невозможно жить, они уехали в Израиль. И теперь они там. У них родился сын...

Альфия говорила тихо, временами почти беззвучно, и оттого ее рассказ звучал не как жалоба, а как повествование о чьих-то невыплаканных слезах, как история чьей-то жизни, лишенной солнца, тепла и радости. Едва Андрей подумал о том, что трудно представить, как в такой солнечной стране можно лишить людей солнца, Альфия тут же сказала:

— Ты не поймешь, но чтобы не потерять себя, я нашла одну возможность, может, она и примитивная, может, просто глупая, и психолога, который узнает о ней, заставит расхохотаться, но моим спутником стало зеркало. В нем я могла увидеть солнце, в нем видела себя. И это создавало впечатление, что я не одна...

Андрей подсунул правую руку под ее шею и притянул ее голову ближе. Она устроилась левой щекой в ложбинке плеча. Он коснулся ее лица губами и вдруг ощутил соленую влагу слез. Он слизнул слезинку. Сказал:

— Не надо, не плачь...

— Я не плачу, — ответила она и сильнее вжалась в его плечо. — Мне просто чудится, Андрей, что сейчас в этой дурацкой кутерьме ты тоже беспредельно одинок.

Мужчины не очень любят признавать свои слабости. Андрей терпеть не мог выглядеть униженным и уж тем более сломленным. Ни лицо, ни движения не должны выдавать твоих эмоций, тем более, если они отрицательные.

— Я не одинок, Альфия. Вовсе нет.

— Не надо, Андрюша. Я видела тебя в тот день на базаре. Ты не боролся с толпой, когда она несла тебя. Она тянула, влекла за собой, тащила как щепку. Тебе было все равно, куда двигаться, куда тебя прибьет течением. И только когда ты увидел меня, в тебе проявился мужчина...

Она замолчала. Молчал и он. Тогда она сказала:

— Я не хочу приписывать себе какой-то особой роли в твоем преображении. Может быть, окажись на моем месте другая женщина, ты бы тоже почувствовал себя мужчиной. Дело не во мне. Просто, как я понимаю, женщина стала для тебя зеркалом, в котором ты увидел свое одиночество. Увидел и не узнал, потому что представляешь себя другим, сильным и волевым.

Он прижал ее к себе, наполняясь тугим пьянящим хмелем желания, которое заставляет терять рассудок, яростнее биться сердце.

Она будто не поняла его движения и слегка отстранилась:

— Подожди, я не все сказала.

Он, как обиженный мальчишка, засопел и ослабил объятия в надежде, что она поймет его обиду. Она не поняла, а может, просто не сочла нужным обращать на нее внимание.

— Ты одинок, Андрюша, как ни пытаешься внушить себе мысль, что так легче жить. Пойми, одиночество — не радость. Природа его для нас не предусмотрела. Волку это дано, человеку — нет. Одиночество иссушает душу, измельчает и опустошает ее. Одинокий безразличен к бедам других. Я чувствую, в тебе это безразличие уже есть, но оно пока не захлестнуло душу полностью. Тебе нужно зеркало, чтобы почаще видеть себя. Хотя ты не женщина, лучи солнца в стекле и отражение собственного лица вряд ли сделают тебя лучше. Тебе требуется другое. А именно женщина. Такая, как я...

Андрей снова привлек ее, но уже осторожнее, смирив желание.

— Аля, не надо.

Обычно он так говорил всем, в ком хоть в какой-то мере замечал желание приручить, ограничить его свободу узами обязательств, охомутать, окольцевать, накрыть юбкой. Мало ли придумано определений, унижающих свободное состояние мужика самой возможностью брака.

Она опять отстранилась от него. На этот раз куда резче, чем прежде, чуть ли не отталкивая его.

— Нет, Андрей, ничего ты не понял. Я не претендую на тебя, единственного и неповторимого, на твою руку, если тебя пугает это. Живи как жил. Но то, за что ты сейчас взялся, неизбежно изменит тебя и жить по-прежнему не позволит. Будут минуты, когда в своем гордом одиночестве тебе захочется волком выть на луну. Это нетрудно предположить. В такие минуты я хотела бы стать твоим зеркалом. Ты только вспомни на миг, что есть женщина, которая поверила в тебя. Поверила в то, что ты можешь противостоять всем джиннам нашего времени — искушению богатством, искушению властью, да мало ли еще чем. **Поверила в то, что ты устоишь и не позволишь сжечь огнем ядерной ярости мальчонку,** моего племянника, **невиноватого в том, что он родился евреем.** Если тебе угодно — жиденком. Не знаю, может, я просто глупая... Ладно, оставим.

— Нет, не оставим. Говори.

— Тебе может показаться вздором...

— Почему ты так считаешь? Все, о чем ты до сих пор говорила, было очень дельным.

— Не будешь смеяться?

— Нет. — Он притянул ее к себе, и она положила голову ему на грудь, коснувшись подбородка пряно пахнувшими волосами.

— Я не хочу, чтобы ты так и остался одиноким. Не знаю, нужна ли я тебе, или у нас просто случайная встреча, дорожный роман, но хочу чтобы ты знал — у тебя здесь есть друг. Когда будет очень трудно, вспомни обо мне...

Он не нашел слов, чтобы ответить и только сильнее прижался к ней. Чувства, оказавшиеся сильнее слов, раздвинули мир, раскрепостили желания. Влекомые страстью, они слились в одно, полное тепла и жажды жизни тело, состоявшее из двух равнозначащих половинок.

Сила — закон пустыни

В Туркестан, где Иргаш договорился приобрести буровое оборудование и транспортные средства, девять членов экспедиции, в том числе сам Иргаш, Кашкарбай и Андрей приехали поездом. Еще шестеро подъехали из Ташкента на трех джипах «Паджеро». Это были опытные боевики, члены партии «Хизби ут-Тахрир», получившие боевую выучку сперва в Афганистане, в лагере «Бадер-2», затем усовершенствовавшие военные навыки в Пакистане, в лагере «Мирам Шах». Люди мрачные, замкнутые, они старались ни с кем не общаться и держались всегда особняком. До этого все они входили в личную охрану Ширали-хана, а теперь подчинялись только Иргашу. Они привезли с собой оружие, боеприпасы и деньги на экспедиционные нужды.

Еще в поезде Иргаш сказал своим спутникам:

— Приедем в Туркестан другими людьми. Это надо хорошо запомнить. Я — господин Садилкар-оглу, руководитель турецкой геологической фирмы «Турансу». Андрей Иванович у нас станет господином Карповым, российским инженером-геологом. Кашкарбай — доктором Илхомом Шакуровым, представителем главного санитарного врача республики Казахстан. Получите свои документы и хорошо запомните, кто вы. Соответственно и держитесь с окружающими.

— Надо так надо, — обреченно согласился Андрей и взял протянутый ему российский паспорт с золотым орлом на бордовой корочке.

— Это не все, — сказал Иргаш. — Я посылал в Туркестан своего человека. Он изучил обстановку и пришел к выводу, что фирма, где будем покупать технику, всем нужным располагает. Но ее хозяин находится под крышей местных бандитов. Вполне вероятно, что они попытаются сыграть с нами по своим правилам.

— Может, поменять поставщика? — предложил Андрей.

— Зачем? — Иргаш удивился такому вопросу. — Мы сразу потеряем лицо, если не сумеем объяснить братьям по вере существо законов шариата. — Он повернулся к Кашкарбаю. — Как вы считаете, доктор Шакуров, мы сумеем излечить местных недоумков от вредных привычек?

Кашкарбай сделал жест омовения, проведя ладонями по щекам и бороде.

— Прибегаю к Аллаху во избавление от козней шайтана.

— Приедем, всем получить оружие.

Когда поезд прибыл, на площади перед станцией уже стояли машины.

— Кара, — Иргаш подозвал мрачного таджика с красивым лицом: проницательные глаза, высокий лоб, орлиный нос, тонкие губы, черная борода с элегантной серебряной проседью. С детства он носил имя Сейах, что по-таджикски означало черный и, не утруждая себя, Иргаш дословно перевел имя на узбекский, назвав моджахеда Кара.

— Слушаю, хозяин, — Кара, обычно источавший флюиды ненависти и агрессивности, с шефом говорил голосом приглушенным и смиренным.

— Мы должны общипать этим белым гусям хвосты и обрезать им крылья.

Андрей, слышавший разговор, не сразу понял, о чем речь. Слова «белые гуси» — он произнес их на таджикском — «каз сафед», и это затрудняло понимание. Но когда Андрей перевел слова на казахский: гусь — каз, белый — ак, все встало на свои места. Иргаш требовал круто проучить казахов, и Кара его понял сразу.

— Тянуть время не будем, — приказал Иргаш, — сразу и начнем. Давайте, господин Карпов, вместе с Шакуровым возьмите джип, трех ребят и прямо к торговцу.

Найти нужное предприятие оказалось несложно.

Старый бетонный забор с ржавой колючей проволокой поверху тянулся вдоль дороги и заканчивался аркой железных ворот. Створки их давно поржавели и провисли, стойки покосились. На металле сохранилось несколько надписей, относившихся к разным эпохам. Первая, самая старая, была исполнена металлическими русскими буквами: «КАЗЦВЕТМЕТРАЗВЕДКА». Ниже остались контуры больших белых букв «ГРП-8». («Геологоразведочная партия № 8» — расшифровал для себя Андрей.) А на левой створке сикось-накось кто-то вывел слово «ЖАБЫК», что по-казахски означает «закрыто». Надпись была свежей, краска на ней блестела.

Андрей подошел к воротам и толкнул их. Ржавые железины качнулись, заскрежетали и лениво поползли в стороны. Андрей махнул рукой Кашкарбаю:

— Въезжай!

Из узкой высокой дощатой будки, походившей на дворовый сортир, вышел старик с палкой в руке. Несмотря на жару, он был одет в старый дырявый ватник. На голове красовалась грязная меховая шапка. Посмотрев на Андрея красными слезящимися глазами и не узнав своего, уныло сообщил:

— Сюда нельзя!

— Можно, — сказал Андрей и вежливо поздоровался. — Аман, аксакал, Жаксыма сыз? — Добра вам, отец. Все ли в порядке?

— Жаксы, жаман — бара быр! — философски ответил старик и поплелся в свою будку. — Хорошо, плохо — все одно.

Машина въехала во двор и остановилась.

По хилым, истертым до блеска деревянным ступеням Андрей поднялся и вошел в старый покосившийся щитовой дом. Открыл первую дверь. В тесной, насквозь прокуренной комнатушке, скрытые клубами дыма, сидели трое. Один за письменным столом, двое других на скамье у стены.

— Кым манда начальник? — спросил Андрей. — Кто здесь начальник?

— Мен. — Я, — ответил сидевший за столом казах в шляпе, сдвинутой на затылок. — Сен кым? Ты кто?

По правилам восточного гостеприимства к гостю следовало обратиться на «вы», но местный босс не счел это нужным.

— Мен сатып алуши, — ответил Андрей, сделав вид, что не заметил попытки его унизить. — Покупатель.

— Ты говоришь по-казахски?

— Йе, — небрежно через губу ответил Андрей. — Не хуже тебя.

Казах вдавил окурок сигареты в кирпич, который лежал на столе, вздохнул и сказал:

— Тогда давай говорить по-русски.

— Давай, — согласился Андрей и вернул невежливый оборот хозяину. — Ты сам-то кто?

Казах приосанился.

— Я президент закрытого акционерного общества «Жанашил» Аман Кумисбаев.

— А я Карпов. Насчет покупки оборудования. Надеюсь, ты в курсе?

— Э, — сказал Кумисбаев, — обращаясь к своим сотрудникам, — жур, балалар! Идите, ребята! Жугур, жугур! Бегом, бегом!

Когда скамья освободилась, Кумисбаев провел по ней несколько раз ладонью, словно стирал пыль.

— Садитесь, уважаемый!

С чего это вдруг с него слетела спесь, и он разом сделался дружелюбным и приветливым? Впрочем, понять было нетрудно. Не каждый день в развалившееся, по сути, предприятие, не имеющее ни заказов, ни средств для их выполнения, является человек, готовый приобрести кое-что из действующего, но уже вряд ли когда-то потребующегося оборудования.

— Так что вас интересует, уважаемый?

Андрей назвал все, что требовалось для ведения буровых работ. Кумисбаев быстро делал пометки в блокноте. Судя по уточняющим вопросам, в деле он разбирается.

— Когда можно будет получить оборудование? — спросил Андрей.

— Сразу после оплаты. Оборудование у меня на базе.

— Деньги перевести через банк?

В глазах Кумисбаева вспыхнул священный ужас:

— Что вы, уважаемый! Какой банк! Разговор шел о наличных.

— О казахстанских теньге или о турецких лирах? — с подначкой спросил Андрей.

Кумисбаев поморщился:

— Э, разве это деньги? Даже не в русских рублях. Только в долларах.

Они сходили в крытый ангар и осмотрели технику. К удивлению Андрея, буровое оборудование было совсем новым и не разграбленным.

В конторе, когда они вернулись, их уже ждал Иргаш.

— Договорились? — спросил он Андрея.

— Все нормально, — ответил тот.

— Ко всему нам нужны три танковых трейлера, — сказал Иргаш Кумисбаеву. — Для перевозки машин.

Кумисбаев тряхнул головой и посмотрел на Иргаша с видом благодетеля:

— Не беспокойтесь, уважаемый. Здесь как в аптеке. Я продаю вам буровую. Господин Умурзаков, мой хороший знакомый, продаст трейлеры.

— Когда я увижу этого продавца?

Кумисбаев встал и подошел к двери.

— Давайте выйдем.

Во дворе конторы толпились более десятка человек. Одни стояли кучкой, о чем-то беседуя между собой, другие сидели на корточках в тени глухого забора, курили, смачно сплевывали желтую слюну, пропитанную жевательным табаком.

— Саид! — позвал Кумисбаев и поднял руку. — Бер кель. Подойди.

От группы беседующих отделился кривоногий колобок с пузом, свисавшим с брючного ремня. Загребая ботинками пыль, подошел к Иргашу. Протянул обе руки и подобострастно пожал протянутую ему ладонь. На торгах первую скрипку играет покупатель, и ему надо показать свое уважение.

— Сколько вам нужно трейлеров, господин Иргаш?

— Машины хорошие?

— Что вы! Они отличные. Советская армия — лучшая в мире.

— Была, — сказал Иргаш язвительно.

— Была, — согласился продавец. — А машины остались. Из боевого резерва. Все на ходу. Совершенно новые.

— Мне нужно три.

— Я покажу вам десять. На выбор.

— Отлично. О цене договоримся после осмотра.

К Иргашу осторожно подошел и встал сбоку казах с круглым масляным лицом и хитрыми, шнырявшими по сторонам глазами. Спросил тихо, прикрывая рот ладошкой и покашливая:

— Господин Иргаш, я могу предложить вам танк. В отличном состоянии. Т-80. Комплект боеприпасов.

— Уважаемый, давайте эту тему оставим. Я собираюсь искать в степи воду. Зачем нам танк?

— Найдете воду, будете ее охранять.

— Все, кончили, — Кашкарбай оттер плечом торговца танками. — Оставьте это счастье себе.

И тут же с другой стороны к ним подсыпался третий тип.

— Может купите БТР? Это совсем недорого. Тысяча баксов.

Кашкарбай взял говорившего за плечо и сжал его рукой, как клещами.

— Предложите самолет, тогда поговорим, — сказал и повернулся к Андрею: — Станешь богатым, приезжай сюда. Купишь танки, транспортеры, наймешь боевиков и завоюешь себе ханство. Казахи тебе все продадут.

Заключив договор с торговцами и закрепив его долгим пожатием рук, Иргаш пообещал забрать оборудование на следующий день и тогда же привезти деньги.

Провожаемый торговцами, джип выехал за пределы базы. По дороге нагнали старика-сторожа, который встречал их у ворот, а сейчас, должно быть, сменился с дежурства. Кашкарбай открыл переднюю дверцу джипа:

— Э, уважаемый аксакал, вас подвезти?

Казах с удивлением посмотрел на притормозившую машину. Такого демократизма в отношениях между пешеходами и автомобилистами здесь никогда не было. Грузовик при случае, конечно, мог и подвезти, но легковушка...

— А можно?

— Садитесь, — Кашкарбай повернулся, протянул руку и открыл заднюю дверцу. — Сделайте уважение, аксакал.

Казах, согнувшись, забрался в машину, кряхтя, устроился рядом с Иргашем.

— Как вас зовут? — спросил тот.

— Утеген, уважаемый.

— Хорошее имя, храни вас Аллах. Давно работаете на Кумисбаева?

— Уже не работаю. Он своих уволил. Набрал новых.

— Вы специалист?

— Так считали русские. Сперва был рабочим. Начальник Иванов меня уважал. Он сделал меня мастером. Я всегда выполнял нормы. Хорошо работал.

— Чем же не угодили теперь?

— Теперь мастера не нужны. Все идет на продажу.

— Кого же на ваши места набрал Кумисбаев?

— Молодых. Откуда-то с юга. Дело не знают, но, похоже, бандиты...

— Вас куда отвезти?

— До перекрестка. Дальше я сам пойду.

На перекрестке старик вылез из машины и поманил Кашкарбая пальцем. Сказал негромко:

— Будьте осторожны с Кумисбаевым. И помоги вам Аллах.

Примитивные банды рэкетиров обычно сколачиваются на бытовой основе. То в единый кулак для набегов собьет в стаю ребят своего двора хулиган-оторва. То в кодлу соберет одноклассников бездельник и заводила, изгнанный из школы за неуспеваемость. Беспутный казашонок Аю собрал и сделал бандитами приятелей из ПТУ, которым после выпуска никто не предоставил работы. Умелые в слесарном деле огольцы в учебном цехе выковали и отточили ножи из подшипниковой стали, наделили друг друга звериными кличками: Бабыр — Гепард, Жилан — Змея, Булан — Лось, Келес — Варан, и превращение в матерых хищников состоялось.

Начали с мелкого рэкета: обложили данью старух, продававших съестные припасы пассажирам транзитных поездов на железнодорожной станции. Набрались опыта, осмелели, пару раз отстегнули подачку начальнику линейного отделения милиции майору Ахтаеву, потом взяли его на содержание — и пошло, поехало...

Кумисбаев был одним из тех предпринимателей, из чьих доходов банда посасывала совсем немного — геологических работ своими силами великий Казахстан почти не вел и геологию не финансировал, а из ничего ничего и не высосешь. Но когда наклюнулась солидная сделка и запахло тысячами долларов, пройдошистый геолог решил потрудиться над денежной жилой по полной программе. Он переговорил с главарем рэкетиров Аю, и они ударили по рукам. Если покупатели выложат наличные, а они должны были привезти их с собой, ребята Аю забирали деньги целиком. Директор получал не половину, а сорок процентов, поскольку товар без оплаты покупателям он не отдавал.

Перспектива аферы выглядела крайне радужной, и все ее участники раскатали губы в ожидании жирного навара.

Не знали они лишь одного. Часто беспечные рыбаки, закидывая сеть на сома, вытаскивают в ней зеленую лягушку.

Вечером за ужином Иргаш затеял разговор о завтрашнем дне. Заканчивая трапезу, он губами снял с вертела большой, хорошо прожаренный кусок баранины и стал медленно жевать. Прожевал, потянулся за пиалой, в которую ему налили гранатовый сок. Звучно отхлебнул. Вытер губы полотенцем, лежавшим на коленях. Повернулся к Андрею:

— Мастер, как тебе нравится наш продавец? Хочет он нас обмануть или нет?

— Если продавец не хочет обмануть покупателя, значит, ему нечего делать в торговле. Русские говорят, что на базаре всегда есть два хитреца. Один норовит подороже продать, другой купить все по дешевке.

Иргаш понимающе улыбнулся:

— Я не о том. Не кажется тебе, что он намерен совершить хитрость? Мы привезем деньги, по дороге нас ограбят, и мы не сможем оплатить покупку. Может такое быть?

— Может, но кому это выгодно?

— Тем, кому нужны деньги. А таких, как ты знаешь, здесь полным-полно.

— Мне тоже нужны деньги.

Андрей прекрасно понимал, что обсудить свои сомнения Иргаш мог с любым из своих приближенных, и в первую очередь с Кашкарбаем. Причем обсудить с большей для себя и дела пользой, но он обращался к человеку пришлому, который оказался в команде моджахедов по найму и должен получить за свои услуги деньги.

Впрочем, получит или нет — это писано на воде вилами. Может, вместо расплаты «зелеными» Иргашу покажется проще рассчитаться с русским пулей — маленьким кусочком металла, сэкономив во славу Аллаха солидную пачку «курбаксов», как называл доллары Кашкарбай. Это словечко вызывало у азиатов особые ассоциации. Бака — на таджикском, курбака — на узбекском и на казахском — лягушка. Зеленое противное существо. Курбаксы тоже зеленые, хотя и вовсе не противные, но выразить названием показное презрение к ним совсем неплохо.

Заводя с Андреем разговоры на разные темы, Иргаш испытывал его, проверял, поскольку именно в мелочах, в случайных оговорках чаще всего проявляется суть человека.

— Речь не о тебе, — сказал Иргаш и громко отрыгнул. — Ты слыхал разговор со стариком в машине? Он ведь открыто предупредил, что хозяин связан с бандитами.

— Простите, я не прислушивался.

— Чем же ты был занят?

— Думал о буровых машинах, которые видел.

— Не о нашей безопасности?

— Если бы я был феррашбаши — начальником стражи, тогда думал бы о бандитах.

— Ты прав, мастер, — сказал после небольшой паузы Иргаш. — Это хорошо, когда человек думает о своем деле. Аллах любит трудолюбивых. Мы постараемся быть такими. И бандитам дадим окорот.

— Это не вызовет трений с местными властями?

— Андрей, ты должен понять: здесь, в Азии, мы не имеем права чувствовать себя гостями и чего-то бояться. На этой земле мы представляем новый, будущий порядок, который установим на основе законов ислама, и те, кто нас не уважают, должны бояться.

После ужина Иргаш собрал боевиков и приказал взять оружие. На трех джипах они поехали к базе Кумисбаева. Чтобы обезопасить себя, надо было принять меры заблаговременно.

Ворота базы уже были закрыты и, судя по всему, там никого, кроме сторожа, не осталось.

Оставив машины на дороге в стороне от базы, Иргаш взял с собой двух боевиков и пошел на разведку. Сперва он прошел от ворот до ближайшего угла, повернул направо и двинулся вдоль забора. Метров через сто ему пришлось поворачивать снова. Зады огороженной территории базы выходили на пустырь, заваленный металлическим ломом и мусором. За свалкой виднелась насыпь железной дороги и линия телеграфных столбов.

Пройдя шагов сорок, Иргаш заметил, что в бетонной стене забора пробито квадратное отверстие. Металлическая арматура, укреплявшая бетон изнутри, выглядела аккуратно срезанной.

Рачительные хозяева базы заделали отверстие фанерой. Иргаш потрогал заплатку рукой, и она даже от небольшого давления прогнулась. Достаточно было сильного удара, чтобы лаз открылся.

Иргаш присел на корточки и стал внимательно рассматривать землю под отверстием. Будылья сорняков, густо росших вдоль забора, здесь были вытоптаны. У подножия стены Иргаш увидел остаток сигаретного фильтра. Он отломил сухой стебель полыни, согнул его и импровизированным пинцетом подхватил окурок. Поднес к носу, понюхал. Фильтр был свежим настолько, что не утратил острого запаха табака.

— Они придут отсюда, — сказал Иргаш, подумав.

Без труда открыв ворота, Иргаш расставил во дворе моджахедов по местам, которые выбрал сам. Пришлось потаскать по территории старые ящики и пустые железные бочки, чтобы создать во дворе удобные места для засад.

— Кто стремится сохранить голову, тот не должен предаваться сну беспечности, — объявил Иргаш моджахедам, когда приготовления были окончены. — Эту ночь мы проведем в ожидании.

Ждать пришлось долго.

В три часа стало светать. Наблюдатели, следившие за пустырем и дорогой, периодически делали отмашку, показывая, что вокруг все чисто.

В шестом часу из-за дальних гор выползло солнце. Иргаш уже начал сомневаться, появится ли вообще банда, чтобы присутствовать при расчетах с господином Кумисбаевым.

Однако умение ждать оправдало себя. В шесть пятнадцать наблюдатель, следивший за пустырем, заметил, как возле железной дороги остановились две автомашины. От них через пустырь к забору базы по одному, по два потянулись люди.

Рэкетиры, взрастившие в себе уверенность в безнаказанности, шли через пустырь, переговариваясь и нисколько не маскируясь. Узбекский мешок с деньгами должен был появиться в конторе в половине седьмого, так что им некуда было торопиться. А вот когда приедет, они его тряхнут так, что деньги вывалятся не только из кошелька, но из всех потайных загашников. В конце концов, горячий утюг всегда найдется. Что-что, а трясти своих клиентов джигиты умели.

К забору подходили по одному. Отодвигали в сторону фанеру и пролезали внутрь...

Там их и брали, не давая даже охнуть.

Их было семеро. Ребята лет двадцати—двадцати пяти. Все примерно одного покроя: рослые, с накачанными мускулами, с крепкими шеями. Лица у всех загорелые, ничего не выражавшие. Белые рубахи, довольно чистые, а также серые изрядно потрепанные джинсы были явно приобретены в лавочке секонд-хэнда.

Однообразие кончалось на вооружении. Банда собирала арсенал где только могла. У одного в руках оказалась курковая двустволка — «тулка», у двух других двуствольные «ижи», но у первого со стволами нормального заводского размера, у второго — обрез. Еще два бойца держали в руках «мултыки» — старинные одноствольные ружья, должно быть, служившие их прадедам.

Теперь все семеро, в рубахах с закатанными рукавами, в тюбетейках, плюс президент геологического акционерного общества, появившийся чуть позже, стояли на коленях тесной кучкой под прицелом трех автоматов. Они боялись, о чем свидетельствовал острый запах мужского пота.

На земле, в пыли, лежали их ружья.

Иргаш брал ружья по одному, переламывал стволы, выбрасывал патроны из патронников, потом, держа оружие за дуло, со всего маху хряпал прикладом по бетонному блоку. Отбрасывал обломки и брал следующее.

Покончив с ружьями, Иргаш обратился к казахам с речью:

— Вы совершили большой грех, мусульмане. Такой, что трудно назвать вас правоверными. Вы отступники. Вас развратило безбожие. Вас обуяла алчность. Такое требует наказания по шариату. И оно для вас неизбежно. Начнем с вас, господин президент геологического акционерного общества.

— Я ни при чем, — голос президента звучал слезливо.

— При чем, — сказал Иргаш. — Начнем с того, что живешь ты под чужой фамилией. Пишешься Кумисбаем, а на самом деле ты просто Бокбай.

Президент нервно дернулся. Слова прозвучали звоном пощечины. Кумисбаев, если перевести фамилию на русский, звучит как Серебров, в то же время Бокбай иначе как Говнюков не переведешь. — Теперь признайся, ты у них главный?

Президент испуганно таращил глаза, обливался потом, но в ответ не произнес ни слова.

— Кара, проверь толщину шкуры у шакала.

Кара вынул из ножен большой нож с наборной плексигласовой рукояткой, большим пальцем попробовал остроту лезвия, плотоядно облизнулся и подошел к Кумисбаеву. Легким движением подколол его в бок.

Тот взвизгнул по-поросячьи, и это оскорбило слух мусульманина.

— Сапсем как чушка, — произнес Кара, обращаясь к Андрею.

— Так ты главный? — повторил вопрос Иргаш.

— Нет, не я, амер... Не я...

— А чья это банда?

— Они просто моя крыша. Вы понимаете, сейчас без защиты честному предпринимателю не выжить. Мы боялись, вы нас обманете.

— Так кто у твоей крыши начальник, ты, честный предприниматель?

Кумисбаев молчал. Было видно, что он боится рэкетиров больше, чем своих покупателей.

— Кара, пощекочи его. И посильнее.

Кара шмыгнул носом и с пугающим оскалом замахнулся ножом. Второй тычок пришелся в место, которое уже было помечено пятном крови на рубахе.

Кумисбаев зашелся диким визгом.

— Тихо! — заорал на него Кара. — Сапсем зарежу!

— Кто? — повторил вопрос Иргаш.

— Он! — Президент вытянул кривой палец в сторону

тощего казаха с редкими шерстинками усов под толстым носом.

Иргаш подошел к главарю, оказавшемуся в середине группы своих приспешников.

— Встань!

Тот поднялся на ноги, поднял голову и зло посмотрел на Иргаша:

— Ты пожалеешь, если хоть кто-то тронет пальцем меня и моих людей.

— Это серьезно? — Иргаш резко ткнул главаря пальцем в глаз. — И что теперь со мной будет?

Главарь взвыл от боли и ярости. Ему хотелось зажать больной глаз рукой, но руки были связаны за спиной. Тогда он склонил голову, пытаясь прижаться больным местом к плечу.

— Как его зовут? — спросил Иргаш одного из казахов, стоявшего на коленях, и пнул его носком сапога.

— Аю — Медведь...

— Значит, если я застрелю дикого зверя, то имею право снять с него шкуру? Как ты насчет этого, Кара?

— Гы-ы, — прогудел Кара, не скрывавший удовольствия, и поиграл ножом под носом у главаря.

— Погоди, может, у него есть людское имя?

— Есть, — поспешил на помощь Кумисбаев. — Он Нурислам.

— Нурислам?! — Иргаш обернулся к Андрею. — Скажи, как это будет по-русски?

— Свет ислама, — перевел Андрей.

— Бокбай! Ты грамотный человек. Скажи, может разбойник, который посягнул на деньги, которые призваны служить вере, жить дальше с таким именем? Может или нет?

— Я не знаю, амер. — Кумисбаев впал в истерику. Он знал, что, даже если в живых останется хотя бы один рэкетир, ему не жить. Его зарежут, застрелят, задавят машиной, повесят, но никогда не простят.

— Умолкни! Скажи ты, Кара, какой приговор вынесет суд шариата подлому вору?

— Отрубить руку, — ответил **Кара** и потер ладони, ожидая, что это поручат сделать ему.

— Руку — слишком сурово. Он собирался стрелять в воинов ислама? Это нехорошо. Кара, сделай так, чтобы грешник не мог повторить ошибки.

Кара схватил правую руку Нурислама, вытянул, прижал к забору и резко рубанул по его большому пальцу ножом.

Хрясь!

Андрей впервые в жизни услышал треск разрубаемой живой кости. И тут же раздался дикий вопль, полный боли и ужаса.

Молодой парень с нахальной мордой, обычно глядевший на людей, к груди которых приставлял ствол пистолета, с превосходством, вдруг понял страшную истину. Ту, которую емко сформулировала восточная мудрость: «Не хвались собственной силой, всегда найдется кто-то сильнее тебя».

Сколько раз Аю вершил расправу над теми, кто отказывался отстегивать ему свои кровные, трудом заработанные денежки, и вот теперь за попытку повторить много раз удававшийся трюк, ему отбивали охоту тянуть руки к чужому добру.

Аю с отрубленным пальцем толкнули в угол забора, потом снова заставили встать на колени. Кто-то швырнул ему замасленную тряпку.

— Завяжи руку!

— Давай следующего!

К забору подтащили еще одного казаха. Тот всячески сопротивлялся: не переставлял ноги, кулем повис на руках тех, кто его тащил.

Кара схватил парня за руку, оттянул большой палец и взмахнул ножом.

Хрясь!

Парень заорал так громко и так отчаянно, что все невольно вздрогнули.

Воспользовавшись секундным замешательством, один из пленных, до того казавшийся испуганным и сломленным, прыгнул на Андрея, стоявшего у ворот, схватил его за горло крюком левой руки, в правой тут же сверкнуло лезвие неизвестно откуда появившегося ножа. Он хищно оскалил зубы, приставил острие к подбородку Андрея и закричал по-русски:

— Дорогу! Или я его убью!

По габаритам противник оказался мельче Андрея и потому весь укрылся за его спиной, только из-за плеча выглядывала круглая голова с коротким черным чубчиком и большими безумными глазами.

— Не стрелять! — приказал Кашкарбай своим. — Пусть идет! Дорогу ему.

Моджахеды отодвинулись от ворот, и во дворе произошло некоторое движение.

Андрей понимал, что ничего не может сделать. Предплечьем противник сильно давил ему на горло, не позволяя нормально дышать, а в подбородок колол острый нож. Так они вдвоем и пятились к двери.

И вдруг нажим на горло ослаб, а нож зазвенел, упав на пол.

Андрей рванулся из чужих рук, но они его уже и так не держали.

Судьбу неудачливого рэкетира решил Кашкарбай. Пользуясь тем, что неожиданное движение людей по двору на миг отвлекло всех, он метнул нож.

Широкое лезвие чуть скользнуло по правой щеке Андрея и вонзилось точно в левый глаз рэкетира.

Придя в себя, Андрей подошел к Кашкарбаю, который вытирал кровь с ножа старой газетой.

— Спасибо, Кашкарбай, — Андрей протянул ему руку.

Узбек посмотрел на нее с безразличием и своей не протянул.

— Не благодари. Пока ты служишь делу Аллаха, я тебя защищаю. Будет иначе, мне до тебя дела нет.

Двух отрубленных пальцев и одного убитого бандита хватило, чтобы убедить всех остальных в бессмысленности вести сделку с позиции силы. Иргаш отсчитал деньги и передал их Кумисбаеву. Посмотрел на Аю, который все еще сидел в углу, стонал и тряс рукой.

— Кто оплатит тебе бюллетень, решите сами.

Погрузив под присмотром боевиков буровую технику на трейлеры, экспедиция оставила базу. Их никто не преследовал.

В машине Андрей заговорил с Иргашем:

— Я сожалею, эфенди, о происшедшем, но не могу не заметить, что говорить о мусульманском единстве очень трудно.

— Вы правы, мастер. Но разве мы этого не предвидели? Разве меры, которые были приняты заранее, не помогли осадить этих отступников? Что касается будущего, то оно потребует от нас немалых усилий. Мы исправим блудных сынов ислама, испорченных советским строем. Слава Аллаху, который не оставил нам понятия демократии. Это выдумка неверных. Мы позаимствуем многое у талибов, которые быстро и эффективно утвердили законы шариата в Афганистане. Да, будут жертвы, но цель их оправдывает. Люди быстро поймут, что регулярно молиться куда полезнее, чем остаться без головы, что следовать закону проще, нежели попасть на кладбище. Так все само собой и встанет на нужные места.

Ранним утром, выехав из Туркестана, колонна двинулась на северо-восток, в сторону Ачисая, чтобы по тесным горным дорогам через хребет Кара-Тау прорваться в просторы пустыни Муюнкум и бескрайние степи Бетпак-Далы.

Впереди двигался джип, в котором ехали Иргаш и четверо моджахедов из его основной боевой группы. За ними тянулись три трейлера с буровой техникой. Между вторым и третьим ехал джип с четырьмя вооруженными боевиками. Замыкал караван еще один внедорожник. В нем находился Андрей и боевик, которого он отобрал на роль рабочего буровой установки.

Когда колонна свернула с главной дороги и взяла курс в горы, шоссе узкой лентой втянулось в ущелье, которое с обеих сторон стискивали крутые мрачные плечи скал.

У ближайшего поворота, завидев издали приближение машин, на осевую линию, помахивая полосатым жезлом, неторопливо вышел милицейский офицер в ладно подогнанной форме.

Застыв на середине дороги, лениво левой рукой вскинул жезл над головой. Правую руку он держал на кобуре, висевшей на поясе у самой пряжки.

Колонна притормозила и остановилась.

Дверцы головного джипа распахнулись, Андрей не поверил своим глазам. На дорогу выскочили четыре моджахеда из команды Иргаша в форме армии Казахстана, все как один в офицерских погонах, с укороченными автоматами Калашникова в руках. Они встали полукругом перед майором милиции. Тот явно не ожидал такого оборота, опустил жезл и снял руку с кобуры.

Только потом из машины наружу выбрался Иргаш. Он был одет в замшевую дорогую куртку, в бриджи цвета хаки, в коричневые сапоги. В левой руке Иргаш держал стек, которым то и дело постукивал по голенищу.

Он приблизился к майору:

— Директор турецкой фирмы «Турансу» доктор Садилкар-оглу. С кем имею честь? Представьтесь. И покажите документы.

Готовясь к встрече с экспедицией, майор предусмотрел разные варианты возможного разговора. Он был готов услышать все — возмущенный наступательный крик руководителя экспедиции, либо заискивающий испуганный лепет с предложением откупиться. И любой из этих вариантов сулил успех. К тому, что случилось, майор готов не был. Ко всему перед ним стояли военные с оружием.

— Майор милиции Арсланбай. Из Туркестана пришло сообщение, что какие-то люди из вашей экспедиции (в первоначальном варианте майор хотел обвинить во всем самого начальника, но теперь уменьшил масштаб притязаний) совершили преступления. Я вынужден задержать вашу колонну.

Андрей, глядевший на то, как держался майор, сразу понял, что он дилетант, привыкший дуриком останавливать транспорт добропорядочных граждан и без стыда и совести драть с них деньгу.

Уверенность в том, что форма дает человеку власть, сыграла с майором злую шутку.

Пока Иргаш неторопливо беседовал с майором, люди майора без суеты и лишних движений, открыто демонстрируя оружие, взяли обоз в живое кольцо.

— Значит, начальник милиции? — Иргаш открыл удостоверение, осмотрел фотографию, прочитал записи. — Очень странно. Я, майор, думал, что ты атаман дорожных бандитов. Правда, фамилия у тебя богатая — Арсланбай. Повелитель львов. Здорово!

Мордастый мент с жидкими обвислыми клочьями усов под носом старался держаться с гонором. Его волнение выдавало только взмокшее от пота лицо. Крупные капли пота стекали с висков по щекам.

— Господин майор, — Иргаш выглядел абсолютно спокойно. Он не нервничал, говорил тихо, но так, что каждое его слово ложилось гирей на чашу весов беседы. — Вы уже сейчас допустили несколько грубых ошибок. Прежде всего, в мусульманском мире, встречая знакомых и незнакомых, правоверных и иноверцев, простой человек и представитель власти должен пожелать им мира и благословения Аллаха. Вы встретили нас, турецкую экспедицию, положив руку на пистолет. — Иргаш повернулся к Кашкарбаю. — Господин доктор Шакуров, попрошу вас незамедлительно связаться с канцелярией президента Султанбекова. Сообщите, что некий наглец в погонах встал против дружбы Казахстана и Турции...

Арсланбай уже готов был забить отбой, но обстоятельства изменились. Если этот тип и в самом деле имеет связь с Астаной, его, Арсланбая, песня спета. А значит, обстоятельства требовали довершить начатое дело и положить конец тем, кто встал на его дороге.

— Вы делаете ошибку, — собрав всю выдержку в кулак, сказал майор Иргашу. — Я вынужден буду прибегнуть к силе и разоружить ваш отряд.

— Кара, — позвал Иргаш, отворачиваясь от майора. — Раздень мента. Сними с него форму. Аллах не любит, когда перед ним предстают взяточники в погонах.

Майор понял, что судьба его решена. Он, все еще не теряя надежды выкрутиться, рухнул на колени, заломил руки над головой и заголосил по-бабьи:

— Ой, баяй! Признаюсь, виноват! Я не должен был это делать с вами. Моя вина!

— Вставай и раздевайся! — Кара подошел к майору и пнул его в плечо. Тот повалился набок.

— Не вина, — сказал Иргаш, — а роковая ошибка. Ты собирался схватить за веревку, которой завязан мешок с деньгами, а ухватил за хвост тигра.

— Раис, пощадите!

Майор уже стоял раздетый до подштанников и жался от холодного ветра, дувшего с гор Кара-Тау.

— Курбака! — сказал Кара, взглянув на майора и хихикнул: — Лягуха!

— Косояк! — высказался моджахед Сагит. — Тушканчик!

Остальные просто засмеялись. Майор еще больше сжался и быстро затараторил:

— Я сказал честно. Впереди мои люди. Вы не проедете. Отпустите меня — и разойдемся с миром.

— Как зовут командира, которого ты оставил там за себя? — спросил Иргаш майора.

— Таспулат, — уныло сообщил Арсланбай.

Кара поднял руку, сделал над головой несколько взмахов майорской фуражкой.

— Эй, Таспулат! Все сюда! Эти типы уже нам сдались!

Таспулат потоптался на месте. Что-то смущало его, но разобраться, что именно, он не мог.

— Машины гнать?

— Давай, давай! Люди, машины, все сюда!

Минуту спустя за тутовой рощей загудели двигатели машин, и из-за бугра на дорогу выкатились три грузовика.

Майор неожиданно выкрутился из-под руки Сагита, стерегшего его, с удивительной легкостью для брюхатого человека пригнулся, юркнул в придорожный куст и заорал визгливым голосом:

— Бейте их, ребята! Приказываю, бейте!

И сразу все изменилось. Тутовая роща засверкала вспышками выстрелов. Андрей плашмя плюхнулся на грязную землю, плотнее прижался к ней и стал считать точки, откуда вели огонь. Он отметил, что стрелков по меньшей мере было тринадцать. Чертова дюжина. Совсем неплохо.

К Андрею подполз Иргаш.

Впервые, смиряя командирскую гордость, спросил совета:

— Что будем делать, урус?

— Надо идти в атаку, — сказал Андрей. — Они к этому не готовы. А если вести перестрелку, то это может затянуться до утра.

— Зачем атака? — возразил Иргаш. Весь его опыт моджахеда заключался в организации засад и нападений из-за угла.

Андрей не ответил. Он приметил точку, в которой уже два раза вспыхивало оранжевое пламя автоматных очередей. Аккуратно прицелился и выстрелил. Тут же со стороны раздался истошный крик. Темная фигура человека поднялась над зарослями и с тупым грохотом рухнула на землю.

Пользуясь моментом, Андрей подхватил автомат, вскочил, зигзагами пробежал шагов семь-восемь и тут же залег. Рядом послышалось чье-то тяжелое дыхание. Оказалось, это сюда перебежал и лег рядом Иргаш.

— Молодец, урус! — похвалил он Андрея и полоснул очередью по кустам.

Заросли тут же ожили и оттуда повели беспорядочный огонь. Пули пороли воздух над головами Андрея и Иргаша и тупо шмякались в мокрую глину.

Лежа на спине, Иргаш вынул из кармана мобильный телефон. Прошелся пальцами по клавишам. Приложил трубку к уху.

— Во имя Аллаха милостивого и милосердного. Мир вам, великий хан... — Андрей понял — Иргаш вышел на Шерали-хана. — У нас неприятности. Обещанный эскорт, скорее всего, считает ваши деньги, и ему не до наших трудностей.

Из трубки ответили столь громко, что Андрей сразу узнал голос хана:

— Держитесь, Иргаш. Вверяю вас Аллаху, у которого не пропадает отданное ему на хранение. Звоню министру, под которым ходит этот сын лягушки и черепахи, оставивший вас без помощи. Сейчас она будет.

И в самом деле сила Аллаха безмерна. Подмога пришла минут через сорок.

С юга стал быстро приближаться вертолет. Вскоре с высоты громкий микрофон грозно проорал по-казахски:

— Всем лечь! Иначе открою огонь!

Для большей убедительности сверху дробью сыпанула пулеметная очередь.

Иргаш зло сплюнул и распластался на земле, подсунув под живот автомат, и обеими руками прикрыл голову.

Вертолет приземлился метрах в двадцати от верхней точки перевала. На поле выскочили человек десять автоматчиков и неторопливым шагом, цепью двинулись к скопищу машин. Для острастки они по команде разом влупили в небеса дробную очередь. Малиновые искры трасс пронеслись над головами людей.

На правом фланге цепи, держа в руке пистолет, шел высокий офицер.

Увидев его, майор Арсланбай, лежавший в грязи у заднего колеса трейлера, резво вскочил и, шлепая босыми ногами по земле, сверкая белыми кальсонами с рыжими пятнами глины на ягодицах, побежал навстречу начальнику.

Андрей, сидя в кабине тягача, опустил голову. Надо же было влипнуть в историю так бездарно! Хуже и не придумаешь. Оставайся у него в автомате патроны, он бы пошел на прорыв, благо в такой суматохе легко уйти за ближайшую гору. Но оружия не было, а вокруг шла такая стрельба, что его подсекут, едва он выползет из кабины.

Высокий офицер, судя по знакам отличия, в чине полковника, издалека увидел Иргаша, подошел к нему, приложил руку к груди и поклонился.

— Простите, уважаемый господин Садилкар-оглу, я даже не знаю, как быть, если человек с фамилией льва на деле оказывается вислоухим ишаком и готов укусить руку творящих добро.

Полковник, держа пистолет плашмя — хватка, вошедшая в моду из американских боевиков и пригодная только для стрельбы в упор, — направил ствол в объемистое пузо Арсланбая. Выстрел прозвучал тише звука выскакивающей из бутылки шампанского пробки. Майор ухватился за живот обеими руками и шлепнулся задницей в грязь. Белая ткань кальсон начала наливаться кровью.

— Собачий сын! — выругался полковник. — Предатель! Вместо того чтобы бороться с бандитами, он сам возглавил банду.

— Вы вели себя мужественно, полковник, — сказал Иргаш. — Мы ехали своей дорогой, и вдруг нападение. Если бы не ваше мужественное вмешательство, они могли с нами расправиться. Если нужно, мы оставим свидетелей, которые видели вашу решительность и храбрость.

— Благодарю вас, Садилкар-оглу. Мы эту проблему решим сами.

Иргаш изобразил чрезвычайную озабоченность.

— Меня волнует то, как будет оформлено происшествие? Наше пребывание в стране и работа не должны омрачать скандалом отношения двух великих азиатских держав — Казахстана и Турции.

Полковник склонил голову:

— Я это прекрасно понимаю, уважаемый Садилкар-оглу. Вас этот инцидент не заденет. В докладе министру будет сообщено, что на нашей территории действовала банда киргизов — алты-арыков. Они решили разграбить автокараван. Майор Арсланбай проявил похвальную решительность. Он устроил засаду и принял бой с алты-арыками. Майор и его люди героически погибли. Банда была добита с моей помощью.

Прощаясь, полковник подобострастно взял двумя руками ладонь Иргаша и стал ее трясти, по всей видимости сожалея, что не может припасть к ней губами. И лепетал:

— Да здравствует дружба между великой Турцией и Казахстаном! Мы благодарны турецкому народу...

За что казахский народ благодарен турецкому, Андрей так и не узнал, потому что Иргаш прервал словоизвержение бравого полковника. Он вынул из кармана десятидолларовую бумажку и протянул полковнику:

— Возьмите на память, уважаемый.

Бумажка мелькнула в пальцах офицера в момент, когда он подбросил руку к козырьку фуражки. Где-то по пути к голове доллары исчезли.

Колонна тронулась.

— Не гусар, — сказал Андрей и презрительно сплюнул.

— Кого имеешь в виду? — поинтересовался Иргаш.

— Полковника.

— Объясни.

— Есть анекдот, эфенди. Царский офицер провел ночь в борделе. Утром стал уходить. Проститутка говорит ему: «А деньги?» Гусар посмотрел на нее, подкрутил ус и ответил: «Мадам, гусары денег не берут».

Иргаш посмеялся, потом сказал:

— Я уверен, что эта сволочь воспринимает Ширалихана как толстую пачку долларов. Поганые безбожники. Но придет время, и они поймут, с кем имели дело. Поставим Ферганский халифат от границ России до Афганистана и сразу отобьем у всех степняков желание лебезить перед Турцией. Власть возьмут исламисты Узбекистана.

— Чем вызван ваш гнев, Иргаш?

— Тем, что этой сволочи хорошо проплачено за наш беспрепятственный проезд. А он, надутый чирей на грязной заднице, изображает, будто дорогу в горы нам открыли его милость и личная справедливость.

— Не разжигайте свой гнев напрасно, Иргаш, особенно если его пламя нечем залить. Так можно опалить только собственную душу.

Иргаш захохотал:

— Мастер, вы воистину ширинзабан — сладкоречивец. Какой перс вас учил красивому слогу?

Андрей взял Иргаша за локоть.

— У вас хороший телефон, верно?

— «Сименс», — сказал Иргаш не без доли хвастовства. — Удобная штука.

— И вы возьмете его с собой в экспедицию?

— Конечно. Буду докладывать хану о ходе работ.

— Не могу вам диктовать, как поступать и что делать, но все же посоветуйтесь с хозяином. Дело в том, что при желании спецслужбы очень просто могут устанавливать место, откуда ведутся переговоры по мобильнику.

Иргаш посмотрел на Андрея, потом на телефон, который держал в руке.

— Это правда? Спасибо за предупреждение. Надо быть осторожным.

Двигаться колонна должна была по заранее составленному графику. Подъем и холодный завтрак в пять часов. Затем безостановочное движение в течение семи часов. В полдень остановка для совершения намаза и обед. На это отводилось три часа. С пятнадцати, когда спадала жара, движение еще пять часов. Таким образом, в пути предполагалось проводить половину суток. При движении по нормальной дороге караван мог добраться до места за два дня. Но переход через хребет Кара-Тау — не высокий, но труднопроходимый для техники, затем переход через пески пустыни Муюн-Кум и путь по просторам степи Бетпак-Дала — все это растянулось у них ровно на десять дней.

Отношения между боевиками в отряде не были безоблачными. Многие имели какие-то непонятные счеты к своим соратникам, часто ссорились, иногда демонстративно хватались за ножи, и только строгость и беспощадность Иргаша, которые чувствовались в каждом его движении и слове, не давали конфликтам разрастись.

Было в отряде несколько человек, которые с подозрением относились к русскому. Все время за ним приглядывал Кашкарбай. Хотя он и не говорил ничего обидного, было видно — мастер ему не по душе. Яснее всех выказывал свою ненависть к Андрею черный как кусок угля пуштун Хабибулла. Все звали его Кангозак — жук, и он действительно походил на насекомое не только цветом, но также своей суетливостью, юркостью и неприятным запахом лесного клопа, который исходил от его одежды и тела.

Кангозак старался использовать любую возможность, чтобы задеть или хоть как-то унизить русского, заставить его бояться.

По местам все расставил случай.

На привале отряд, как это делалось всегда, разбился на две боевые группы, чтобы в случае опасности быть готовыми к вооруженному сопротивлению, а повара занялись приготовлением пищи.

Андрей со справочником Калинина по буровым работам сидел в стороне, прислонившись к колесу трейлера и рассчитывал по формуле примерную скорость проходки скважины.

Внезапно на книгу упала тень.

Андрей поднял голову и увидел Кангозака, который стоял над ним, ноги на ширине плеч.

Громко, чтобы слышали все, Кангозак недовольным голосом сказал:

— Тебя, урус, пора убить. Вместо того чтобы молиться и читать Коран, ты все время таскаешь с собой безбожные книги и при первой возможности пялишь в них глаза. Я тебя от этого отучу.

И Кангозак правой ногой пнул справочник, выбил его из рук Андрея и расхохотался ржавым трескучим смехом.

Андрей, будто подброшенный пружиной, вскочил и нанес сразу два удара. Первый — ногой в промежность Кангозака, прикрытую широкими штанами — патлунами — дешевого кандагарского пошива, прицелившись точно в висящую мотню, где тот размещал свое мужское достоинство.

Кулак одновременно врезался в скулу чуть ниже правого глаза. Удар в челюсть, куда первоначально целил Андрей, не прошел: вскакивая, он поскользнулся.

Два сильных удара выбили почву из-под Кангозака. Неуклюже размахивая руками, он с глухим стуком рухнул на землю.

Андрей, не глядя на него, поднял справочник, отряхнул обложку от пыли, положил книгу на колесо машины и только потом обернулся к противнику.

Кангозак уже вскочил с земли. Правда, сделал он это без легкости. Видимо, оба удара сильно тряхонули его естество и выбили часть бойцовского запала. Но сдаваться он не собирался. Рука с кривыми мосластыми пальцами легла на костяную рукоятку афганского ножа — карда.

— Теперь я тебя убью, — прошипел Кангозак. — И Аллах зачтет мне уничтожение неверного за доброе дело.

Держа в правой ладони слегка согнутой руки оружие, он наклонился вперед и принял боевую стойку.

В это время появившийся рядом с ним Иргаш сокрушительным рубящим ударом ребра ладони по стыку затылка и шеи отправил Кангозака в нокаут. Когда тот рухнул лицом в пыль, Иргаш ногой перевернул его на спину, носком отшвырнул нож в сторону и поставил сапог на грудь поверженного Жука.

Все, кто сидел у костров, внимательно наблюдали за происходившим.

Иргаш, привлекая к себе внимание, поднял руку. Когда все замолчали, он заговорил:

— Слушайте, люди, и запоминайте. Во всей своей вере и старании мы никогда не совершим порученного нам дела, если его не сделает человек, на которого напал глупый Жук. Этот человек, — Иргаш указал на Андрея, — мухтарам остад бармакари — уважаемый мастер бурения Андрей. Я клянусь Аллахом, что только в руках этого человека находится чаша райского напитка, который доставит счастье каждому из нас. Действия Кангозака заслуживают самого сурового наказания. Но на первый раз я считаю, он уже получил урок. Еще раз повторится такое, я противопоставлю смерть ослушника жизни мастера. Это касается всех и каждого. С этой минуты каждый будет обращаться к русскому только со словами «уважаемый мастер бурения». Понятно?

Иргаш пнул Кангозака под ребра, заставив его подняться на ноги.

— А ты, пес, скалящий зубы на человека, в чьих руках наша надежда на благословение Аллаха, сейчас при всех произнесешь просьбу о прощении.

Кангозак, пряча злые глаза, опустил голову, сложил молитвенно руки и громко сказал:

— Прошу прощения у Аллаха великого, помимо которого нет иного бога. Он — живой, вечносущий, и я приношу ему свое покаяние...

Андрей знал, что эта магическая просьба имела столь великую силу, что после ее произнесения прощаются даже те, кто в трусости покинул поле боя, на котором боролись с неверными.

Происшедшее и ритуал извинения произвел впечатление на всех, но Андрей понимал, что друзей у него от этого не прибавилось.

Позже Кангозака отвел в сторону Кашкарбай, грубо притянул к себе за лацканы куртки.

— Ты об этом русском забудь навсегда. Он мой. Как сделает дело, я превращу его в жертвенного барана и зарежу перед престолом Аллаха. Но запомни, не ты это сделаешь, а я. Не отступишься — убью тебя. Отступишься, не оставлю своими заботами...

Вечерами, несмотря на дневную усталость, моджахеды разбивались на кучки, пили чай и вели неторопливые разговоры. Как заметил Андрей, у бесед было всего две темы. Первая — об участии в боях с неверными, вторая — о провидении Аллаха в делах земных.

Судя по разговорам, все моджахеды побывали в самых разных боях и, рассказывая о них, безудержно хвалились подвигами, совершенными во славу Аллаха.

Сперва рассказчики при приближении Андрея умолкали, но после того, как получили указание Иргаша именовать его «уважаемым мастером», стесняться перестали.

У всех моджахедов имелись клички. По их происхождению Андрей определял национальность боевиков. Так он выделил из общей массы четырех чеченцев. Одноглазый всегда злой детина Исмет, считавшийся старшим группы, носил кличку Алхазур — Птица, трое других именовались Дика — Хороший, Кура — Ястреб и Борз — Волк. Последнему кличку изменил Иргаш, назвав его афганским словом Окаб — Орел. Иргаш не хотел обижать чеченца, отбирая у него имя, но и не хотел, чтобы в стае оказалось два волка, поскольку сам он имел кличку Горг — Волк, полученную еще в Афганистане.

Было в отряде несколько иорданцев, двое пуштунов, узбеки из Ферганской долины, уроженцы Маргилана, Андижана, Намангана, Коканда. Как ни странно, но воины ислама разговаривали между собой в большинстве случаев на русском языке, часто на ломаном, трудно узнаваемом, но тем не менее неплохо служившим общению и взаимопониманию.

В помощники Андрей выбрал чеченцев Дику и Куру. Оба они воевали в Чечне, потом сумели заблаговременно перебраться в Азию, побывали в Афганистане и оказались в одном из тайных отрядов Джумы Намангани. Главным их достоинством Андрей считал не боевое прошлое, а то, что в прошлом они сталкивались с буровыми работами. Кроме того, он взял в команду буровиков еще двух моджахедов, показавшихся ему наиболее смышлеными. Старшим рабочим он назначил Дику, тихого богобоязненного боевика, который отличался молчаливостью и старательностью. Он более рьяно, чем его коллеги, совершал намазы, яростно отбивал поклоны. Должно быть, стараясь достучаться до Аллаха, он так бил головой о намазжай — молитвенный коврик, что отходил от молитвы с красными пятнами на лбу.

Слушая Андрея, Дика покорно складывал руки на животе, наклонял голову и, получая приказания, смиренно раз за разом повторял: «Да, остад. Все будет сделано».

На каждой плановой остановке Андрей сразу собирал боевиков, отобранных на роль буровых рабочих, и заставлял их возиться со штангами, добиваясь автоматизма в действиях с шарнирными и короночными ключами. Разбившись на пары, боевики скручивали и раскручивали свечи, свертывали и снова навертывали коронки на колонковые трубы.

Для того чтобы дать рабочим нормальные трудовые навыки, времени не было, и приходилось их натаскивать, гоняя до второго пота.

Степной колодец Алтын Кудук с мутноватой и солоноватой водой, от которой людей с непривычки проносило, лежал на главной дороге, связывавшей обжитые районы области с Ульген-Саем. Впрочем, говорить так можно только с большой осторожностью. Главной дороги в этих краях как таковой не существовало. Имелось только направление с юга на север, ориентируясь на которое каждый кочевник мог двигаться в сторону Ульген-Сая своим путем по степи напрямик. Правда, существовало несколько надежных ориентиров — гора Сары Баш с голой каменистой вершиной, видимая за десятки километров с любой стороны, и скала Джез Мурун, острым клином торчавшая на пустынной равнине. Эти две приметы, не позволяли сбиться в беспредельных просторах степи с нужного направления.

Караван приближался к серой, неприветливой гряде старых, растрескавшихся от времени скал. Ветры давно сдули облегавший их грунт, и теперь, растянувшись с востока на запад, змеясь по подъемам и спускам, тянулась каменистая стена. Гнусное, проклятое Аллахом место: торчащие мертвые сланцы и выжженная солнцем земля.

В машине, пропитанной запахами бензина, духота стала такой невыносимой, что стало трудно дышать. Мокрая рубаха противно липла к спине, рождая гнусное ощущение телесной нечистоты.

Андрей левой рукой расстегнул пуговицы на груди, но дышать легче не стало. Он попытался опустить стек-

ло, но тут же в салон ворвалось столько пыли, что он
пожалел об оплошности.

Равнина в некоторых местах вспучивалась пологими
холмами. Кое-где виднелись кустики ковыля, а все остальное пространство покрывала каменная крошка.

В стороне от маршрута Андрей заметил высокую пирамиду, сложенную из гальки. Он выскочил из машины
и, чтобы размять ноги, пошел пешком. В белесом солнечном свете он видел раскинувшийся перед ним пус-
тынный песчаный край, землю, усыпанную толстым
слоем камня, отслоившегося от материнских пород.

Хребты, лежавшие перед ними, высотой не превы-
шали трехсотметровых отметок, но на тарелке пустыни
выглядели настоящими горами. Они расчленялись по-
перечными разрывами, пересекались глубокими трещи-
нами, которые еще больше усиливали у Андрея впечатление, что караван движется по поверхности неведомой
суровой планеты. Но, к счастью, почти повсюду обна-
руживалась земная знакомая ему жизнь.

В одном месте у каменной осыпи Андрей увидел целую россыпь иголок дикобраза. В детстве с друзьями
они специально ходили в горы искать колючие стержни
этого животного. Срезав один из концов острым ножом, они обнажали пористое наполнение колючки и
вставляли в него ученические перья. Таким образом де-
лались прекрасные чернильные ручки.

Андрей нагнулся и взял несколько стрел, просто так,
от нечего делать. А когда нагибался, увидел, как из-под
камня стрелкой метнулась маленькая серая ящерка и
тут же исчезла в какой-то трещине.

Каменная пирамида, привлекшая внимание Андрея,
оказалась могилой.

Железная, проржавевшая табличка на ней с надписью на казахском языке уведомляла:

*«Путник! Здесь упокоился Алтынбай, сын ислама,
своими делами угодный Аллаху.*

По божественному предопределению
Вознесся он душой к небесному трону,
Оставив наследникам

Свои тяжкие труды и богатство.
А было у Алтынбая овец столько,
сколько больших и малых камней
положено на его могилу».

Сзади к Андрею подошел Иргаш. Не обращая на него внимания, Андрей поднял с земли камень, положил его на пирамиду и пошел к машине.

— Ты хорошо сделал, мастер. Душе Алтынбая будет приятно, что ты увеличил его отару хотя бы на одну овцу.

— Может быть, — ответил Андрей и сел в машину.

Караван приближался к каменным осыпям Таш Калы — до основания стертым ветрами и временем скалам, некогда выступавшим на поверхность из глубин земли. Под колесами шуршали и скрипели плоские рыжие чешуи кремнистых сланцев. Впереди он видел лишь бесконечный простор степи. Южный склон горы Сары Баш был еще в тени, а за ним в ослепительном солнечном свете, раскаляясь добела, уже плавилось голубое небо. Игра света и теней позволяла увидеть, что степь далеко не такая ровная, как это казалось днем. Ее пересекали поперечные ложбины, в некоторых местах горбились изъеденные эрозией каменные останцы.

С высоты, на которую выкатились машины, Андрей заметил кошару. Юрта, далеко не новая, видавшая виды, стояла в стороне от торной дороги. Из загона для овец доносилось тревожное блеяние. Обычно спокойные животные беспокоились.

Андрей взял из машины двустволку.

— Пойду пройдусь, посмотрю, что там.

— Хорошо, — на удивление спокойно согласился Кашкарбай. — Мы сделаем остановку и приготовим обед.

Андрей пошел к юрте. Когда он приблизился, с мест поднялись два лохматых волкодава, крупноголовые, безухие и бесхвостые. Уши и хвосты своим псам чабаны обрубают, чтобы ночью не путать их с волками.

Собаки стояли, опустив головы, и внимательно следили за незнакомым человеком, при этом не проявляя признаков недружелюбия.

Тем не менее Андрей чувствовал скрытую опасность и старался не показать вида, что боится животных. Он знал — страх провоцирует агрессию. Миновав собак, он вошел в юрту и увидел хозяина. Средних лет казах лежал на матрасе, постеленном на кошме, и кутался в ватное одеяло. Его бил озноб: ноги подрагивали, зубы дробно клацали.

Андрей опустился на колени и приложил руку к пылавшему жаром лбу.

— Малярия. Где там у вас хинин?

— Э, — брезгливо пробурчал Кашкарбай, который неожиданно оказался за спиной Андрея. — Зачем лечить? Кончить его — и дело с концом.

Андрей поднялся с колен и надвинулся грудью на моджахеда:

— Слушай, ты, не самый лучший из всех худших правоверных. Слушай и запоминай. Тем, кто воистину верует, известно, что посланец Аллаха сказал: «Если любой раб, исповедующий ислам, навестит больного, срок жизни которого еще не истек, он должен семь раз сказать: «Прошу Аллаха Великого, Господа великого трона, чтобы исцелил тебя». Ты это слыхал? Так вот, клянусь, что заставлю тебя поступить так, как учит пророк. Ты запомнил слова? Повтори.

— Ас амо Ллаха-ль-Азыма, Раббаль-арши-ль-азыми, ан йашфийка-кя, — невнятно пробурчал себе под нос Кашкарбай.

— Семь раз! — сказал Андрей. — И достань хинин.

Что его толкнуло задержаться у постели больного, хотя это вызвало у Кашкарбая открытый взрыв гнева и явное неудовольствие Иргаша, Андрей и сам толком объяснить не мог. Скорее всего, он просто не мог смириться с тем, что обстоятельства подмяли его, заставили потерять собственное лицо, волю, желания. Тяжелый груз обязанностей, крайне противоположных по смыслу, нагрузили на его плечи руки трех разных людей — Иргаша, Травина, Халифа. Людей, не знавших один другого лично, но понимавших, что влияние на события они могут оказать, только подчинив себе и сделав ис-

полнителем своих замыслов одного человека — его, дурака, лопоухого русака Андрея, который, взявшись за
гуж, в силу своего русского менталитета, даже понимая
аховость ситуации, постесняется сказать, что не дюж.
Не в характере русских это.

И чтобы показать сохранившуюся самостоятель-
ность, доказать себе и другим, что он волен поступать
по своему усмотрению, Андрей взбрыкнул:

— Я останусь с больным на ночь. Если все будет хорошо, утром вас догоню.

Иргаш недовольно нахмурился, но возражать не
стал. Зато Кашкарбай недовольно буркнул:

— Ехать надо всем. Или я тоже останусь здесь.

Взбрыкивая и сопротивляясь, Андрей словно норо-
вистый конь натягивал поводья, расширял пространство свободы, которое ограничивали его отношения с
людьми Ширали-хана, и в любой момент ожидал, что
Иргаш может сорваться, прикрикнуть, одернуть его
прилюдно в стремлении поставить на место. Но Иргаш,
внимательно изучавший Андрея, был уверен, что, если
русский замыслил побег, он бы держался ниже травы и
тише воды, подстилался на каждом шагу. Взбрыкивать,
проявлять характер не боится только тот, кто верен делу,
но не собирается терпеть ограничений в пустяках, которые непосредственно главного дела не касаются.

Иргаш не считал необходимым ограничивать Андрея в мелких отступлениях от порядка и потому, что
знал судьбу русского лучше других. Он будет нужен
делу лишь до момента, когда найдут предмет, столь не-
обходимый Ширали-хану. Сделав дело, русский поте-
ряет всякую ценность, и оставлять его в живых нет
смысла.

Иргаш не был лично против Андрея. Этот человек
даже нравился ему. Да, нравился. Но Иргаш не был до-
мовладельцем, который мог сохранить понравившуюся,
но уже ненужную вещь, положив ее в один из свобод-
ных сусеков в сарае. Иргаш во все времена был воином
и оставался человеком боя. Поэтому его интересовали
только те люди, которых он считал нужными. Все ос-

тальное оказывалось лишним в походах, даже ложки, без которых азиаты обходятся совершенно спокойно.

Иргаш был человеком умным и преданным делу ислама до последнего вздоха. Заведуя казной, в которой лежал миллион долларов, он даже в мыслях не строил планов, чтобы завладеть этой суммой, стать ее хозяином, скрыться и вволю пожить для себя.

Если честно, Иргаш не особенно верил в Аллаха. Слишком часто он видел свидетельства того, что в природе и обществе не существует разумной силы, управляющей всеми и вся со справедливым рационализмом. Тем не менее он ценил Аллаха как бестелесную идею, объединявшую всякую рвань и превращавшую сотни горластых и хищных двуногих животных в великую силу.

Иргаш понимал, что ему вряд ли удавалось бы держать в жестком повиновении кровожадного Кангозака, яростного Кашкарбая, если бы те не прослеживали линию подчинения, которая тянулась через Иргаша к Ширали-хану, от того еще выше — к самому Аллаху, которого никогда не одолевают ни дремота, ни сон; который знает, что было до них и что будет после них, а трон его объемлет небеса и землю, и не тяготит его охрана их.

Будь Андрей правоверным, Иргаш сделал бы его своим помощником, разделив пополам ношу ответственности и меру доверия. А пока русского приходилось терпеть и, чтобы не выбивать его из рабочего настроения, надо было в чем-то ему потакать.

— Пусть остается один, — сказал Иргаш. — Пошли.

Они вышли из юрты и направились к машинам.

Напоив больного, дав ему лекарство, Андрей вышел из юрты и прошел к автоцистерне, стоявшей у кошары. Взял палку, обстукал бочку. Три четверти ее заполняла вода. Он подтащил шланг к поилкам и отвернул вентиль. Овцы, радостно блея и толкаясь, бросились пить.

Собаки, заняв места по обе стороны входа в юрту, спокойно следили за посторонним человеком. Умные животные хорошо понимали, что чужак помогает хозяину, который не встает второй день.

Напоив овец, Андрей покормил собак и снова вошел в юрту. Больной обессилено лежал на постели. Лицо его заливал пот.

— Теперь, — сказал Андрей, — пойдете на поправку. А пока лежите. Я сегодня побуду с вами.

Больной был настолько слаб, что даже не поинтересовался, каким образом в его юрте оказался гость. Он откинулся на подушку и закрыл глаза.

Андрей вышел наружу. Посмотрел в сторону, где остановилась экспедиция. От котлов, в которых готовили еду, уже тянуло аппетитными запахами. Сразу взыграл аппетит. Он подошел к раскладным столикам и сел рядом с Иргашем. Приступили к трапезе.

— Почему ты не разрешил Кашкарбаю избавить больного от мук? — Иргаш задал вопрос, не переставая обгладывать баранью лопатку и облизывать пальцы.

— Насылать муки на ослушников и избавлять от них праведников — это право Аллаха. Пророк оставил правоверным только право посещать больных и молиться об их исцелении.

Иргаш отбросил объеденную до кости лопатку и вытер губы тыльной стороной ладони.

— Теперь скажи правду. Я не верю, что ты, урус, настолько привержен исламу, чтобы каждое свое дело сверять по учению веры.

— Дело в том, Иргаш, что правда многолика. Я выделю две стороны происходящего. Убить больного чабана, чтобы скрыть наши следы, не было ничего глупее. За чабаном стоит семья, стоит его род. Эти люди прекрасно знают степь, читают следы на ней, как буквы Корана. Эти люди не милиция и не армия. Они народ. Ты, как амер, понимаешь, насколько опасно противопоставлять народ нашему делу.

— Хуб, — сказал Иргаш и хлопнул себя по колену. — Хорошо. Говори дальше.

— Как духовный наставник своих моджахедов, ты не должен позволять им отступать от учения веры, если кроме вреда такое отступление ничего не принесет.

Иргаш встал, сделал жест омовения, огладив щеки и бороду обеими ладонями.

— Я доволен тобой, урус. Твои поступки благочестивы и направлены на пользу нашему делу. Аллах да воздаст тебе сторицей.

После обеда, когда Андрей направился к юте, Иргаш подошел к Кашкарбаю:

— Смири обиду и будь спокоен. Ущерб поспешности велик, а польза терпения безгранична, ибо сказано: Аллах на стороне терпеливых. В нужный момент я вручу тебе судьбу этого русского, и ты поставишь точку в его неправедной жизни.

До места назначения оставалось не более километра — и колонна ушла. Андрей на ночь остался в юрте с больным. Заснуть в ту ночь он так и не сумел. Подушка на постели, которую он для себя выбрал, густо провоняла прогорклым бараньим салом. Андрей задыхался от этой вони и даже усталость не помогала сомкнуть глаза.

Он осторожно встал и вышел из юрты. Собаки, лежавшие неподалеку, приподняли головы, но не заворчали, не загавкали: гость уже достаточно пропитался запахами юрты, обостренное обоняние подсказывало псам, что перед ними свой.

Утром больному стало лучше. Он проснулся, мокрый от пота и ослабевший после перенесенного приступа лихорадки. С удивлением посмотрел на Андрея:

— Вы кто?

— Проезжий. У вас малярия, — сказал Андрей, не отвечая на вопрос. — Мы экспедиция. Ищем воду. Извините.

— Как вас зовут? — спросил казах. — Я Тюлеген Касумов. Чабан.

— Я Андрей.

— Здравствуйте, Назаров, — преодолевая слабость, Тюлеген сел на постели. — Я здесь от Барышева. С одной стороны — москвич, с другой — местный. Здесь корни моих предков. Приехал домой. Как отнеслись к вам мои собаки?

— Нормально.

Андрей ответил спокойно и, казалось, нисколько не удивился, что вот так, совершенно неожиданно и странно, встретил человека, который будет ему помогать.

Накормив и напоив больного, Андрей уложил его.

— Что будем делать? — спросил Андрей. — Вы очень больны.

— Это пройдет, — сказал Тюлеген. — Потом каждый займется своим делом. Вы начнете работу. Бурите. Я стану делать свое дело. Вам в него вникать не надо. Много знаешь, плохо спишь.

Иргаш прекрасно понимал, что внешне база должна выглядеть так, чтобы не привлекать к себе постороннего внимания. Кто знает, когда и какой из российских или американских разведывательных спутников обратит внимание на неожиданное появление буровой установки в безлюдной степи. Будь это район никому не известный и ничем не знаменитый, буровая вряд ли вызвала бы чей-то серьезный интерес. Но за территорией урочища Ульген-Сай, входившего в зону советского военного полигона, наблюдение велось многие годы, а потому возможно, что обстановка в этой зоне периодически контролируется и теперь, после ухода Советской армии. Обнаружив что-нибудь подозрительное, русские или американцы могут сбросить правительству Казахстана официальный запрос, по нему обязательно будет проведена проверка, а это для дела крайне нежелательно.

С целью маскировки жилой поселок экспедиции разместили в километре от буровой. У старого колодца поставили три юрты и разбили ложные кошары.

На гребне отрога Алтын Бармак, где находилась буровая установка, на металлической мачте соорудили ветряк, какой обычно ставится возле колодцев. Здесь же расположили еще две юрты и два загона для скота.

Боевики ставили палатки ловко и быстро, как пионеры на соревнованиях.

— Здесь будешь жить ты, — объявил Иргаш Андрею. Тот посмотрел на шатер, заглянул в него и удовлетворенно кивнул. Снаружи палатка была изготовлена из камуфлированной водонепроницаемой ткани, внутри подбитой белой нейлоновой подкладкой. Легкие деревянные плиты, хорошо подогнанные одна к другой, устилали пол. У восточной стены палатки лежал свернутый в тючок спальный мешок.

— Хорошо, — сказал Андрей Иргашу, — жить можно.

— Можно, — ответил тот, — но главное — работа.

До вечера оставалось много времени, и Андрей доложил Иргашу, что решил взойти на гору с триангуляционным знаком на вершине для более точной геодезической привязки буровой. Поначалу за ним собирался увязаться Кашкарбай, но Андрей запротестовал и попросил Иргаша унять ретивого подкаблучника. Иргаш с невозмутимым видом махнул Кашкарбаю рукой, и тот перестал досаждать мастеру.

После часового карабканья на склон с постоянно возраставшей крутизной, он добрался до вышки, откуда собрался осмотреть местность и точнее определить координаты интересовавших его точек.

На склоне практически не было ни кустов, ни другой растительности, цепляясь за которую можно было облегчить себе подъем. Приходилось двигаться медленно и осторожно, чтобы не загреметь вниз, поскользнувшись на выскакивавших из-под ног камнях. Несмотря на сухой жаркий ветер, пот обильно струился по его лицу, болели икры, ныли мышцы спины.

Первым делом Андрей решил отдохнуть. Он снял вещмешок с плеч, сел на камни, достал из кармана компас, развернул карту и стал оглядывать местность.

За гребнем, к северу до самого горизонта, тянулась унылая волнистая равнина. Слева от горы во всем величии и красоте открывался Ульген-Сай, огромная рваная рана на теле земли, глубокая и пугающая своей суровой таинственностью. На западной стороне провала лежала ковыльная степь. Легкий ветерок гнал по ней волны, и казалось, что там по ветру струится вода.

Восточная часть каньона выглядела унылым и мрачным нагромождением камней.

Андрей неторопливо вынул из кармана секундомер, полученный в Москве, и перочинный нож Халифа. Оттянул заводную головку часов и резко утопил ее. Внутри корпуса что-то хрустнуло. Это означало, что из стеклянной ампулы пролился электролит и через несколько секунд сигналы радиомаяка уйдут в эфир.

Приподняв большой плоский камень, Андрей выкопал под ним небольшое углубление и положил туда секундомер. Осторожно опустил плитку на место.

Когда получит сигналы Москва, он не знал, но когда получит, то сигналы обозначат наступление срока перечисления договорных денег на его счет.

Затем он взялся за перочинный ножик. Извлек наружу лезвие, служившее антенной. Повторив действия, которым его обучил Халиф, привел второй радиомаяк в действие. Кто и как зафиксирует его сигналы, Андрей не знал. Но он был уверен — их обнаружат. И Москва и Халиф определят координаты маячков и поймут, что он начал действовать. Тогда Халиф передаст в Москву сообщение с реквизитами банка, куда должны перечислить Андрею деньги.

Андрей отошел от места, где заложил московский секундомер, и у одной из деревянных ног триангуляционной вышки пристроил нож.

Начав спуск, с высоты Андрей увидел, как, выстроившись по трое в шеренгу, боевики приступили к молитве. Прежде чем начать ее, каждый постелил перед собой коврик, который истинный мусульманин всегда берет с собой в дальний путь, чтобы при намазе становиться на него коленями. Сверху действия молящихся походили на упражнения спортсменов. Сперва все они стояли стройным порядком, держа молитвенно сложенные ладони перед собой, как страницы священной книги, потом воздевали руки вверх, делали жест омовения щек и вдруг все, как по команде, падали на колени. Так же одновременно и слаженно боевики били земные поклоны, касались лбами земли и поднимали вверх туго обтянутые камуфлированными штанами зады.

Иргаш, как опытный дирижер, придавал важное

значение соблюдению пятикратных намазов всеми боевиками отряда. Он не проводил занятий по боевой подготовке. Каждый его моджахед имел право на самостоятельные действия и исходил в принятии решений из общей обстановки. Но молиться все должны были однообразно. Молитвенные движения, повторяемые с регулярной последовательностью, с утомительной монотонностью неизбежно делали такими же однообразными взгляды молящихся на мир, формировали одинаковость их желаний и действий. При этом, объединенные общими молитвенными движениями, люди оставались разобщенными, замкнутыми для других. И Аллах, Всеблагой и Всепрощающий, был у каждого свой собственный. Они не просили у него хлеба насущного, поскольку с оружием в руках по милости божьей они могли взять для себя у кого угодно не только хлеб, барана, верблюда, но даже жизнь, объявив ее греховной и недостойной веры.

Они не стремились в блаженные кущи исламского рая, к неиссякаемым родникам ключевой воды, в сень разлапистых пальмовых листьев, в окружение волооких гурий с тонкими талиями, страсть которых обжигает жаром. Им и здесь было неплохо — бородатым, провонявшим потом, обжирающимся дармовой бараниной и пловом, и не было пока причин стремиться куда-то в мир иной, незнакомый.

Иргаш, руководивший служением Богу, наставлял своих подопечных словами божественными, каноническими, но они в его устах звенели как военные команды, требовавшие немедленного исполнения:

— О те, которые уверовали, проявляйте больше выдержки, оставайтесь на страже, бойтесь Аллаха, и вы преуспеете!

Ясно видимая волна движения плеч пробегала по рядам моджахедов, и над степью разносилось звучное «Аллах акбар!»

— Живите достойно и умрите смертью мучеников за веру свою!

— Алла акбар!

— Смерть за веру — праздник святых!

— А-а-акбар!

Когда Андрей спустился с вершины к лагерю, его уверенность в монолитности команды Иргаша была подорвана самым неожиданным образом.

— У нас предательство, — сказал Иргаш, скрипнув зубами.

— Что случилось? — Андрей напрягся, приняв его слова на свой счет, и, стараясь не выдать себя поспешными движениями, медленно опустил руку в карман, где лежал пистолет. Хотя понимал, что вряд ли сумеет его вынуть: рядом стояли Кашкарбай, Дика и Алхазур.

— Сбежал Кангозак. Сбежал, забрав два автомата и боеприпасы. — Иргаш зло сплюнул и тут же растер плевок ботинком. — Не хотел осквернять рта этим именем, да вот пришлось.

Андрей все еще ощущал слабость в ногах, но не от усталости, а от пережитого стресса.

— Он работал на кого-то чужого?

Кашкарбай, стоявший рядом с Иргашем, пристально посмотрел на Андрея. Точно так же взглянул на него Иргаш. Кривя губы в гневе, сказал:

— Это не имеет значения. Родимое пятно измены не отмывается даже кислотой. Далеко он не убежит. Я вытащу из него наружу кишки и обмотаю ими его ноги...

— И все же он кому-то служил, разве не так?

Андрей чувствовал, как к его горлу приближается комок отчаяния. Неужели Халиф, обещая помощь, сделал ставку на этого грязного вонючего дурака, который, как всякий трус, носил страх в ножнах ножа и, зная это, не выдержал опасности, едва приблизился к месту битвы?

— Всякий, кто сегодня поднимается против нас, — жестко сказал Иргаш, — служит мировому еврейству, работает на Израиль и на Америку.

— Что теперь делать?

— Я приказал усилить охрану лагеря. Запрещен выход за обозначенные границы. А тебе, мастер, надо гнать работу как можно быстрее.

— Хорошо, я стану стараться. Но выходить из лагеря буду.

— Зачем?! — Кашкарбай сразу окрысился. — Порядок один для всех.

— Я буду ходить в гости. К чабану Тюлегену. Или он у вас тоже под подозрением?

— Пусть ходит, — Иргаш опустил руку на плечо Кашкарбая. — Ты сам проверил казаха?

— Проверил, как мог.

— Пусть мастер ходит, не мешай ему. Он от своих денег никуда не побежит. Верно, мастер? — Иргаш скривил губы в ехидной улыбке.

— Я не уйду от дела, за которое взялся, — резко ответил Андрей.

— Это мне тоже в тебе очень нравится, мастер, — сказал Иргаш. — Договорились?

— Аминь, — сказал Кашкарбай. — Идите, мастер, и займитесь своим делом. И спешите, спешите.

Андрей повернулся и пошел к буровой. Кашкарбай догнал его, хлопнул ладонью по спине.

— Чего вы так всполошились, мастер? Кангозак вроде бы вашим другом не являлся?

— Так же как и вы, Кашкарбай. Однако и ваш побег меня заставит встревожиться.

Иргаш, слыхавший их разговор, засмеялся.

В огне битвы
не сгорают отважные

«В соответствии с указанием начальника Генерального штаба в дополнение к директиве 0048 ставится специальное задание на ведение космической разведки в полосе, ограниченной с севера линией включительно Байконур, Мынарал, Или; с юга исключительно Кызыл-Орда, включительно Бакарлы, Сузун, Чу. Обратить особое внимание на появление признаков геологоразведочных и вскрышных работ в районе урочища Ульген-Сай, на движение большегрузных машин по грунтовым дорогам со стороны Туркестана, Чулак-Тау и Байкадама через пески Муюнкум и в треугольнике междуречья Чу и Сарысу. В случаях обнаружения буровых установок дать им собственную нумерацию и ежесуточно предоставлять дешифрованный материал в одном экз. только для ознакомления начальника Генштаба.

Подлинное подписал генерал-полковник СТОЛЯРОВ».

Распоряжение начальника Генерального штаба на проведение специального наблюдения за полосой пустынно-степной местности в Центральном Казахстане было получено руководством Управления военно-космических сил и передано специалистам вычислительного центра одного из командно-измерительных пунктов.

Поражаясь удивительным способностям современных компьютеров, их быстродействию, постоянно растущему объему памяти, умению решать сложные задачи в самых разных областях науки и прикладных дисциплин, мы не всегда задумываемся над тем, что компьютер без человеческого ума ничего не стоит.

Всю электронную конфигурацию вычислительной машины, закрытую и защищенную от внешних механических и физических воздействий, специалисты именуют не иначе, чем «hardware» — твердое изделие, «железо», «железка», хотя по-русски куда интереснее слово это звучало бы как «твердяшка».

Само по себе «железо» было бы не в состоянии ничего решить, если бы его не одушевляли с помощью специальных программ, в которых алгоритмы сложных действий разбиты программистами на простейшие элементы. Массу программ, оживляющих железо, наделяющих его способностью совершать математические вычисления и осуществлять логические операции, специалисты назвали «software» — мягкой начинкой, «софтом», которая становится душой машины.

Специалисты вычислительного центра, относящиеся к нищенствующей интеллектуальной элите офицерского корпуса России, в кратчайший срок рассчитали нужные данные, и вскоре задание, облеченное в цифровую систему команд, было передано одному из разведывательных космических аппаратов, обладавшему оптимальной орбитой для выполнения заданной программы.

Этот спутник, снаряженный оптико-электронными камерами, способными на кадре размерами 55 на 80 миллиметров с высоты 250 километров запечатлеть поверхность Земли площадью чуть меньшей 20-ти тысяч квадратных километров, приняв команду, всякий раз, входя в заданный район, начинал действовать. Его камеры работали сразу на нескольких участках видимой и невидимой инфракрасной области спектра.

Выполнив задание, космический аппарат при следующем заходе в зону видимости наземных станций передавал информацию на специальные пункты приема, откуда она поступала в центр обработки данных. Там полученные из космоса снимки сводились воедино на специальном многокамерном синтезирующем проекторе. Собранные таким образом композиции позволяли по яркости в различных спектральных диапазонах не только распознавать искусственные объекты и природные образования, но и определять их физические свойства и состояние.

Оценка одного и того же участка местности через заданные промежутки времени давала возможность с высокой точностью изучать динамику происходивших изменений.

Операция «Портфель» была взята под плотное космическое наблюдение.

Помощник президента полковник Краснов специальным ножом для резки бумаги аккуратно вскрыл большой конверт из плотной бумаги охристого цвета с черной подложкой внутри. Его только что доставил в канцелярию офицер фельдсвязи.

Краснов вынул из конверта два крупных фотоснимка местности, сделанные разведывательным спутником. Судя по датам, фотографии разделяло четыре дня.

На более раннем фото участок степи выглядел пустынным, искусственных сооружений на нем не просматривалось. На втором дешифровщики обвели черным овалом участок урочища Ульген-Сай, где обнаружились следы деятельности человека.

В легенде — письменном приложении к снимкам — сообщалось, что компьютерная обработка космических снимков с разрешением до 5 метров подтверждает развертывание в районе высоты с отметкой 582, геологоразведочной экспедиции. Хорошо просматриваются буровая установка с пирамидальной мачтой и буровым домиком, транспортные средства — три большегрузных автомобиля со спецприцепами, две автоцистерны, палатки для жилья и хозяйственных целей.

Ради любопытства Краснов взял лупу и попытался рассмотреть, что же видно в черном овале. Точки и черточки, которые он разглядел, не впечатляли. Он отложил снимок и позвонил Петрову:

— Сергей Ильич, есть фотоинформация. Экспедиция вышла в район и разворачивает работу.

— Хорошо. Владимиру Васильевичу докладывал? Нет? Тогда я доложу ему сам.

Краснов был опытным аппаратчиком. Он мог бы и сам доложить президенту о начале работ в зоне операции «Портфель», но понимал, что, передав это право Петрову, не ослабил, а укрепил свое положение.

Искусство аппаратных игр включает в себя умение подыгрывать начальникам.

Генерал Травин вошел в кабинет Барышева к окончанию рабочего дня.

— Вот, взгляните, Алексей Федорович. Забавный сюжет. — Сказал и положил на стол узкий листок бумаги с цифрами, отпечатанными компьютером. — Господин Назаров сообщил реквизиты банка, куда ему должны перевести деньги.

— И куда?

— В банк «Сакура». Токио.

— Он звонил?

— Звонил, но не он.

— Кто же? — Барышев встал и убрал со стола в карман пачку сигарет.

— Доверитель.

— Определили, откуда звонок?

— Лучше сядьте, Алексей Федорович.

— Ладно, говори. Устою.

— Звонили из Израильского посольства. Помощник военного атташе.

— Какая связь? И не тяни, ты же уже все выяснил.

— Звонивший сразу представился. И предугадал мой вопрос. Объяснил, что господин Назаров взял кредит на означенную сумму у гражданина Израиля Моше Берковича. Адрес в Тель-Авиве есть. Беркович тоже существует.

Барышев устало опустился в кресло, вынул из кармана сигареты и положил перед собой на стол.

— Вопрос номер один. Как думаешь — это «Моссад»?

— «Моссад»? Вполне возможно. Только вот Назаров, как он у них оказался? Здесь он на контакты не выходил. В Средней Азии это еще менее вероятно. Своих людей хан Ширали держит под строгим контролем.

— И все же это «Моссад». Изящный почерк. Надо выяснить.

— Может, не стоит? Они чинить нам препятствий не будут. Объективно наши интересы совпадают.

— Могли бы намекнуть.

— Я этот звонок и воспринимаю как намек.

— Хорошо, я должен срочно доложить Петрову. Бумажку возьму. Долг придется оплатить. Назаров нашел хороших гарантов.

— Андрей, — Тюлеген выглядел озабоченно. — Тебе не следует приходить ко мне так часто. Это бросается в глаза. Надо найти другое место.

— Мы можем встречаться на половине дороги. У черной могилы.

— Там нельзя, — сказал Тюлеген. — Это нехорошо.

— Почему?

— Там нельзя говорить о делах, надо только тихо сидеть и думать.

— Ты, наверное, знал того, кто там похоронен?

— Да, это папа моего отца. Ата Алтынбай.

— Прости, — Андрей протянул Тюлегену руку. — Я не знал. Он был богатый?

— Откуда? Он был фронтовик и всю жизнь после войны провел в степи.

— Но, если сосчитать камни...

— Так захотели родственники. Дедушка много трудился, его все уважали. Камни тоже собирали все. Хотели, чтобы ему было приятно.

— Я тоже положил камень...

— Спасибо. Если ты потребуешься срочно, я распалю у юрты дымный костер.

— Договорились.

В последнее время Андрей работал с остервенением, которое стало раздражать даже рабочих. Для него единственным способом избавиться от давивших на него сомнений была работа. В гуле буровой машины, в подъеме и спуске бурового снаряда на глубину, он обретал лекарство от неуверенности, которая всегда порождает депрессию. И тем не менее, просыпаясь каждое утро, он задавался одним и тем же вопросом. Что делать дальше? Глубина скважины уже превысила сто метров, и следовало принимать окончательное решение. Андрей понимал, что реально оценить обстоятельства ему помимо всего мешал элементарный страх. Липкий, разъедавший волю, как ржа. Раньше с ним такого не бывало. И все потому, что обстоятельства требовали тогда мгновенных решений и действия обгоняли испуг. А здесь, оказавшись один на один со злом и не имея возможности открыто бороться с ним, Андрей испытывал неодолимое угнетение стрессом.

Эти же мысли не позволяли ему спокойно спать. Кроме того, обострялось тоскливое чувство одиночества, и он начинал жалеть, что не завел семьи, не имеет собственного угла и детей. С возрастом ощущение собственной ненужности приходило все чаще. Он пожертвовал всем ради кажущейся свободы, ради профессии, которую любил. Казалось бы, поступал, всегда сообразуясь со своими желаниями, не ущемлял своих прав ненужными обязательствами, а простого уюта так и не познал. Знакомства с женщинами у него кончались всегда одинаково: какая дура станет связывать себя с человеком; которого неустроенная жизнь таскает по земле как шар перекати-поля и который не желает бросить якорь у благоустроенного цивилизацией берега! А сейчас, конечно, было уже поздно. Двадцать лет — ума нет, и не будет. Тридцать лет — жены нет, и не будет. А ему уже стукнуло сорок. В таком возрасте мысли о женитьбе кажутся не только несбыточными, но и пугающими. И казались бы, если бы не Альфия.

Вспоминая ее, Андрей с удивлением открывал скрытые в нем способности по-юношески переживать ощущения, подаренные женщиной. Он вновь ощущал то пряный запах волос Альфии, то нежную упругость ее груди, то влажность отзывчивых губ, то будто слышал похожий на шелест тихий шепот: «еще», то глубокий стонущий вздох и чувствовал внезапную расслабленность двух тел, рука об руку совершивших тяжелое восхождение на вершину, с которой они увидели яркую вспышку бушующего света, ослепившую их и затопившую все вокруг ощущениями бурной радости.

Он пламенел и полнился тихим блаженством, когда вдруг вспоминал странное сочетание девичьей целомудренности Альфии, ее внезапно прорывавшуюся стеснительность и неожиданно открывавшуюся жизненную мудрость в моменты, когда он того не мог ожидать. Она была полна душевной чистоты, и в то же время ее, как и его, сжигал огонь зрелых желаний, палящий и опьяняющий.

Ему казалось смешным в его возрасте сказать себе: «я влюблен», и он этого не говорил. И скорее всего, не потому, что не хотел признаваться себе в еще неизжитых слабостях юности, а из боязни обмануться, если что-то в их судьбах не свяжется, и он ее уже никогда не увидит.

Ему уже мало было любить самому. Ему требовалось, чтобы и его любили, не изображали, что любят, а любили по-настоящему, беззаветно и строго.

Ему нужна была женщина, близкая по духу и желаниям, словом, такая, которой бы он мог открыть себя так, как не открывал никому, никогда.

Мысли, мысли, беспокойные и возбуждающие, несмотря на усталость, подолгу не давали Андрею заснуть, и он часами лежал на спине, глядя в потолок натянутого тента, пока сон, беспокойный, неглубокий, нервный, не брал свое.

В этот раз, до изнеможения утомленный работой, которую начал в пять утра, Андрей в самое знойное время, около двух дня, ушел в палатку отдохнуть. Но только улегся, как за пологом раздался шум беспокойных голосов. Задремать под такой аккомпанемент не было никакой возможности. Андрей встал, выбрался из палатки и невольно зажмурился: яркое солнце било прямо в глаза.

У грузовичка, привезшего продукты из ближайшего кишлака Актас, стояли и о чем-то спорили рабочие.

— Что у вас? — спросил он бригадира.

Тот отошел от споривших рабочих, приблизился к Андрею.

— Они недовольны, начальник.

— Их не накормили? — Андрей уже догадался, что могло нарушить покой рабочих и стать причиной скандала, но лучше было не показывать этого.

— Накормили, начальник.

— Тогда что?

— Они не хотят разгружать машину.

— Почему?

— Там ящики, на которых нарисованы свиньи. Грузчики не желают прикасаться к такому грузу. Говорят, это грех.

Андрей поправил на плечах куртку и подошел к рабочим. При виде его все умолкли.

— Не надо волноваться, — сказал Андрей и хлопнул в ладоши, привлекая к себе внимание. Разговоры прекратились, но лица рабочих оставались сердитыми. — Вы правильно поступили, не пожелав разгружать эти ящики.

Андрей был, с одной стороны, обрадован, с другой — взволнован: прибыл груз, о котором он договорился в Москве с генералом Травиным. И теперь предстояло сделать так, чтобы о свинине не пошли разговоры по лагерю.

Он подошел к машине и сорвал с тары этикетку с задорным свиным рылом. Бросил ее под ноги и растоптал.

— Никто не может заставить вас совершать грех. И не беспокойтесь, что вам еще раз придется столкнуться с этими ящиками. Я заказал эти консервы для собак чабана. Они дешевые. Вы ведь знаете: насчет того, что могут есть собаки, пророк не оставил распоряжений и запретов. Разве не так?

Обстановка разрядилась. Люди перестали хмуриться.

— Эти ящики я разгружу сам.

Он перетаскал ящики в свою палатку и вернулся на буровую. Теперь нужно было закончить подготовку к тампонажу скважины. Чтобы надежно закупорить ее ствол и не дать радиоактивным газам взрыва вырваться наружу.

Приказав рабочим приготовить цементный раствор, Андрей выбрал обсадную трубу, которая подходила по диаметру для того, чтобы заклинить скважину где-нибудь на глубине ста — ста десяти метров. Во время работы к ним подошли Иргаш и его верный спутник Кашкарбай.

— Для чего это нужно? — спросил Иргаш и подозрительно осмотрел трубу.

— Эфенди, этим мы заткнем скважину, если она не приведет нас в нужное место. Движение воздуха, которое может образоваться в подземелье, нельзя считать полезным для того предмета, который мы ищем.

— Как же можно заткнуть трубой скважину? — Иргаш все еще не скрывал подозрения. — Она просто пролетит внутрь до дна.

— Нет, эфенди. На большую глубину бурение ведется с уменьшением диаметра скважины. Эта труба плотно заклинится где-то на глубине ста метров и заткнет отверстие как большая пробка.

— А если мы пробурим проход в нужном месте?

— Тогда затыкать скважину не потребуется.

Иргаш подумал. Кивнул:

— Хорошо, работайте.

— Продолжайте, — угодливый Кашкарбай решил подбодрить рабочих. — Делайте все, как велит мастер.

Последние метры скважины Андрей проходил с особой осторожностью. Алмазная коронка легко резала доломит, погружаясь в глубину скалы сантиметр за сантиметром. Когда до свода, по расчетам, оставалось с десяток сантиметров, Андрей приказал поднять снаряд.

Рабочие выбили серый гладкий цилиндр керна. Андрей бросил на него быстрый взгляд и стал внимательно осматривать коронку. Разглядывая резцы, сокрушенно цокал языком.

— Что? — спросил Кашкарбай, как всегда оказавшийся рядом.

Андрей удрученно покочал головой:

— Попали на пласт железняка. Очень твердый камень.

— А-а, — сказал Кашкарбай и сразу потерял интерес к происходившему. Проблемы твердости горных пород его мало интересовали.

Оставшиеся сантиметры предстояло проходить с большими предосторожностями. Определить толщину породы, отделявшей забой скважины от пустого пространства каверны, не представлялось возможным. Значит, если поторопиться, то вполне могли возникнуть две неприятности. Во-первых, внутрь подземелья может рухнуть пробуренная порода. Если марка, поставленная геодезистами, точно совпадала с центром устройства, то удар придется по чемоданчику. Что тогда произойдет, можно только гадать. Вторым, не менее опасным следствием неосторожности мог стать обрыв снаряда. Пока коронка давит на забой, вся колонна труб имеет опору. Но, если колонковая скользнет в пустоту, вес свечи может разорвать какую-нибудь штангу в верхней части снаряда.

Тогда последствия окажутся еще более опасными, чем падение керна. Огромное стальное копье ворвется в каверну, сокрушая все, что там есть.

Когда рабочие опустили колонну в забой, Андрей подал команду:

— Отдых!

Рабочие безропотно разошлись. Одни отправились к цистерне попить, другие отошли в тень домика и улеглись на теплую землю.

Как только на буровой никого не осталось, Андрей запустил станок.

Осторожно, полагаясь только на собственное давление колонны и не увеличивая его механически, начал проходку. Чтобы видеть, как погружается снаряд, он на одной из штанг сделал белой краской отметки, через каждые два сантиметра.

Когда колонна углубилась на пять сантиметров, с промывочной водой он запустил в скважину стеклянную крошку и сорвал керн с основания.

Подумал и позвал рабочих.

— Надо поднимать снаряд. Коронка не режет.

Рабочие безропотно принялись за дело. Андрей свернул алмазную коронку. Вместо нее навернул на колонковую трубу стальную пробку с приваренным к ней карбидвольфрамовым сверлом.

В последних сантиметрах породы он решил в центре забоя просверлить сквозное отверстие. Это позволяло решить сразу две проблемы: определить истинную толщину камня, отделявшего буровой снаряд от пустоты, а также значительно уменьшить размер осколков, в случае, если керн провалится вниз.

Когда колонна ушла в скважину, Андрей объявил:

— На сегодня все. Спасибо, свободны.

Рабочие, за последние дни привыкшие к стилю работы мастера, собрали манатки и разошлись по палаткам.

Последние сантиметры скального свода каверны он прошел сам. Потом сам же опустил в скважину световод и долго разглядывал внутреннюю полость камеры. Марка геодезистов точно обозначила центр испытательной закладки. Скважина попала в цель.

— Что там? — спросил Кашкарбай заинтересованно.

Больше всего Андрей боялся, что тот сам пожелает воспользоваться световодом и что-то увидит. Ответил угрюмо, почти зло:

— Промахнулись. Будем бурить вторую скважину. Вот здесь.

Андрей отошел на четыре шага к югу, поднял с земли булыжник и положил его в намеченной точке.

— Это сильно затянет время, — сказал Кашкарбай недовольно. — Надо быстро.

— Русские говорят так: быстро только кошки родятся, да и то слепые.

Узбек что-то буркнул под нос, пнул банку со смазкой и недовольно отошел.

Рабочие подняли световод, свернули и унесли в хозяйственную палатку.

Вечером Андрей пошел к Тюлегену. Его юрта стояла на пятачке возвышенности, хотя рядом была удобная, закрытая от всех ветров впадина.

— Ты хреновый кочевник, — сказал Андрей. Он увидел, как Тюлеген лопатой отгребал от юрты песчаные наносы, образовавшиеся за ночь.

— Точно, — согласился Тюлеген, но окончил неожиданным утверждением. — Зато хороший тактик. Ты посмотри, какой отсюда обстрел.

Андрей не нашелся, что ответить: боевая целесообразность часто противоречит бытовой житейской мудрости.

Лохматые, куцехвостые псы-волкодавы — Аяз и Буршак — Мороз и Град — завидели Андрея издалека и радостно бросились навстречу. Проводив его до юрты, они вернулись на свои места и улеглись мордами в степь.

Андрей откинул полог, прикрывавший дверной проем, вошел в юрту и удивленно остановился. Тюлеген был не один. Вместе с ним сидели и пили из пиалушек чай еще два мужчины.

— Заходи, — Тюлеген радостно улыбался. — Здесь все свои. Это мои братья — Касым и Виктор. Старший и младший. Я у них посередине.

Он засуетился, с обычным радушием истинного степняка: поставил перед Андреем блюдо со свежей вареной бараниной, налил в пиалушку зеленый чай, но вопросов не задавал.

Андрей поел мяса. Отпил чаю и вопросительно посмотрел на Тюлегена. Тот понял его и сказал:

— Братья все знают. Они приехали мне помочь. Касым служил в армии старшиной. Виктор окончил алма-атинское военное училище, но служить не стал. Можешь при них говорить о деле без стеснения.

Андрей отставил пиалушку в сторону:

— Слушай, чабан, я обнаружил логово волка.

Тюлеген отставил пиалу, так и не сделав глотка.

— Ты не ошибся? Это точно его нора?

— Именно.

— Что дальше?

— Мы подкинем ему нашу свинину.

— Будем надеяться, он подавится.

— Теперь надо решить, когда начнем. Чтобы твоя машина была на всякий случай готова.

— Она готова, а то, что такая грязная — это специально. Так она больше похожа на утиль. А где у тебя тушенка?

— Все в порядке, она в палатке.

— Когда ты подготовишь заряд?

— Как вернусь.

— Его не обнаружат?

— Там у меня труб навалом. Зарядная лежит давно и уже проржавела. На нее никто не обращает внимания.

— Когда предполагаешь?

— Сперва надо подготовить соскок. — Андрей вспомнил слова Халифа и с удовольствием их произнес. — Тебе тоже надо приготовиться. Короче, потребуется время.

— Я буду готов.

Тюлеген протянул Андрею ладонь...

Едва солнце ушло за горизонт, сразу похолодало. Небо потемнело, высыпали крупные звезды — мерцающие окна других миров.

Андрей сходил в свою палатку, надел рубаху советского армейского образца цвета хаки, которую ему передал Халиф, положил «тушенку» в большую сумку и направился к буровой.

Первым делом подошел к штабелю обсадных труб и посмотрел на старый керноприемник, который решил зарядить «тушенкой». Отметки, которые он сделал на трубе, показывали, что к ней никто не прикасался.

Андрей присел, раскрыл сумку, стал вынимать из нее банки и загонять их одну за другой внутрь трубы. Когда он взял пятую банку, кто-то положил ему на плечо ладонь.

— И что делает великий мастер?

Андрей вскочил, обернулся и тут же в грудь ему уперся пистолет Иргаша.

— Не слышу ответа, великий мастер.

За спиной Иргаша, также держа пистолет, стоял Кашкарбай.

— Так что ты собирался сделать?

— Мы промахнулись, эфенди, и нужно бурить новую скважину.

— Мы не промахнулись, великий мастер. Я склоняю голову перед твоим умением. Ты попал в самую точку. Тебя здесь не было, великий мастер, — Иргаш откровенно издевался, — я воспользовался световодом, — он потрогал ногой брошенный на землю кабель. — И увидел там чемоданчик. Он прямо под нами. Значит, ты хотел меня обмануть? И каким же образом? Решил подложить свинью?

Не убирая пистолета от груди Андрея, Иргаш через плечо посмотрел на своего верного помощника:

— Открой-ка банку. Посмотрим, чем решил накормить скважину великий мастер. Только смотри, чтобы тебя не стошнило от свинины.

Кашкарбай угодливо заулыбался. Он нагнулся к сумке, взял банку. Взвесил ее в руке. Достал нож. Поддел острием этикетку, сорвал ее и отбросил в сторону. Ветер подхватил бумажную ленту со свиной мордой и потащил по земле.

Кашкарбай вонзил нож в донышко банки и несколькими уверенными движениями взрезал металл. Отогнул жестянку, сунул палец внутрь. Выколупнул кусок серой массы. Показал Иргашу.

— Сало.

Иргаш двумя пальцами снял комок с чужой руки, размял и понюхал:

— Такое сало называют пластидом. Хорошую свинью собирался нам подсунуть великий мастер.

— Жирную, — сказал Кашкарбай и ухмыльнулся.

— Ну что, господин Назаров, выбирайте, — Иргаш больно ткнул Андрея пистолетом, — тебя убить сразу или медленно порезать на мелкие куски?

— Эфенди, — Кашкарбай осторожно отвел в сторону руку Иргаша, державшую пистолет. — Убить мастера или изрезать его на куски мы успеем. Он пока еще нужен нам. Сокровище мы нашли. Чтобы его достать, скважину надо расширить. Это может сделать только мастер. И сделает под моим наблюдением.

Иргаш убрал пистолет, сунув его за пояс.

— Ты прав, Кашкарбай. Эту русскую свинью нужно приковать к станку и заставить работать. День и ночь. Давать только лепешку и литр воды.

Кашкарбай вытащил из кармана куртки наручники. Защелкнул браслет на руке Андрея. Второе кольцо закрепил на скобе буровой вышки.

— Теперь он будет жить здесь, — Кашкарбай посмотрел на Иргаша. — А потом я его убью.

— Подонок, — сказал Андрей.

В это время у восточного склона горы простучала автоматная очередь. И тут же раздалась вторая.

— Что там? — спросил Иргаш встревоженно.

— Стреляют, — сказал Кашкарбай. — Надо идти и выяснить.

— Пошли, — Иргаш взял пистолет и щелкнул предохранителем.

Они двинулись вниз по склону к палаточному лагерю.

Андрей подергал наручники, пытаясь оторвать кольцо от скобы. Ничего, кроме боли в запястье, он не получил. Тогда он сел на инструментальный ящик и машинально, действуя одной только левой рукой, стал снова запихивать банки тушенки в трубу.

В конце концов, любое дело надо доводить до конца.

Стеклышки в калейдоскопе ведут себя без каких-либо правил, и картинки в них почти не повторяются. Один лишь поворот трубки — и перед взглядом возникает новая ситуация.

Ближе к вечеру Тюлеген всегда осматривал окрестности. Сделал это он и после посещения его Андреем. И вдруг со своего наблюдательного пункта заметил легкое движение тени у рыжих камней.

Тюлеген подправил окуляры бинокля, припал к нему и замер. Терпеливое ожидание было вознаграждено. Он увидел человека, который осторожно приподнялся из-за камня и, полусогнувшись, сделал несколько шагов в сторону лагеря экспедиции и снова залег.

Неизвестный двигался спиной к Тюлегену, и тот хорошо разглядел его камуфляжные штаны, перемазанные на ягодицах рыжей пылью.

Тюлеген вынул из кармана пластмассовую коробочку с черным гримом, открыл ее, сунул туда палец и провел несколько полос на лбу и скулах. Затем достал из-под подушки пистолет Стечкина и загнал в ножны на поясе армейский нож.

Кровь уже ощутила прилив адреналина, нервы напряглись, сердце забилось сильнее. Будоражащее чувство близкой опасности заставило его собраться.

Мысль автоматически просчитывала варианты действий с учетом того, окажется ли его появление для неизвестных неожиданным или они уже знают о его присутствии в их тылу.

Тюлеген осторожно скользнул к укрытию. Всего их он сложил из плитняка четыре — по одному на каждом углу кошары, в которую на ночь загонял овец. Там между камней он оставил ниши, куда заложил по паре гранат Ф-1.

Неизвестные говорили достаточно тихо, но Тюлеген слышал их хорошо.

— Сперва уберем чабана. Он родственник Алтынбая и потому опасен.

— Может не стоит? Кангозак такого приказа не отдавал.

— Отдаю приказ я. Кангозака самого придется убрать после дела. Он тебе нужен, да?

Сомнений в том, что надо действовать, у Тюлегена не оставалось.

Стоявший слева боевик держал автомат Калашникова в руке. Второй сидел на камне, положив оружие на колени.

Начинать стоило с того, который стоял.

Оттолкнувшись, Тюлеген прыгнул, одновременно занося нож для удара. Пистолет, готовый к выстрелу, он сжимал в левой руке.

Боевик среагировал на шорох гальки и стал оборачиваться. Тюлегену показалось, что делал это он лениво и вяло, словно в замедленном кино.

Лезвие ножа Тюлегена со всего маху с хрустом вошло в открытую шею противника. Тот громко захрипел и рухнул на своего напарника, сбив его с камня.

Тюлеген сделал еще один прыжок и прижал ствол «Стечкина» к затылку не успевшего вскочить с земли второго противника, перевернул его на спину. Воткнул пистолет в середину лба и вдруг понял, что его противник русский.

— Как ты здесь оказался? — спросил он, не ослабляя давления на лоб.

— Да загребись ты, козел! Ты сам кто такой?!

По злобности голоса и напускной смелости Тюлеген понял, что имеет дело с профессиональным уголовником. Сломать такого можно, только показав серьезность своих намерений.

— За козла ответишь! — Тюлеген с удовольствием произнес фразу, ставшую модной у москвичей в последнее время.

Он наступил на грудь поверженного противника коленом, перенес на него весь свой вес и только потом отнял от лба пистолет. Опустил его стволом вниз и выстрелил возле самого уха, целясь в песок.

Выстрел заставил уголовника взвыть от испуга и боли, пронизавшей перепонку.

Пистолет, из ствола которого тянуло вонью жженого пороха, снова уперся в лоб противника.

— Повторяю вопрос. Как ты здесь оказался?

Страдальчески морщась, уголовник изменил тон:

— А ты сам кто, мужик?

— Чабан. Стерегу баранов от двуногих шакалов.

— Мужик! Может, разойдемся по-тихому? Мы не по баранам.

— А по чему?

— Если скажу, отпустишь?

— Посмотрим.

— Здесь где-то рядом есть экспедиция...

— Есть такая, и что?

— Говорят, у ихнего начальника при себе миллион гринов. Мы хотим их взять.

— Кто вам такое сказал? Я был у них. Бедная экспедиция.

— Ха, что ты знаешь! Так они перед тобой и раскрылись.

— Откуда же известно вам?

Тюлеген, демонстрируя миролюбие, отнял пистолет от чужого лба.

— От них смылся один хмырь.

— Кангозак, что ли? Они его искали.

— Точно, Кангозак. Он сам этот миллион видел.

— Мог и соврать.

— За хреном ему это? Чтобы сорвать куш, надо по-крупному рисковать.

— Откуда взялась ваша банда?

— Ее привел Кангозак.

— Как он узнал, что у Иргаша есть деньги?

— Ему показал их один узбек. Сказал — эти бабки выданы на непредвиденные расходы, и подсказал, что делать.

— Тебя как зовут?

— Не все равно?

— Если в Бога веришь, молись.

Тюлеген встал во весь рост, широко расставил ноги и прижал чужой автомат к голове его владельца.

— Не убивай, — жалостливо прохрипел бандит. — Клянусь, сейчас же уйду отсюда. И ты обо мне больше никогда не услышишь.

— Ладно, хватит меня дурить. Кто вас надоумил явиться сюда? Я думал, что после того, что вы сделали с моим дедом, вашего духу здесь никогда не будет. А ты вот возник...

Бандит облизал сухие потрескавшиеся губы толстым языком и опять взмолился:

— Не стреляй!

— Не буду, — пообещал Тюлеген. — И тут же пнул противника по спине. — Отвечай на мой вопрос. Кто вас подбил ограбить и убить Алтынбая?

— Клянусь, не знаю.

— Тогда нам не о чем говорить.

— Ты же сказал, что не будешь стрелять.

— Почему ты решил, что я нарушу слово? На таких, как ты, жалко тратить пули. Я тебя просто зарежу.

Тюлеген вытащил нож из засаленных ножен, потрогал пальцем остроту лезвия и ухмыльнулся:

— Теперь ты понял, ублюдок?

Ножи не всегда блестят, когда ими наносят удары.

Со стороны, где располагался палаточный городок экспедиции, затрещали автоматные очереди — одна, другая, потом стрельба приобрела беспорядочный характер. Кто и почему стрелял, что вообще там происходило, Андрей понять не мог. Но то, что у него вдруг появился шанс убежать, он просек сразу.

В окружении буровых штанг, обсадных труб, инструментальных ящиков идея освобождения сразу приняла технические черты.

В куче инструмента, лежавшего навалом, Андрей отобрал мощную струбцину — скобу с винтовым устройством для стягивания воедино разных деталей. Действовать одной рукой было трудно, но желание оказаться на свободе прибавляло сил.

Один крюк струбцины Андрей снаружи упер в изгиб скобы, к которой был прикреплен наручник, второй крюк вывел на противоположную сторону скобы. Между ее внутренней стороной и стягивающим винтом он вложил обрезок толстой трубы и поджал, сделав несколько оборотов винта. Дальше вращать устройство стало труднее. Тогда на штырь ворота Андрей надел метровый обрезок трубы. Рычаг сразу облегчил дело, и скоба под давлением винта стала гнуться.

Еще несколько оборотов, потребовавших предельных усилий, и скоба страдальчески заскрипела. С торца стержня, приваренного к несущей балке, сорвались и разлетелись в стороны чешуйки окалины.

Это показалось Андрею добрым знаком, и он налег на ворот с новой силой.

Скоба заскрипела еще сильнее, потом, громко ухнув, край, на который приходилось основное давление, оторвался от балки. Струбцина, потеряв опору, упала на землю, ударив Андрея по ноге.

Андрей попытался протащить цепь наручников через образовавшуюся щель, но та оказалась слишком узкой. Он поднял трубу, которую использовал как рычаг, и применил ее с той же целью во второй раз.

Легко поскрипывая, скоба стала гнуться. Через мгновение Андрей был свободен.

И сразу перед ним встал вопрос, что делать. Рубаха, которую он надел, никакой роли в его судьбе не сыграла. Подмога не пришла, и стоило ли ее ждать вообще, Андрей не знал.

Можно было, конечно, и собственными силами загнать в скважину снаряд, начиненный пластидом. Поднять трубу и завести ее головную часть в устье скважины он сумел бы. А дальше?

Забить тампон в скважину и завернуть на ее устье крышку у него не хватило бы времени. Значит, огромная жара, которую вызовет взрыв в подземной камере, создаст там высокое давление, и из скважины наружу вырвется гейзер горячих радиоактивных газов и пыли.

Трудно сказать, сколько времени будет фонтанировать пещера, но то, что наружу вырвется радиационный джинн, младший брат Чернобыля, сомнений быть не могло.

Единственное, что он мог сделать в этих условиях — поспешить за подмогой к Тюлегену и его братьям. Если вчетвером они сумеют закрепиться на буровой, спустить заряд в камеру и затампонировать скважину, Иргашу не останется смысла вести войну. Зная осторожность предводителя моджахедов, можно предположить, что он сразу уведет своих людей подальше от места взрыва.

Андрей на мгновение заскочил в буровой домик, достал из тайника пистолет, который дал Тюлеген, передернул затвор и быстрым шагом пошел в сторону чабанской кошары. Шел и никак не мог понять, что все-таки происходит вокруг. Со стороны, где находились люди Иргаша, слышалась беспрерывная стрельба. Сумрачное небо полосовали линии красных трассеров.

Неожиданно несколько выстрелов раздались из-за лога, где располагалась кошара. Пуля, прозвенев где-то рядом, пронеслась мимо Андрея.

Значит, целили в него, и уж он-то знал, что в таких случаях надо делать.

У края лощины кто-то шевельнулся, стронул камни, и они, выдавая неосторожного охотника, с треском посыпались в обрыв.

Андрей прицелился в место, откуда послышался шум, закрыл глаза, чтобы не ослепить себя вспышкой, пальнул из пистолета и рывком бросился вперед. Сделав три шага, упал. Тут же отполз за камень, темневший впереди, и плотно залег.

Едва он устроился, как услышал хруст камней. По тропе в его сторону двигались люди.

Легкий шорох заставил Андрея насторожиться. Чувство опасности, обычно находящееся у большинства горожан в неразвитом состоянии, подсказало ему — хотя он в сумерках ничего не видел, не ощущал, что где-то рядом затаился человек.

Почти в ту же секунду кто-то прыгнул ему на спину, схватил руками за горло и потянул назад. Упасть в таком случае на спину означало помощь противнику, который этого и добивался. Преодолевая сопротивление, Андрей согнул ноги в коленях и резко кинулся вперед, словно собирался совершить кувырок через голову.

Вес противника оказался недостаточным — и прием удался. Оседлавший Андрея человек упал на спину и ослабил хватку. Андрей нанес удар ребром ладони ему под подбородок и вскочил на ноги.

Сделано это было вовремя. Из-за камней к месту

схватки спешил второй человек. В левой руке его тускло блестело лезвие ножа.

Когда противник был рядом, Андрей сделал вид, что готов к схватке — раздвинул ноги, широко развел в стороны руки и полуприсел. Но едва противник бросился вперед, Андрей легко отступил, перепрыгнув через тело, лежавшее на земле.

Атаковавший его не ожидал такого маневра, вовремя не остановился и упал лицом вниз, споткнувшись о чужое тело.

Андрей, не позволив противнику сообразить, в чем дело, прыгнул ему на спину, схватил за руку, державшую нож, и завернул ее назад, вырывая из плеча.

В тот же миг за спиной Андрея полыхнула оранжевая вспышка.

Он не слышал взрыва, а только увидел длинные черные тени и полосы дрожащего света, метавшиеся по камням.

Потом он влетел в тишину, как ныряльщик в воду. Мир потемнел и погрузился во тьму, будто кто-то выключил свет и звук сразу.

Ни боли в разбитом затылке, ни рези в коленке, которую ударил при падении о камень, ни застойного нытья в пояснице. Свобода от бремени жизни и неудобств, приносимых ею.

Но в то же время ни ревущей органом трубы со светлым пятном на выходе, куда устремляются души, вырвавшись из узилищ бренных тел.

Ни белокрылых ангелов с трубами, с ликующим пением встречающих праведника у райских врат.

Ни черных рогатых чертей, кривляющихся при виде очередного грешника, прибывшего в ад.

Ничего. Только тишина. Пустота. Безвременье.

Это, оказывается, только думать о смерти страшно. Умирать легко и просто. Что-то хлопнуло, вспыхнуло, что-то толкнуло тебя, и все — дух вон! Единственным доказательством того, что ты был, осталось бренное тело, но тебе оно уже не нужно. Что делать с ним, как поступить, думать придется другим...

Андрей рухнул на землю ничком и **застыл, словно** подстреленная птица.

Ничего. Тишина. Пустота. Безвременье...

— Вот он, здесь! — закричал Тюлеген, увидев знакомое тело.

Первым к Андрею подбежал Касум. Нагнулся, посмотрел. Крикнул расстроенно:

— Ульген! Мертвый!

Тюлеген оттолкнул брата, встал на колени, ощупал голову Андрея. Взглянул на пальцы, перепачканные кровью.

— Что?! — спросил Виктор тревожно. Он стоял в двух шагах, держа автомат наготове.

— Погоди. — Тюлеген перевернул Андрея на спину, снял с него рабочую пластмассовую каску. Прощупал на шее тоненькую ниточку пульса. — Он живой. Это был не осколок. Это камень. Дай воды.

Виктор отстегнул от пояса фляжку. Подал Тюлегену. Тот отвинтил пробку, быстро набрал жидкость в рот и прыснул Андрею в лицо.

Прыснул и ошалело взглянул на брата:

— Это спирт!

— Самогон, — смущенно поправил Виктор. — Спирт у нас кончился.

— Я просил воду, — Тюлеген все еще отплевывался.

— Самогон лучше.

Тюлеген раздвинул Андрею зубы и тонкой струйкой влил жидкость в рот.

— У-ух!! — Андрей дернул плечами, с усилием выдираясь из сжимавших его тисков безмолвия и темноты, как пловец, вырывающийся из объятий водоворота.

— Живой! — радостно объявил Касум.

Теперь о том же знал и сам Андрей. Тяжелая ноющая боль залила затылок. Заныло разбитое о камни колено. Жизнь возвращалась со всеми ее заботами и болячками, весомо, зримо.

— Вставай, — Тюлеген подхватил Андрея под руку и поставил на ноги. Касум подхватил его с другой стороны.

— Пошли, — сказал Тюлеген. — Надо доделать дело.

Жизнь вгоняла Андрея в суету забот, как патрон в патронник.

— Пошли, — Андрей тяжело вздохнул и еще раз потрогал затылок.

— До свадьбы пройдет, — успокоил его Тюлеген.

— Что ты мне в рот вливал? — спросил Андрей. Он шел тяжело, прихрамывая.

— Валерьянку, — хихикнул Виктор.

— Дай еще, помогает.

Он отпил из фляжки два глотка, похрипел, пытаясь отдышаться.

— Давай я тебе помогу, — сильная рука подхватила Андрея под мышку. От неожиданности звучания над ухом так хорошо знакомого голоса Андрей вздрогнул:

— Кашкарбай?!

— Шолом, — Кашкарбай крепко сжал Андрею плечо. — Держи хвост морковкой, урус!

— Ты?! — Андрей обалдело глядел на ненавистного ему моджахеда, который произнес пароль, сообщенный ему Халифом. — Не может быть!

— Может. Я увидел, как ты надеваешь боевую рубаху и сразу сделал два дела. Вызвал вертолет «соскока». Тебе так назвал этот ход Халиф?

— Так... А что второе?

— Вы мне должны помочь, — Кашкарбай махнул рукой, приглашая Андрея и Тюлегена за собой. — Пошли!

Они зашли за цистерну с технической водой. Кашкарбай приподнял брезент, прикрывавший ящики с инструментом. Андрей ошеломленно замер.

Поверх ящиков лежал Иргаш. Лицо было залито кровью. Одна рука свисала со штабеля, почти касаясь земли. Вторая была неестественно подогнута и находилась под спиной.

— Ты его? — спросил Андрей.

— Такова была воля Аллаха. Грехи его столь велики,

что, появившись в аду последним, он пойдет в огонь первым, без очереди! Помоги оттащить его к яру.

В углу палатки лежало что-то под кучей грязного тряпья.

— Что это? — спросил Андрей настороженно и повел пистолетом в сторону кучи.

— Дика, — объяснил Кашкарбай сквозь зубы. Он тащил тело Иргаша, и ему было не до разговоров.

— Его тоже?

— Не тоже, а в первую очередь. Это он разобрался в том, что ты пробил свод и открыл пещеру. Он без тебя осмотрел скважину через световод и привел Иргаша. Тут же попросил разрешения убить тебя.

Со стороны палаточного лагеря прогремела автоматная очередь.

— Кто там может быть? — спросил Андрей.

— Кто бы ни был, — сказал Кашкарбай, — это не наши.

— Тихо! — сказал Тюлеген. — Они нас не заметили. Прут напропалую.

— Пусть идут, — бросил Андрей. — Они вообще о нас ничего не знают.

— Что предлагаешь? Пропустить?

— Э, нет. Надо их попугать. Пусть отходят на восток. Рывок!

Братья добежали до гряды камней и припали к земле, задыхаясь от напряжения. Тюлеген сдвинулся вправо на место, удобное для наблюдения.

— Теперь они нас заметили, — сказал он так, чтобы слышали братья. — Остановились. Теперь залегли.

— Это хорошо, — ответил ему Виктор. — Я их сейчас повеселю.

— Кончай чудить, — пытался остановить его Тюлеген, но брат не послушался.

Он медленно встал, отряхнул колени от пыли, закинул автомат за плечо и побрел вдоль гряды на восток, уходя в сторону от позиции. До места, где залегли моджахеды, было метров двести и в предрассветных сумерках вероятность того, что прицельный выстрел будет удачным, была невысокой.

— Касум, — сказал Тюлеген, стараясь скрыть злость на младшего брата. — Приготовься.

— Угу, — ответил Касум.

Виктор двигался медленно, но без остановок. Несколько раз он пинал ногой камни, попадавшиеся на пути, и те с треском отлетали в сторону.

Появление незнакомого человека вызвало у моджахедов замешательство. Из-за обломка скалы поднялся и встал в рост худой как жердь чеченец Исмет. Сложил у рта руки рупором, собираясь что-то крикнуть. Но не успел. Тюлеген нажал на спуск мгновением раньше.

Трудно сказать, какой реакции ожидал от моджахедов Виктор, делая вылазку, но над плато раздались крики «Алла акбар!», затрещали автоматы, и трассы пуль потянулись к гряде, за которой залегли Тюлеген и Касум. Пришлось броситься на землю и Виктору.

Стреляли моджахеды с нескрываемым остервенением. Вся история с экспедицией, необходимость работать на жаре и ветру уже давно раздражала боевиков, привыкших убивать и грабить. Они долго ждали возможности поразмяться и наконец ее получили.

Ситуация складывалась еще та. Долго держать позицию братья не могли.

— Что ж, Андрей, — сказал Кашкарбай. — Теперь наш выход. Ты обходишь группу слева, я справа. Открываем огонь, прижимаем к земле. Ты требуешь от них сложить оружие.

— Почему не ты?

— Потому что я их человек и не могу выглядеть в их глазах предателем.

— Нас только двое, — удрученно сказал Андрей. — Сработает ли?

— Сработает. Ты увидишь, оружие сразу бросят три человека. Они все время были со мной. Ты их всех знаешь, — и, предупреждая возможный вопрос, сообщил: — Все трое — узбеки.

— Им можно доверять?

— Они не исламисты, Андрей. Они правоверные мусульмане. Из тех, о которых поэт писал так:

Имеет каждый две души:
Одна щедра и благородна,
Другая вряд ли чем-нибудь
Аллаху может быть угодна.
И между ними выбирать
Обязан каждый, как известно,
И ждать подмоги от других
В подобном деле бесполезно.

Эти люди ведут свой джихад. Ты знаешь, что джихад это не обязательно война? Есть понятие джихад души. Это борьба, которую мусульманин ведет со своими недостатками, совершенствуя ум и душу. Эти трое из таких. Они достойные люди.

Братья Тюлеген, Касум и Виктор взяли в плен шестерых. Настоящими отчаянными боевиками среди них оказалось только трое.

Положив разоруженных боевиков на землю и оставив Касума и Виктора охранять их, Тюлеген и Андрей вернулись на буровую. Туда же, незамеченный своими, пришел Кашкарбай. Когда он подошел к домику, Тюлеген куском старой тряпки стирал с лица черные маскировочные полосы, но разогретая потом краска размазывалась, и он все больше становился похожим на негра.

— Оставь, — сказал Андрей, — иначе тебя и собаки не узнают.

К людям возвращалось чувство юмора, и Тюлеген знал — это верный признак того, что опасность уже ощущается не так остро, как в начале боя.

— Что будем делать? — спросил Тюлеген, обращаясь ко всем сразу.

Ответил Кашкарбай.

— Сделаем все по науке. — Он посмотрел на Андрея. — Ну, кафир, тебе не кажется, что мы победили?

— Похоже, что так.

Андрей шагнул и протянул ему руку:

— Спасибо, Кашкарбай. Спасибо за все.

— Слушай, ты, вояка, обними меня и назови Ицхаком. Нет, лучше Ицей, как называла меня мама.

У Андрея дрогнул голос:

— Шолом, Ица. И давай кончать с этим делом.

— Давай, — Ицхак отстранился от Андрея. — Теперь ударь меня. Вот сюда.

Он показал пальцем на скулу, чуть ниже левого глаза.

— Пошел ты! — сказал Андрей зло. — Сдурел, что ли?

— Надо... Как это там у вас говорят: «Надо, Федя, надо». Так? Я должен вернуться к своим не победителем, а побежденным. Моя служба исламу еще не окончена.

— И все равно, пошел ты!

— Спасибо, Андрей, я-то думал, ты друг. На вас, русских, надеяться ни в чем нельзя.

Он нагнулся, зачерпнул рукой горсть песка, поднес руку к лицу и что было силы тиранул по щеке. Острые песчинки ободрали кожу, и щека залилась кровью.

Ицхак отряхнул ладонь.

— Понял, поц, как это делают?

Потом Ицхак протянул Андрею руки, сложенные вместе. В одной он держал наручники.

— Заковать как надо сумеешь?

— Закую, это нетрудно. А ты потом век молись, что я тебя не замочил.

— Было желание?

— Еще какое. И последний вопрос. Ты говорил о деньгах Иргаша. Их много на самом деле?

Кашкарбай удивленно взглянул на Андрея:

— Решил поправить материальное положение?

— Не свое. Хотел помочь другу.

— Тюлегену?

Теперь глаза удивленно расширились у Андрея.

— Не волнуйся, я его давно вычислил. Он хороший парень, и ему стоит помочь. Ты прав.

— А тебе самому не нужны деньги?

— Аллах да благословит твою семью и достояние, безбожник!

Андрей улыбнулся: это были слова мольбы за того,

кто предложил мусульманину свои деньги. С истинно восточной дипломатичностью Кашкарбай подсказал, что не является хозяином казны Ширали-хана и на нее не претендует.

— И все же?

— Андрей, ты подумай, как я могу вернуться домой после неудачного дела не в рваном халате и с покаянием, а с мешком денег и довольным лицом?

— Тебе обязательно возвращаться?

— Это не обсуждается. Я служу своему народу там, где это полезней. Все, я пошел.

Кашкарбай, подняв над головой руки, скованные наручниками, держа в них зеленую тряпку, двинулся через плато к позиции моджахедов.

— Братья, это я, Кашкарбай!

Плененных моджахедов построили на плато. Предупреждая попытки сопротивления, Касум и Виктор с двух сторон установили ручные пулеметы.

С Кашкарбая сняли наручники, и он вытер с лица сочившуюся кровь.

К моджахедам вышел Андрей. Встал, поднял руку и указал на юго-запад:

— Там Мекка. Повернитесь туда лицами.

Нехотя, переминаясь с ноги на ногу и бурча в бороды злые проклятия, моджахеды повернулись лицами вослед уходящему солнцу.

— Люди, — сказал Андрей и подошел к Кашкарбаю. Воткнул ему палец в грудь. — Вот такие, как он, верные подкаблучники Иргаша и Ширали-хана, обманули вас, пообещав блаженство, богатство и славу тем, кто поможет им овладеть огненными стрелами Аллаха. Но подумайте сами, если это на самом деле стрелы Аллаха, то почему не может их взять в свою руку сам Всевышний, Всемогущий, Всезнающий, а поручил это дело тем, на чьих лицах явно видны следы греха, а сердца помечены чеканом порока...

Андрей говорил с яростным напором, и слова сами выплывали из глубин памяти, куда попали из давно прочитанных книг мудрецов Востока.

— В помутнении вашего разума вы забыли, что средства жизни распределены Аллахом, а сроки их действия установлены Книгой Судеб. Многое свидетельствовало о том, что дело, к которому вас вели, не угодно Аллаху. Я говорю вам, вот здесь, — Андрей топнул ногой, — под нами лежит то, что ваши погонщики называли огненными стрелами Аллаха. Но на деле это злые стрелы шайтана. Подумайте, было бы мне, неверному, позволено уничтожить это зло, принадлежи оно Всеблагому Аллаху и служи добру? Проверьте крепость своей веры и убедитесь, мог ли я победить вас вопреки Книге Судеб?

Моджахеды стояли, понурив головы.

— Теперь читайте молитву. Я вам ее напомню.

Андрей вынул из кармана молитвенник «Саидаль-Кахтани», который он взял у мертвого Иргаша.

— Повторяйте за мной. «О Аллах, Ты — Царь, и нет бога, кроме Тебя, Ты — Господь мой, а я — Твой раб. Я сам себя обидел и признал свой грех, прости же все грехи мои, поистине никто не прощает грехов, кроме Тебя. Укажи мне путь к наилучшим нравственным качествам, ибо никто, кроме Тебя, не направит к ним, и лиши меня дурных качеств, ибо никто не избавит меня от них, кроме Тебя! Вот я пред Тобой, и счастье мое зависит от Тебя; все благо в руках Твоих, а зло не исходит от Тебя; все, что я делаю, делается благодаря Тебе, и к Тебе я вернусь, Ты — Всеблагой и Всевышний, и я прошу у Тебя прощения и приношу Тебе свое покаяние».

— О Аллах! — Кашкарбай заскрипел зубами. — Я должен был убить этого кафира! Должен был, но меня все время сдерживал Иргаш. Я до сих пор не понимаю, почему.

— Успокойся, — сказал Алхазур, стоявший рядом. — Не говори «если бы я сделал то-то и то-то!» Но говори: «Это предопределено Аллахом, и он сделал, что пожелал».

Когда голоса утихли, Андрей поднял руку, привлекая к себе внимание.

— Теперь стойте и слушайте. Вы почувствуете ушами, ногами, телом, как умирает дьявольское зло. Как погибают стрелы шайтана, которые кто-то пытался объявить достоянием Аллаха. Стойте и внимайте, правоверные. Внимайте и понимайте, что с вас, обманутых, сейчас снимутся ваши грехи.

Андрей подошел к скважине. Вынул из инструментального ящика короночный ключ и коронку-взрыватель. Медленно навернул ее на торец колонковой трубы, снял заглушку с устья скважины. Осторожно поднес трубу к жерлу, опустил конец внутрь и зажал захватами. С помощью тали подвел поближе к скважине пятиметровую обсадную трубу, плотно залитую бетоном. Тюлеген стоял рядом, готовый оказать помощь.

— Даю, — сказал Андрей и разжал захваты.

Боевая колонна свободно рухнула в скважину. Выдавленный ею воздух со свистом и воем вырвался наружу.

— Давай! — приказал Андрей, и Тюлеген вслед за снарядом сбросил вниз обсадную трубу и тут же завернул горловину скважины крышкой.

Едва они отошли от буровой, глубоко в скальном массиве прокатилось глухое ворчание взрыва.

Дрогнула под ногами земля. Закачалась таль, закрепленная на треноге вышки. Зазвенели стекла в буровом домике...

Андрей отдал моджахедам один из трейлеров, и те, погрузив на машину пожитки, которые пожелали захватить, двинулись в обратный путь на юг. Кашкарбай просил дать оружие, хотя бы один или два автомата, но в этом ему было отказано.

Проводив остатки экспедиции до перевала, за которым начиналась пустыня, Тюлеген и братья вернулись к кошаре.

Хотя все порядком устали, никто спать не хотел. Сидели в юрте, пили чай, вели разговоры, снова и снова переживая события последних дней.

— Если честно, — сказал Андрей, обращаясь к Тюлегену, — я кое-чего не понял. Как нам все это удалось сделать?

— Э, кончай, — Тюлеген махнул рукой, будто отгонял от уха назойливую муху. — Не нам, а тебе. Это ты провернул операцию, по которой нужно писать учебник для диверсантов. А теперь выясняется, что сам в ней ничего не понял.

— До начала стрельбы понимал почти всё. Знаешь, как в американских фильмах крутые герои часто говорят: «Ситуация под контролем». Я тоже в это верил и даже боялся сглазить — до того гладко шло. И вдруг понеслось. Откуда? Куда?

— И ты запаниковал? — Тюлеген бросил недоумевающий взгляд на Андрея: не разыгрывает ли?

— Не то слово. Было хуже: решил все — конец.

— Ничего особенного. — Тюлеген потянулся к чайнику, взял его, высоко поднял над пиалой и стал ее наполнять. Соломенного цвета струя с журчанием полилась в чашку с высоты полуметра. Тюлеген наливал так называемый «узун чай» — «длинный чай», когда горячая струя из чайника падала в пиалу уже охлажденной. — Все удачно прошло, потому что твой Кашкарбай — та еще голова! Он быстро просек, какого дьявола я оказался в этих местах со своими баранами. Просек и открыто признался, что он из спецслужбы. Мы, два спецназовца, снюхались. Кашкарбай подтолкнул Кангозака сколотить банду. Тому ее и собирать не пришлось. Эта сволочь рыщет в степи, собирает цветной металл, оставшийся после испытаний советской ракетной техники ПВО. По замыслу Кашкарбая, Кангозак должен был разогнать боевую группу Иргаша. Затем мне и братьям предстояло убрать банду Кангозака.

— Братья у тебя хоть настоящие? Или соратники из спецназа?

— Знаешь что, остряк, братья кровные.

— Что ж вы не просто разогнали тех, кто пришел с Кангозаком, а буквально порвали их, а?

— Чтобы ты знал, эта банда убила моего деда и вырезала его семью. Из-за баранов. Они продали скот в Каратау...

В полночь над плато послышался приближающийся звук вертолета.

— Это за тобой, — сказал Тюлеген.

— Может быть, — согласился Андрей, — и все же ребята, возьмите-ка автоматы. И уйдем из юрты.

— Чего ты всполошился? — спросил Касум удивленно.

— Просто так, джигит. Мы теперь слишком много знаем, а это не всегда и всем нравится.

— Он прав, — поддержал Андрея Тюлеген. — Лучше перебдеть, чем недобдеть. Закон спецов. Подчинимся.

Они разобрали оружие и оставили юрту.

Вертолет шел низко, поднимая вверх тучи пыли. По земле в разные стороны суматошно катились шары перекати-поля.

Андрей направил фонарик к небу и щелкнул выключателем — два длинных световых мазка, один — короткий.

Вертолет, будто не замечая подаваемых ему сигналов, прошел на восток, и его бортовые огни скрылись за дальней грядой холмов.

Андрей со злости уже чуть не хряпнул фонариком о землю, когда звук приближающейся вертушки послышался вновь. Она шла, освещая носовой фарой землю.

Андрей опять подал знак фонариком.

Приблизившись, вертолет завис на землей, примеряясь к неудобной для посадки площадке. Потом легким движением опустился чуть ниже и опять завис.

До земли оставалось метра два, и пилот не спешил их выбирать.

Загремела отодвинутая в сторону дверца фюзеляжа. Андрей поднял голову и увидел силуэт женщины. Она стояла, раскинув руки в стороны. Потоки воздуха трепали ее волосы.

— Аля! — крикнул он, и в гуле мощного двигателя, в свисте лопастей винта над головой не услышал себя.

Она услыхала. И так, как стояла — раскинув руки, с бушующей копной волос, как птица бросилась сверху ему навстречу.

Андрей подхватил ее, но не смог устоять на ногах и рухнул на спину, больно ударившись боком о камень. И тут же спросил ее:

— Ты не ушиблась?

— Андрей! — Она сжала его лицо руками и стала целовать его всего — лоб, щеки, глаза и только потом, когда ему удалось удержать ее голову, их губы слились в едином поцелуе.

— Дикобраз! - наконец оторвавшись, сказала она.

— Нет, — возразил он. — Неужели забыла? Я только ежик!

Она счастливо засмеялась.

За их спинами, скрипнув полозьями по каменной крошке, плотно уселся на грунт вертолет.

— Куда мы летим?

— Сейчас в Астану.

— Потом?

— Сперва в Китай.

— Через Россию? Там меня по-тихому могли объявить в розыск.

— Не волнуйся. Рейс чартерный на Пекин. Оттуда махнем в Токио. Затем в Гонконг.

— Кругосветка, как у Федора Конюхова.

— Так надо, Андрюша. Это страны, где у исламистов меньше всего любопытных глаз, зато надежные банки.

Андрей уселся на лавку возле открытого люка, и ветер взъерошил его волосы. Он видел, как резко провалилась вниз черная масса земли и горизонт вдруг расширился, распахнулся во все стороны.

Машина накренилась в развороте, и Андрей в последний раз бросил взгляд на серебрившуюся в лунном сиянии степь, на темный провал Ульген-Сая.

Все. Азиатская часть его жизни закончилась взлетом в бархатную, продутую степными ветрами синь ночного неба.

Все. Его одинокая жизнь тоже подошла к концу. Справа от него, держась за его плечо двумя руками, припав к его боку живым теплым телом, сидела Альфия, верная спутница, друг, жена.

Он поднял руку, высунул ее в прогал люка. Помахал открытой ладонью. Никто не видел этого — ни товарищи, оставшиеся на земле, ни пилот, управлявший машиной.

Вертолет несся над пустыней, все дальше в стороне оставляя места, где они только что были. Да и махал Андрей, собственно, не кому-то другому, а лишь самому себе.

Он прощался с землей, на которую ему никогда не вернуться.

Он прощался с людьми, которые заставили его оказаться в степи, открытой не только ветрам и солнцу, но и смертельным опасностям, видимым и невидимым.

Он махал рукой тем, кто находились в стороне от него, тем не менее сделали все, чтобы отвести от него неприятности.

— Задвинь дверцу, — попросила Альфия, нежно коснувшись мягкими теплыми губами его правого уха. — Сильно дует.

Андрей тронул блестевшую никелем ручку, и легкая дверца скользнула вперед, перекрывая доступ в полное лунного света и звезд пространство.

— Спасибо, родной, — шепнула ему Альфия.

Андрей повернулся, обнял ее правой рукой, прижал к себе. Она молча прижалась к нему всем телом.

Они сидели рядом, не произнося ни слова, но их молчание было выразительней любого самого жаркого разговора.

Они были вместе. Они принадлежали друг другу. Они любили.

Они летели в неведомое, чтобы продолжить жизнь. Чтобы сделать ее для себя полнокровной и счастливой.

Ночь уходила, уступая место заботам нового дня.

Просыпался Дальний Восток. Спешили к делам миллионы японцев, озабоченных собственными проблемами. Бизнесменов пугали падающие биржевые индексы. Геологов настораживал гнев огня, вызревавший в недрах земли под основанием Фудзиямы.

Измотанная ежедневной борьбой с собственной глупостью еще спала Центральная Россия. Утром ей предстояло решать проблемы, которые она создала для себя вчера, и создавать новые, которые начнет решать завтра.

Досыпала Центральная и Средняя Азия. Уже муэдзины в городах, кишлаках, аулах готовились к тому, чтобы пропеть азан — призыв к утреннему намазу. Пусть встают правоверные, пусть опускают лбы к земле, чтобы с новыми силами начать затягивать пояс ислама от Хинди Куха — Индийских гор до самой Адриатики. Пусть жирная Европа ощутит его давление на своем жирном брюхе. Ее будущее уже предрешено, взвешено и расписано убористой вязью арабских букв в Книге Судеб. Кто посмеет противостоять воле Аллаха?

Спал еще Ближний Восток — Сирия, Ирак, Иордания, Израиль.

Где-то в убогом афганском кишлаке, маясь болью в кривой спине, вполглаза досматривал сон бывший агент ЦРУ террорист Усама бен Ладен. Снилось — он уже *уничтожил*, спалил огнем царство мирового дьявола — Соединенные Штаты.

В пыльном городке Кандагаре вождю афганских талибов Мухаммаду Омару снилось, что он *уничтожил* во славу ислама все монументы и скульптуры в мире. И улыбался довольно во сне одноглазый.

Спал в горной пещере на кошме, укрывшись буркой, одноногий террорист Басаев и в полубреду, в полудреме думал, как *уничтожить* российский гарнизон пограничников в чеченском поселке Итум-Кале.

В роскошном особняке, на свежих простынях блаженно спал шейх Джамал ибн Масрак. В мечтах он уже несколько раз *уничтожил* Израиль, не зная, что сделать этого ему не суждено.

Полковник российской армии Буланов встал в три часа ночи и лично проверил посты на одном из участков Аргунского ущелья Чечни. К пяти он вернулся в штаб и уже не мог спать. Его беспокоила мысль, как раз и навсегда *уничтожить* горную базу полевого командира Асланова.

Григорий Дешевкин, мастер кузнечного цеха неработающего металлургического завода, проснувшись под утро, думал, сколько проблем решилось бы сразу, умри или исчезни его теща Глафира Марковна. *Уничтожить* ее самому, что ли?

Салам Ильясов — профессиональный киллер, лежа в постели, продумывал, как по заказу конкурентов одним выстрелом *уничтожить* президента фирмы «Маячок». Ста тысяч долларов, обещанных ему за исполнение заказа, было достаточно, чтобы на какое-то время решить собственные проблемы.

Уничтожить...

Мы привыкли слышать это слово, свыклись с ним, не реагируем на него, потому что в душе у многих живет свой Израиль, который хочется *уничтожить*.

Не нравится диктатору демократия... *Уничтожить!*

Беспокоит правительство оппозиция... *Уничтожить.* Депутаты парламента должны представлять собой единство!

Бьет в уши голос свободной прессы? Заткнуть ему глотку! *Уничтожить!*

Не нравятся тысячелетние изваяния Будды, чужого бога. Проще простого — взять и *уничтожить*.

Стоит на площади Мавзолей. Тоже проще простого...

А у вас, читатель, только припомните честно, никогда не возникала мысль, что, исчезни вдруг кто-то из ваших близких, знакомых, сослуживцев, и вам сразу станет жить легче, и многие проблемы решатся самостоятельно? Может быть, было такое?

У многих, кто не может устроить собственные дела иным путем, в тайниках души живет собственная формула *«Уничтожить Израиль»*, и кажется им, что тогда все пойдет хорошо, все образуется, встанет на свои места и будет ладненько.

Только будет ли? Может, дело в чем-то совсем друтом? В нас самих? В неладах с собственной совестью, в неприятии мира таким, каким он сложился и есть? В стремлении одним ударом все переделать по-своему?

И кто сказал, что для того, чтобы познать любовь, свободу, счастье, нужно обязательно уничтожить Израиль или сжечь Россию или Европу в бушующем ядерном пожаре?

Кто втемяшил в головы людям эту глупость? И почему мы до сих пор верим, что любить по-настоящему можно только тогда, когда ненавидишь кого-то другого?

Вертолет мчался над землей на восток. И где-то там, вдалеке, за невидимыми глазу склонами гор Алтая, над степями Монголии, над Хинганом зарождалась заря нового дня.

Она объявляла о своем приближении скромно — осторожным узким просветом, который все выше и выше отодвигал нижний край темного небосвода, заставляя его сдвигаться к западу.

Они летели в новую жизнь, к свету.

И свет летел им навстречу.

Может, все-таки разум когда-то станет достоянием общим? Может, станет?

Эпилог

В свежих документах, которые предстояло просмотреть в тот день, секретарь Совета безопасности России Петров нашел распечатку такого сообщения:

«Из передачи казахского телевидения «Новости науки»

Ведущая: Сегодня в газете «Шубар хабар» («Пестрые новости») опубликовано сообщение о землетрясении в центральной части нашей республики. В частности сообщается: «Землетрясение силой в 3—4 балла по шкале Рихтера с эпицентром на глубине нескольких сотен метров от поверхности земли произошло в районе урочища Ульген-Сай, которое находится в стороне от дорог и жилых мест. Сообщений о жертвах нет». В нашей студии находится академик Казахской академии наук профессор Талгат Абдуллаевич Сатпаев. Талгат Абдуллаевич, как вы можете прокомментировать данное сообщение?

Сатпаев: Прежде всего давайте уточним термины. В последнее время с легкой руки журналистов в прессе и на телевидении то и дело идут в ход фразы такого типа: «Эпицентр землетрясения находится на глубине нескольких сот метров под поверхностью земли» или «Эпицентр взрыва бытового газа, вызвавший разрушение жилого дома, находился в квартире на пятом этаже». Так вот, подобные утверждения возникают от элементарной неграмотности и из желания щегольнуть научными терминами без понимания их сути.

Точка, в которой рождается подземный толчок, называется гипоцентром, а эпицентр — это проекция гипоцен-

тра на поверхность земли. И на какой бы глубине ни находился очаг землетрясения, эпицентр всегда окажется на поверхности. То же касается и случаев, когда происходит взрыв над поверхностью земли. Его эпицентр также будет расположен на плоскости земли.

Что касается толчка, наблюдавшегося сейсмическими станциями в районе урочища Ульген-Сай, то он не должен вызывать беспокойства. Урочище это находится в зоне известного разлома. Разломы такого рода возникают в земной коре под действием тектонических сил и связаны со складчатыми областями. Активизация одного из таких глубинных разломов в Средней Азии считается причиной катастрофического ташкентского землетрясения 1966 года. К счастью, подвижки в районе Ульген-Сая опасностями казахстанским городам не грозят...»

Прочитав документ, Петров улыбнулся: прекрасно, когда наука может объяснить все. Просто замечательно.

Президент России собирался на встречу руководителей стран Прикаспийского бассейна. Чтобы подготовиться и слегка отдохнуть, он уехал в горы, покататься на лыжах. Там, на крутом заснеженном склоне хребта, его и застал срочно прилетевший секретарь Совета безопасности Петров.

Они обменялись рукопожатиями. Отошли в сторону от охраны и сопровождавших лиц.

— Что у тебя? — спросил президент.

— Все отлично. Историю с «чемоданчиком» мы успешно закрыли.

— Как патриот Назаров? Где и что с ним?

— Похоже, что жив. Остальное неизвестно.

Президент оттолкнулся палками, мощным рывком бросил тело под уклон и понесся вниз, где голубели тонкие свечки горных елей.

Из сообщения Российского информационного агентства:

«В Ташкенте состоялась встреча президентов Узбекистана, Казахстана, Киргизии, Азербайджана и России. Президент Туркменистана, приглашенный на встречу, в Ташкент не приехал, сославшись на состояние здоровья. Некоторые наблюдатели называют его недомогание дипломатическим.

Встречу открыл президент России. Он обратился к участникам с коротким приветственным словом, которое было воспринято с большим пониманием и способствовало созданию на встрече атмосферы дружеской теплоты.

«Ассалом алейкум, юлдашлар, — сказал президент России. — Обращаясь к вам со словом «салам» и желая вам мира, я придерживался исламской традиции, идущей от пророка Мухаммада. Когда однажды его спросили, в чем заключается лучшее проявление ислама, он ответил: лучшее проявление ислама состоит в том, чтобы приветствовать пожеланием мира тех, кого ты знаешь и кого не знаешь.

Я обратился к вам со словом «юлдашлар», и вы по старой привычке могли перевести его как слово «товарищи». Между тем я имел в виду старинный смысл слова «юлдаш», происходящее от слова «юл» — дорога. Юлдаш — это спутник. Так называли люди тех, с кем пускались в большую дорогу, совершали вместе хадж или двигались в неизвестном направлении в поисках счастья.

Сейчас мы идем одной дорогой в поисках мира и благополучия наших народов и стран. Так пусть в наших обращениях друг к другу звучит слово юлдаш — спутник. Или, как произносят казахи и киргизы — жолдас».

Обращение президента России было встречено аплодисментами.

Участники совещания одобрили совместно предпринимаемые меры по борьбе с терроризмом. Было признано, что исламистский радикализм и экстремизм, поддерживаемый и провоцируемый из-за рубежей, несет большую опасность для стран Центральной и Средней Азии и требует адекватной реакции».

Оглавление

Александр Щелоков

ДЕНЬ ДЖИХАДА

**Остросюжетный роман-дилогия
об операциях в Чечне против ваххабитских
террористов, объявивших войну
«русским оккупантам».**

**В первой части дилогии
федералы срывают захват
бандитами сопредельных
с Чечней территорий.**

**Вторая часть —
о секретной операции команды спецназа
по поимке матерого арабского
полевого командира —
эмиссара бен Ладена в Чечне.**

ОПЕРАЦИЯ
«АНТИТЕРРОР»

Александр Александрович ЩЕЛОКОВ
УНИЧТОЖИТЬ ИЗРАИЛЬ...

Редактор *Е.В. Доценко*
Художественный редактор *Т.Н. Костерина*
Технолог *С.С. Басипова*
Оператор компьютерной верстки *А.В. Волков*
Корректор *И.О. Горбатовская*

Издательская лицензия № 065676 от 13 февраля 1998 года.
Налоговая льгота — общероссийский классификатор продукции
ОК-005-93, том 2:953000 — книги, брошюры
Подписано в печать 12.09.2001. Формат 84 × 108/32.
Гарнитура Таймс. Печать высокая.
Объем 11,5 печ. л. Тираж 11 000 экз.
Изд. № 1644. Заказ № 1617.

Издательство «ВАГРИУС»
129090, Москва, ул. Троицкая, 7/1
E-mail — vagrius@vagrius.com
Книги почтой: 109390, Москва, а/я 57, «ВАГРИУС»

Получить подробную информацию о наших книгах и планах,
авторах и художниках, истории издательства,
ознакомиться с фрагментами книг,
высказать свои пожелания и задать интересующие вас вопросы
вы можете, посетив сайт издательства в сети
Интернет: http://www.vagrius.ru

Отпечатано с готовых диапозитивов
в Государственном ордена Октябрьской Революции,
ордена Трудового Красного Знамени Московском
предприятии «Первая Образцовая типография»
Министерства Российской Федерации по делам печати,
телерадиовещания и средств массовых коммуникаций.
113054, Москва, Валовая, 28.

Оптовая торговля:
«Клуб 36,6»
Тел./факс: (095) 265-13-05, 267-29-69, 267-28-33, 261-24-90
Тел.: (095) 523-25-56, 523-92-63
E-mail: club366@aha.ru

КОРФ «У Сытина»:
125008, Москва, пр-д Черепановых, д. 56
Тел.: (095) 156-86-70 Факс: (095) 154-30-40
E-mail: shop@kvest.com

Фирменный магазин «36,6 — Книжный двор»:
Москва, Рязанский пер., д. 3
Тел.: (095) 265-86-56, 265-81-93

Книги почтой:
107078, Москва, а/я 245, «Клуб 36,6»

Интернет-магазин:
http://www.kvest.com